財經企管BCB191C

封面設計／張議文

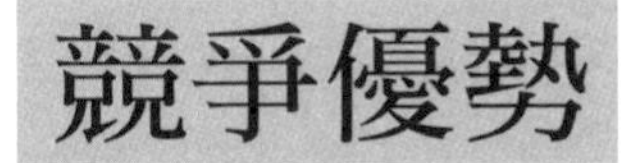

（下）

Competitive Advantage

Creating and Sustaining Superior Performance

By Michael E. Porter

麥可・波特 著
李明軒、邱如美　譯

作者簡介

麥可・波特（Michael E. Porter）

二十六歲任教於哈佛商學院（Harvard Business School），為該學院有史以來最年輕的教授。波特專精於競爭策略，自一九八〇年起陸續出版了《競爭策略》（*Competitive Strategy*）、《競爭優勢》（*Competitive Advantage*）、《國家競爭優勢》（*The Competitive Advantage of Nations*）、《競爭論》（*On Competition*）等書（以上各書中文版均由天下文化出版），被譽為當代經營策略大師，他所提出的競爭策略理論更是商學院的必修課程。波特曾於美國雷根總統任內被延攬為白宮「產業競爭力委員會」（Commission on Industrial Competitiveness）委員，同時也是世界各國政府與企業爭相諮詢的知名顧問。

譯者簡介

李明軒

美國密蘇里州立中央大學大眾傳播碩士、台灣師範大學三民主義研究所法學博士。曾任《中央日報》記者、《天下》雜誌資深編輯、《遠見》雜誌副主編、世新大學與實踐大學高雄分校講師。現任教於慈濟大學傳播學系。

邱如美

東海大學政治系畢業，美國密蘇里州立中央大學大眾傳播碩士。曾任《自立晚報》記者，目前為專職譯者。

競爭優勢

目錄

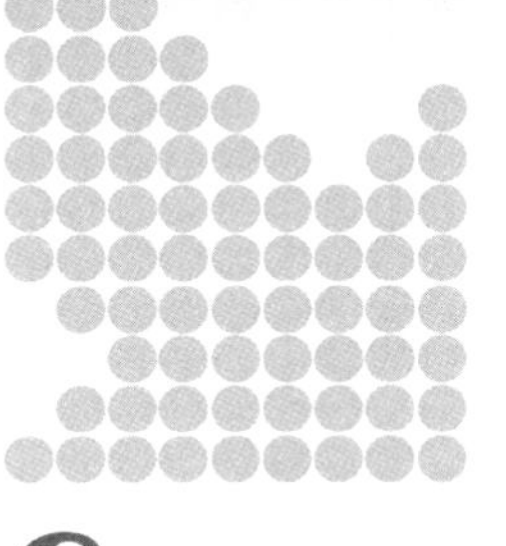

Competitive Advantage

Competitive Advantage

Competitive Advantage

Competitive Advantage

圖表目錄

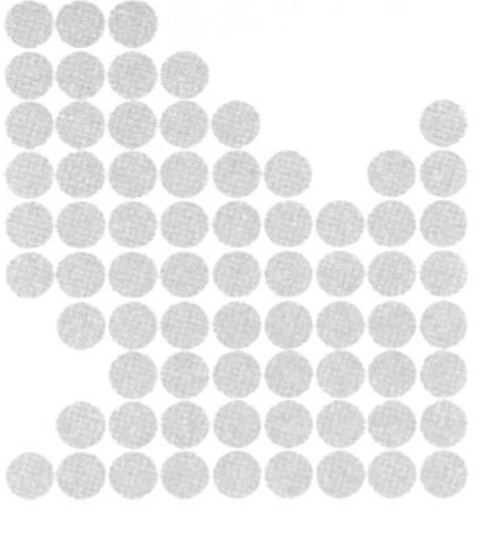

Competitive Advantage

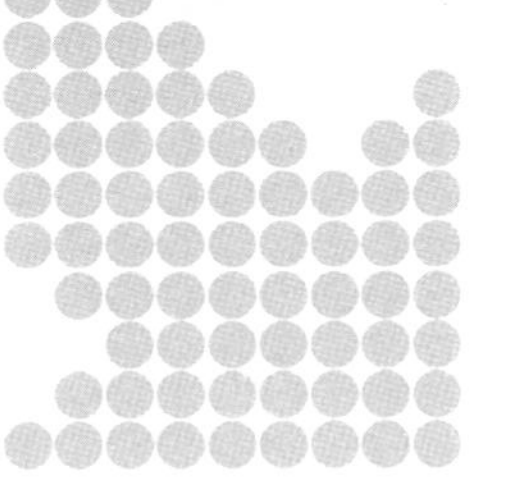

Competitive Advantage

| 第八章 |

替代

所有產業都有被替代的威脅。替代是一種過程。在這個過程中，一個產品或服務排擠了另一項產品或服務，並且滿足客戶的需求。

這一章探討替代分析的架構。首先討論如何辨別替代品，接下來說明「替代經濟」，然後指出替代品的威脅如何轉變。最後說明這個分析架構與替代品攻擊、防禦策略的關係。

所有產業都有被替代的威脅。替代（substitution）是一種過程。在這個過程中，一個產品或服務排擠了另一項產品或服務，並且滿足客戶的需求。對於替代的分析應該包涵產品和過程，因為客戶價值鏈的任何部分，改以一種新的方式進行活動時，所依循的原則與產品的替代完全相同。替代品是決定一個產業獲利能力的五種競爭力之一，因為替代品的威脅會為產業定出價格上限。替代在決定產業和企業的需求上也扮演了重要的角色。產業與企業因為怕被替代，而不斷成長，也因為替代品的出現而開始走下坡。在產業中，替代直接影響到企業的競爭規模，因為替代會擴大或縮小這個產業各個區段的範圍。

對抗替代品時，企業怎麼做才能發揮最佳的防禦作用？當企業處於攻擊的一方時，什麼才是推動替代品的最佳策略？在很多產業中，這些都是競爭策略上的重要問題。這一章以替代分析的架構回答這些問題。首先我將討論如何辨別替代品。這是替代分析中最根本，又最不容易拿捏的一步。接下來，我將說明替代經濟（economics of substitution）。它有助於辨識替代品的威脅，並提供企業要影響替代經濟時，策略性行動的依據，隨後我會指出替代品的威脅如何轉變。以此為基礎，我們就能清楚看出影響替代過程的因素。替代的過程具有一定的特徵，了解這一點，才能分析替代的威脅範圍、並預測替代品的滲透程度。最後，我將說明這個分析架構與替代品的攻擊、防禦策略的關係。雖然這些分析以產業層次的替代來說明（如碳纖維替代鈦和鋁），然而同樣的原則也適用於個別產品之間的替代。

辨識替代品

替代分析的第一步是，找出產業面臨的替代品。這一點看似簡單，做起來卻不容易。要找出替代品，企業必須先找出與自己的產品具有相同功能的其他產品或服務，這一點比找出相同型態的產品更為重要。卡車和火車的差別看似很大，但是對客戶而言，它們的功能——點對點的貨物運輸——是完全相同的。

產品產生的功能依它在客戶價值鏈中的角色而定。客戶使用產品的目的是為了進行某些價值活動——如卡車或火車都用在進出貨的後勤作業上，而雪橇則做為冬季的娛樂之用。第四章提過，產品不但會影響客戶直接使用這項產品的價值活動，也會影響許多其他活動。比方說，一個產品的零組件必須透過進料後勤處理，使用前會經過庫存的階段，銷售後仍然涉及售後服務。同樣地，嬰兒尿布不只是嬰兒要穿，還要由父母親為他們更換，如果可重複使用，還需要洗滌、同時也關係到採購和儲存等活動。一件產品對客戶的所有影響，都與如何定義替代品，以及替代品的相對效益有關。最後，使用這項產品的價值活動也可能與其他活動相互鏈結。比方說：零件的精密度就會影響到產品需要調整和售後服務的程度。鏈結不但影響產品本身，也會影響到替代品，因為鏈結通常會創造出組合價值活動的新形式。

替代有很多種形式，最簡單的一種是，在同一個客戶的相同價值活動中，一種產品以同樣的功能替代另一種產品。陶瓷引擎零件替代金屬引擎零件就是一例。這個替代動作雖然直接了當，但是其中仍然有鏈結存在。比如說，陶瓷零件可能需要不同的處理方式。即使是最簡單的替代，比說明產品如何發揮功能更重要的，是界定該產品在價值活動中的一般功能。也就是說，這個產品實際上產生什麼作用，比如何產生作用還重要。一個產品通常有很多一般性功能，這種情況在消費性商品上就很明顯。金屬坡道雪橇製造商所面對的替代品，絕不只是環氧基樹脂或玻璃纖維雪橇，還包括越野雪橇、其他冬季運動器材、可以在冬季使用的其他休閒產品，甚至如客戶偏重夏季休閒時所引發的替代作用。從最廣泛的定義來看，金屬雪橇的功能是一種娛樂器材。當產品的一般性功能範圍愈廣，潛在替代品的數目也就愈多。

在比較複雜的替代形式中，一個替代品的功能可以不同於被替代品，並以不同方式影響客戶的價值活動。以卡車替代火車的例子來說，這兩種產品的運輸功能相同，但在裝貨、卸貨、包裝、運送規模等方面可能完全不同。替代品的功能可能比被替代的產品更多或更少。像文字處理機不只具有替代打字機的功能，還有計算和小量複印等其他功能。傳統鍋爐系統只有加熱的功能，熱幫浦則有加熱和冷卻的雙重功能。拋棄型紙尿布則免掉清洗的需求。反過來說，鬆餅機的功能可能不如小烤箱，專賣店的商品可能只是百貨公司的一小部分。因此，企業要找出替代品時，必須囊括與既有產品功能相同，或具有更多功能的產品，同時也要注意功能較少，但是具有該產品某項重要功能的其他產品。

由於替代品可能有更多功能或僅具有較少的功能，因此某個產品的一系列替代品，可能朝完全不同的方向發展。比方說，賽馬場同時有賭博和娛樂兩種功能。賭博功能的替代品包括賭場、場外下注、賭馬經紀人。而娛樂功能的替代品又更多了，如電影、圖書、體育活動等都是。一個產品在客戶價值鏈中的功能愈多，它的替代品也就愈多。

很多人認為替代只與不同的產品有關，然而從廣義上來看，在很多產業中，替代至少具有四種類型。一種是客戶不再需要某一功能，因而停止採購具有此一功能的產品。這是在產品功能較單純的情況下，最極端的替代型式。以水錶業為例，最主要的替代就是不再測量用水量。同樣地，美國食鹽產業領導廠商莫頓・諾維曲公司（Morton-Norwich）的威脅來自於，消費者考慮到鈉對健康的影響，而減少鹽分的攝取。

另一種潛在的替代是，降低對提供某一功能產品的使用頻率。以鋁製品為例，新的飲料罐要求更薄的罐壁，因而減少了對鋁的需求。同樣地，在外海探油設備上，新的指引式鑽探技術和鑽井流程，減少了鑽探設備的使用時數。

第三種替代很容易被忽略，它包括二手的、回收的，以及可修復再用的產品。以鋁業為例，對鋁材料製造業者而言，最大的威脅可能是再生鋁。在美國和日本，再生鋁的使用量正快速地發展中。而對汽車、休閒車輛等耐久財而言，二手產品是新產品很重要的替代品。此外，對飛機引擎而言，翻修過的零件是新零件的重要替代品，對這一個產業而言，再製和再塗裝的引擎零件是備用新零件的一大威脅。

最後一種潛在的替代是，客戶內部自行產生該產品的功能，或進行逆向整合。對許多配銷業而言，最大的替代是客戶直接向製造商採購，並在內部完成配銷功能。在產物和意外保險方面，客戶可能自行安排其他保障，或建立一個專屬的保險機構。

當產業區段不同時，產品的相關替代品也會改變（見第七章）。即使產品相同，每個客戶的用法也有所不同，並形成對該產品功能的不同評價。以賽馬場為例，有些客戶可能因為喜歡它壯觀的場景、或因交際應酬需要而前往，更多人則流連於下注窗口，或埋首研究場次表。因此，當客戶或客戶區段不同時，替代品也不一樣。同樣地，不同產品有不同的使用方式，因此會有不同的替代品。何種替代品最具威脅性，必須看企業實際經營的產業區段而定。

一項產品同時可能有許多替代品。以電視遊樂器為例，固定單一遊戲的產品正被可設定程式、更換程式匣的遊樂器所取代。同時，個人電腦（可以在上面打電玩的機種）又是可設定程式遊樂器的替代品。這些例子顯示，多重替代通常涉及增加或窄化產品的功能。

多重替代會改變一個產業中的整體替代率（overall substitution rate），並出現與直覺相反的結果。比方說，阿斯巴甜（aspartame）是一種新的人造低卡路里甘味料，它是糖精的替代品；而糖精與阿斯巴甜同時也是糖的替代品。一些觀察家預期，在一段時間內，阿斯巴甜的成功反而提高了市場對糖精的需求。因為阿斯巴甜刺激了人造甘味料市場的快速擴張，使得整體市場需求的成長速度大於阿斯巴甜取代糖精的速度。這就是最新的替代品為先前替代品帶來的好處。反過來看也是一樣。前一個替代品的成功或失敗，可以使下一個替代品的發展更容易、或更辛苦。

即使某一個產業沒有直接替代的現象，如果客戶的產品面臨被替代、或下游產業出現被替代的威脅時，產業本身仍會受到替代效應的影響。譬如在重型卡車方面，柴油引擎已經成功替代了汽油引擎，但是中型卡車方面，柴油引擎和汽油引擎仍然互為競爭激烈的替代品。一旦柴油引擎在中型卡車的競爭上取得勝利，汽油引擎的零件本身雖然沒有直接的替代品威脅，需求也將會逐漸減少。當客戶的產品需要其他附屬產品（complementary product）相互搭配，而這些附屬產品的銷售遭遇威脅時，也會出現替代效應。比方說，如果微波爐替代了傳統爐具，影響到的不只是傳統爐具零組件製造商，還包括在傳統爐具上所使用廚具的生產廠商。當下游出現替代作用時，客戶將不再需要上游企業原本的產品功能。

下游的替代會降低產業需求並改變客戶行為。下游替代的威脅通常對供應商的產品形成價格壓力，也可能導致客戶向供應商尋求協助，藉供應商的產品改良或其他行動，提高本身的差異性，或降低自身成本，進而迎戰威脅。

一個產品有多少替代品，會隨產業不同而有極大的差異。不同的潛在替代品之間替代一項產品的方式，以及威脅程度的高低，也有很大的差異。企業常傾向於忽略某些替代品、卻又把特定替代品看得太嚴重，因此，在開始進行替代分析時，應該盡量列出一張最完整的替代品清單。

替代的經濟效益

當一個產品給客戶的誘因大於對移轉的抗拒、或移轉成本時，這項產品就開始替代原有產品。在與價格相較之下，如果替代品所提供的價值，比客戶正在使用的產品更高，它就形成移轉的誘因。然而，由於移轉的過程會干擾進行中的活動，而客戶的活動也可能需要重新調整，替代品永遠帶有移轉成本。一項替代品的威脅程度，會因所需的移轉成本和替代品的吸引力，而有很大的差別。

除了與產品價格相關的價值和移轉成本之外，替代的型式還受到客戶替代傾向（buyer's propensity to switch）的影響。面對經濟誘因相同的替代品時，不同客戶可能有不同的評估。

因此，替代的威脅是以下三種因素的表現：

- ❑與原產品比較時，替代品的相對價格／價值。
- ❑客戶使用替代品的移轉成本。
- ❑客戶的替代傾向。

替代經濟看似簡單，但是真正要了解它則需要精細的分析。一個替代品所提供的移轉誘因，應該要包含客戶將會使用它的整個期間，並折算到目前來衡量。因為一個替代品的移轉成本通常會立即出現，或是在這項替代品為客戶帶來好處之前就已經發生。相對價值價格比（RVP. relative value／price）和移轉成本是由許多因素造成，這些因素又會隨時間而改變，因此不確定性非常高。企業要了解這兩者，必須充分了解一個產品如何影響客戶的價值鏈，以及生產這個替代品的產業結構。企業如要了解客戶的替代傾向，它必須進一步認識客戶的競爭環境、資源，以及其他與預測客戶面對替代品時行為相關的特質。

相對價值價格比

一個替代品的價值價格比是，客戶採購時所付出價格和所得到價值的比較結果。相對價值價格比則是替代品的價值價格比，以及被替代產品的價值價格比的相對表現。當移轉成本不存在、而且產品可以被快速消耗時，相對價值價格比只是既有條件的比較結果。不將未來情況納入考慮的原因是，客戶可以根據當時的相對價值價格比，迅速而不影響成本地交替使用替代品和被替代產品。然而，當移轉成本存在、或產品屬於耐久財時，衡量一個替代品的吸引力，也就是衡量在計畫界限（planning horizon）上替代品的期望相對價值價格比。

既有產品和它的替代品的價格很容易確定。在計畫界限上衡量期望中的相對價格，則必須計算相對價值價格比，並且必須反映出對未來價格變化的預測。企業採購產品或替代品時，產品價格的比較必須包括交易折扣、退款、附帶贈品或服務。以辦公設備為例，廠商與客戶的交易中，通常已包含免費服務，因此比較影印機、平版複印機等產品與替代品的價格時，這部分也必須考慮進去。當客戶採購時享有稅金方面的減免時，也必須一併考慮。

決定一個替代品相對價值的因素，也正是第四章所討論的差異化決定因素。對客戶而言，如果替代品比原產品更能夠節省成本或改善效益時，它就有價值。但前提是，客戶必須明白這種價值。因此，一個替代品傳達本身價值的能力，也應該列入價值比較當中。對相對價格而言，企業不能只考慮替代品的現有價值，在完整使用期間的期望相對價值，也應列入相對價值價格比。

在替代作用中，訊號所扮演的角色又比在差異化中更重要。替代通常涉及以新產品取代已經具有相當基礎的產品。替代品通常尚未被肯定，價值也無法確知，正在使用中的產品則已經過驗證，品質也廣為人知。因此，替代品傳遞價值訊號的能力，比差異化所要求的更高。

替代品的相對價值是基於，客戶比較它和既有產品對己方價值鏈直接、間接的綜合影響。分析原則與第四章相同。不過，在實際作法上，比較少見兩個品牌產品間的替代分析，作法也更為複雜。因此，替代品很少與既有產品作直接比較。與原有產品的競爭品牌比較之下，替代品比較傾向於以不同模式對客戶價值鏈產生影響。比方說，不同品牌的尿布對家庭的影響基本上完全一樣。但是拋棄型紙尿布的使用方式，就和傳統尿布有很大的不同。替代品要確立自己的相對價值，必須調整使用形態，使它與既有產品有所不同。

以下所列的各種因素，與衡量替代品對客戶成本、效益的影響有關，在比較替代品與既有產品的價值時，通常都必須加以考慮。

使用量：替代品對客戶成本的影響，要看它能達到既有產品效益時所需要的總量。當客戶使用替代品的數量少於既有產品，同時也能達到相同效果時，它就能降低客戶的成本。譬如說，阿斯巴甜比糖精更甜，這意謂少量的阿斯巴甜就能達到相同的效果。因此比較每一磅阿斯巴甜與糖精價格的時候也必須據以調整。替代品要達到既有產品效果時的使用方式，會受到如純度、濃度、不良率、操作速度等因素的影響。

交貨和安裝成本：企業在比較替代品對客戶成本的影響時，也要注意它們在交貨和安裝上的成本差別。交貨和安裝成本可能包含如運輸、裝置、校準、擴充或修改空間以安置替代品，及其他許多有別於替代品、或既有產品本身的費用。

財務成本：替代品對客戶成本的影響，也要看客戶採購替代品及採購既有產品的財務成本。以活動房屋和傳統住宅的比較為例，必須注意到活動屋的貸款是比照汽車，住宅則是比照房地產。這兩種貸款在期限和利息計算上有很大的差別。一般來說，活動屋的貸款比較容易但利率較高。在某些產業中，財務成本可能在總成本中占有很大的比例。

價格或供貨能力上的變化：對客戶而言，替代品（包含產品和附屬項目如零件或服務）的預期價格與供應量變化、也會反映在客戶的成本上。供應商價格變動、或是階段性的缺貨，所帶來的成本代價是很高的。比方說，陶瓷零件的一個潛在優點是，它的原料更充沛也更便宜，反觀金屬原料的價格則經常變動，金屬零件的價格也隨之頻頻起伏。無論價格變動和缺貨風險，都與可靠來源的多寡有關。這也是替代品和既有產品必須作比較的地方。

對客戶而言，替代品的成本也受到產能是否能滿足主要客戶需求的影響，尤其當這項替代品是很重要的採購項目時。除非有足夠的產能和可供選擇的供應商，使客戶能處在有利的議價地位，否則客戶通常不願意改用替代品。因此，許多替代品常在市場需求出現前，就主動增加本身產能。

直接使用成本：客戶使用替代品的成本效應，也不能只看它的最初成本，還要比較它與既有產品在整個使用期間的綜合成本。直接使用成本包含：

- ❑ 勞動成本（反映所需要的勞工品質）。
- ❑ 材料、能源或中間過程的消耗。
- ❑ 保險。
- ❑ 多久需要更換。
- ❑ 維修頻率和所需成本。
- ❑ 備用零件的成本。
- ❑ 當機時間（根據它的機會成本或備用產能的成本來評

估）。

- ❑ 所需空間的維護成本。
- ❑ 殘值。
- ❑ 拆除成本。

在消耗性商品中，使用替代品的勞動成本，也就是客戶使用的時間成本。以冷凍調理食品為例，對客戶而言，這項產品的主要優點是，它比準備其他形態的餐點更節省時間。由於客戶的時間成本很難用金錢來量化，因此不容易評估。讀者可以參考第四章所提到的方法。

在升降機和飛機引擎等產業中，替代品使用期間的成本可能與最初採購的價格不相上下，也可能超出許多，這對該替代品的吸引力可能具有關鍵性影響。比方說，卡車用輻射層輪胎的使用里程數，比交叉層輪胎多出四分之一以上。輻射層輪胎破損後的換胎時間比較短，而且比交叉層輪胎多了一次翻新再用的機會。另外，使用輻射層輪胎能夠提高百分之二到百分之六的燃油效益。這些使用成本上的改善，多少抵消了它價格比交叉層輪胎貴四至五成的問題。

間接使用成本：替代品的使用成本，不僅要反映出直接使用替代品的價值活動成本，更必須包含，在客戶價值鏈中所有受影響價值活動的成本。企業或客戶常常忽略掉這種間接性或系統性的影響。以自動化材料處理輸送帶為例，與傳統方式相較之下，它可以降低裝配線上的工人數目與所需的技術熟練程度、減少廠房內需要的堆高機數目、並降低對運輸容器堅固程度的要求。同樣地，拋棄型紙尿布免掉傳統尿布儲存和清洗的要求，尿布本身具有鬆緊功能的粘貼帶，和合身剪裁的尺碼設計，也使包尿布變得更方便。另一個例子是電子收銀機，它幫助零售商店降低庫存需求，在控制經營成本方面，也優於無法以電子連線傳送交易數據的機械式收銀機。

當替代品出現以下情形時，它也會影響客戶價值鏈的其他活動成本：

- ❑影響到其他價值活動的生產力。
- ❑影響對其他原料和它們品質的需求。
- ❑需要不同的輔助設備。
- ❑影響庫存的需求。
- ❑影響品管檢驗的頻率和複雜性。
- ❑影響運輸所需的包裝總數和方式。
- ❑影響產品重量，進而影響到運輸成本。

客戶的效益：替代品的價值必須呈現出，它與既有產品對客戶效益的不同影響。比方說，相較於傳統的電機式交換機，電子式交換機更容易適應新的需求。彩色電視的畫面比黑白電視更逼真，同時也帶來更好的娛樂效果。紙尿布是另一個替代品能改善客戶效益的例子。紙尿布通常比傳統布製尿布更清潔、更柔軟、也較不會導致尿布疹。從客戶的觀點來看，替代品表現的效益與差異化策略一樣，必須加上微妙的無形效益考慮，如所代表的地位和人際關係的品質等。替代品對客戶效益的影響，雖然可以評估，但並不容易量化。

機器人替代傳統人工，是另一個替代品取代現有產品，全面影響直接使用成本、間接使用成本與客戶效益表現的案例。企業引進機器人，人力成本減少而資金成本增加，使用機器人的生產階段產出率也可能提高。機器人雖然需要保養，但能夠節省原料成本，也不會請病假。間接方面，機器人會改變對材料準備與處理方式的需求。機器人的潛在效益包括，可靠性較高，彈性更大，以及更高的工作場所安全性。

功能的多寡：替代品對客戶成本和效益的影響，必須參酌它與既有產品在功能表現上的比較。如果客戶重視額外功能時，功能較多的替代品價值就會提高。但也可能有例外。因為功能廣泛的產品也許會削弱特定主要功能的品質表現。以個人電腦為例，可以打電玩的個人電腦或許比電視遊樂器的功能更多，但是電視遊樂器具有容易使用、畫面解析度較佳等優點。功能少於既有產品的替代品，替代價值通常比較弱，但可以從降低價格、或少數特定功能的卓越表現上形成優勢。如電子收銀機的例子顯示，功能改變不僅影響到客戶的效益，也會改變客戶的使用成本。

就像差異化分析，替代品額外功能（或刪減功能）的價值，在相對價值價格比上的影響評估通常很困難。特別是消費性商品，因為要滿足客戶的無形需求，評估起來更加困難。對不同功能的價值評估原則是，檢查這項功能對客戶價值鏈，以及對客戶成本或效益的影響。要評估某一特定功能價值的一種方法是，找出僅具有此單一功能的產品，了解客戶願意為它付出的價格。一般說來，功能差異對客戶成本影響的評估，比評估它們對客戶效益的影響，要容易得多。

附屬產品的成本和表現：替代品對客戶成本和表現的影響，必須包括與它一起使用的附屬產品的成本和表現（第十二章將說明附屬產品的策略）。比方說，電影院受到電視，和錄放影機的替代威脅。上電影院看電影的成本包含交通、停車的時間與成本，以及買爆米花的成本。家庭娛樂中則沒有這些附屬產品的成本，這可能是美國的娛樂開銷中，電影所占比重從一九三六年的百分之八點二，降到一九七〇年代中期不到百分之三的理由之一。同樣地，做為休閒用車輛替代品之一的露營車，需要汽油、道路和露營場地等附屬產品搭配。

不確定性：客戶改用替代品時，必然有成本和表現上的不確定性，這種不確定性也要算到相對價值價格比的計算之中。造成不確定性的原因很多，一個主要來源是更新的替代品可能產生更大的改善，這會造成客戶觀望不前。企業可以將替代品的預期效益打個折扣，以便在相對價值價格比的計算中反映出這種不確定性。

對價值的認知：替代品的威脅大小，取決於客戶對它的相對價值價格比的認知（不一定是它的實際相對價值價格比）。

客戶通常較不注意替代品，也弄不清它的性能和優點。處於弱勢的價值訊號又降低客戶對它的了解。當下面幾種情況出現時，客戶不太可能注意到替代品的好處：

- ❑ 替代品需要使用一段時間之後，才能夠降低使用成本。
- ❑ 替代品的優點是間接、並且涉及許多相關價值活動，而非直接表現在採用替代品的價值活動中。
- ❑ 替代品對客戶效益的提升是漸進，而非立即的。
- ❑ 客戶必須在工作習慣或使用方式上做重大改變，才能獲得替代品的好處。
- ❑ 很難評估替代品好處的可靠性。

在這些情況下，客戶是不可能完全了解替代品對價值鏈的影響；企業也有必要以各種方法來提高替代品的價值訊號。機器人就是一個很好的例子。以機器人替代傳統生產設備時，客戶對它的價值認知就是一大障礙，在這方面，美國的問題比日本更為嚴重。

有時候，客戶也可能主動擁抱替代品的價值。在這種情況下，促使替代行為發生的原因可能是迷人的前景，或是表現出前瞻性，但是對替代品的真實價值了解其實有限。以電力供應為例，有些客戶只需要比較傳統的線性技術，他們卻改採購更新的模組式技術。在這些情況下，時間會逐漸還原客戶對替代品真實價值的認知。

在傳遞價值的訊號上，替代品的表現與一般企業常用的方式相同，主要工具包括廣告、業務員、展示、運用意見領袖等。客戶對替代品的相關知識，以及這個產業在訊號傳遞上的投資程度，都將決定一個替代品如何被認知。有些無法直接控制的訊號傳播，如口耳相傳和其他管道的情報，也具有舉足輕重的影響。

移轉成本

替代行為一定有移轉成本。基本上，移轉成本不利於替代品的相對價值價格比。移轉成本愈高，替代也愈困難。替代的移轉成本與客戶由某一供應商，轉換到另一供應商的情況相似（參考《競爭策略》第一及第六章）。不過，由於替代不僅涉及供應商的更換，還包括功能表現方式的轉換，因此替代的移轉成本高過單純的轉換供應商。

潛在的移轉成本應該包括替代品對客戶價值鏈的所有影響。無論直接採用替代品的價值活動，或其他間接受影響的價值活動，至少都會有一次移轉成本。替代的移轉成本一般包括：

尋找和評估供應來源：企業尋找替代品來源、蒐集相關廠商的情報，本身就是一種移轉成本。對替代品做測試、了解是否符合所需標準，也是一種移轉成本。例如，要測試六萬四千位元記憶晶片（64K）能否替代一萬六千位元晶片（16K），大約需要五萬美元，而且整個過程長達一年。

重新設計或調整程序的成本：客戶要接受一個替代品，通常要重新設計產品或價值活動。比方說，要將一個消費性食品的甜料，由純糖改用玉蜀黍高果糖漿，整個產品必須重新調整配方，不僅需要再次投入成本，還得付出測試和調整配方的時間和機會成本。重新設計也會影響到許多價值活動，比方說要獲得新的材料處理系統的好處，工廠的配置與設計也要跟著改變。同樣地，放棄天然氣，改用煤氣製造的合成瓦斯，因為這兩種燃料的性質不盡相同，客戶必須修改瓦斯燃燒設備。如果客戶正要推出下一代產品或正要建立新設備，重新設計或重新調整程序的成本將比較低。

再訓練或再學習的成本：客戶改用一個替代品，通常需要學習它的使用方法或改變原本的使用方式。譬如說，原本使用機械式打字機的打字員，一旦改用電子打字機，必須重新適應它輕巧的按鍵。而廚師要改用微波爐時，也要學習一套全新的烹飪程序。工程師和維修人員面對新式工具時，也必須再次通過學習曲線。

重新訓練的成本包括，停機的成本、振盪期的高不良率，以及除了學習和訓練之外的其他投入成本。如果替代品的使用方式明顯不同於既有產品時，重新訓練的成本最高。比方說，黑白電視換成彩色電視很容易；但是由傳統爐具轉為微波爐時，操作方式、使用程序、烹飪時間及如何獲得各種食物的最佳風味都需要從頭學習。

改變使用者的角色：替代除了需要學習新的工作方式之外，使用者本身的角色也在改變。這種變化對移轉成本的影響可以是正面的，也可以是負面的。比方說，將製造流程自動化時，原本的設備、操作人員或工程師會成為較不重要或被動的角色，這也造成他們對替代品私下或公開的抗拒。家中掌廚的先生或妻子可能排斥某種消費性食品，因為它剝奪了個人以手藝表達對親人關心的機會。

失敗的風險：替代品表現不如預期的風險，也是一種移轉成本。產品不同，失敗的成本也有差異。以光纖為例，當它做為大型電信系統的傳輸工具時，一旦失敗，後果不堪想像，這也使得客戶以光纖替代銅線和電纜的態度非常保守。

新的輔助產品：客戶改用一個替代品，也需要在測試器材、備用零件和軟體等新的相關設備或材料上做新的投資。即使使用這些輔助性產品的成本已納入替代品的相對價值價格比的評估中，重新購置本身就是一種移轉成本。客戶在新輔助產品的投資，取決於替代品和被替代產品在設備和零件上的相容性，以及兩者之間的介面差異。如同重新設計的成本，如果輔助產品本身已到了該替換的程度時，投資新輔助產品的成本最低。

移轉成本與逆移轉成本（switching back cost）：無論是替代品失敗的成本，或是相對價值價格比逆轉的風險，都呈現出客戶換回原先產品的成本。當轉回原先產品很容易，也很便宜時，移轉的風險就比較低。一般說來，由於客戶已熟悉既有產品，也有搭配的輔助性產品，他從替代品轉換回原先產品的成本，會低於引進替代品的移轉成本。但是類似徹底轉換和改變設計等移轉成本，仍是回頭時不可避免的成本。逆移轉成本還包括像客戶對頻頻更換廠商的困惑等。

雖然，有些逆移轉成本與使用替代品的時間長短無關，但是大部分的逆移轉成本通常與使用替代品的時間長短成正比。移轉成本與逆移轉成本間的關係，就形成後面要討論的替代策略。

客戶的替代傾向

即使客戶的經濟動機差不多，如果產業與環境不同，在面對替代品時的傾向也不會完全相同。環境上的差別會導致不同廠商對替代品既定的相對價值價格比，以及移轉成本產生不同的回應。這種差異性雖然是修正相對價值價格比或移轉成本的一種因素，但是將它們區隔出來獨立檢討更符合實際。

資源：替代涉及資本和其他資源上的先期投資。取得資源的方式將因客戶而異。

冒險精神：客戶不同，他們面對風險的態度也有差別，這又與他們的歷史、年齡和收入、所有權結構、管理階層背景和傾向，以及產業的競爭程度有關。和不願冒險的客戶相比，傾向冒險的客戶更可能改用替代品。

技術傾向：有技術變革經驗的客戶比較不在乎替代的風險，而技術層次較低的客戶則比較保守。

先前使用替代品的經驗：除非第一次採用替代品的經驗是以失敗收場，有過經驗的客戶比較容易進行第二次替代活動。如果過去的替代很成功，客戶面對替代的不確定感相對會減少，反之則會增加。以軟性飲料產業為例，這個產業使用糖精的經驗，就有利於後來阿斯巴甜的引進。

競爭的強度：處於激烈的競爭壓力下，努力尋找競爭優勢的客戶，會比沒有這種情境的客戶，更希望從替代品中找到優勢。

一般策略：替代品的相對價值價格比會隨著產業型、商業型或機構型客戶所追求的競爭優勢，或是家庭型客戶對時間的價值、和特定表現的需求而不同。比方說：能為客戶節省成本的替代品，對於追求成本領導的廠商更具有吸引力。

這些構成客戶替代傾向的因素，通常反映出特定決策者做替代品採購決策的傾向。

產業區段和替代

產業區段不同，替代品和替代的威脅程度也會不同。不同的產品和客戶，會隨他們在結構和價值鏈的差異而有不同的替代經濟。因此，將本章和第七章的分析方法合併使用，不僅會找出各個產業區段替代威脅的差別，也有助於建構產業區段矩陣。

如果替代品的相對價值價格比、移轉成本或客戶對替代品的傾向改變，替代的威脅也會隨著客戶群而不同。在一個產業中，替代品對每個客戶的相對價值價格比通常不一樣，因為即使是相同的產品，不同客戶會有不同的使用方法，並對不同產品的貢獻有不同評價，產品對他們價值鏈的其他影響也有差別。以賽馬場來說，純粹為娛樂而參與的客戶在考慮替代品時，就不同於想賭博的客戶。提供長途運輸服務的客戶，對輻射層輪胎在使用里程、翻修能力等優勢的重視，必然高於僅提供短程運輸的客戶。同樣地，紙尿布對雙薪家庭的價值，又會高於其中一人留在家中的家庭。

即使在同一產業中，不同客戶會有不同的移轉成本。既有的工作流程會反映出重新訓練的成本。重新設計或新的附屬設備需求也與產品的特定使用方式有關。以此類推，基於客戶的資源、趨向等因素，客戶對替代品的傾向也會不同。以消費性商品來說，替代的現象首先出現在高收入客戶群，因為縱使替代品還很昂貴，他們仍有足夠的購買力。

小型企業採購個人電腦的例子，正說明了替代威脅如何隨客戶區段而異。個人電腦是人工作業（如標準辦公設備）和電腦部門的替代品。如圖8.1顯示，在小企業中，個人電腦的滲透程度與企業規模有關。規模較大的企業，個人電腦的滲透程度比較高，因為這些企業有比較複雜的文書作業，更需要自動化，而且購買資本財的資源也比較充沛。

圖8.1　個人電腦在小型企業中的運用情形（1981）

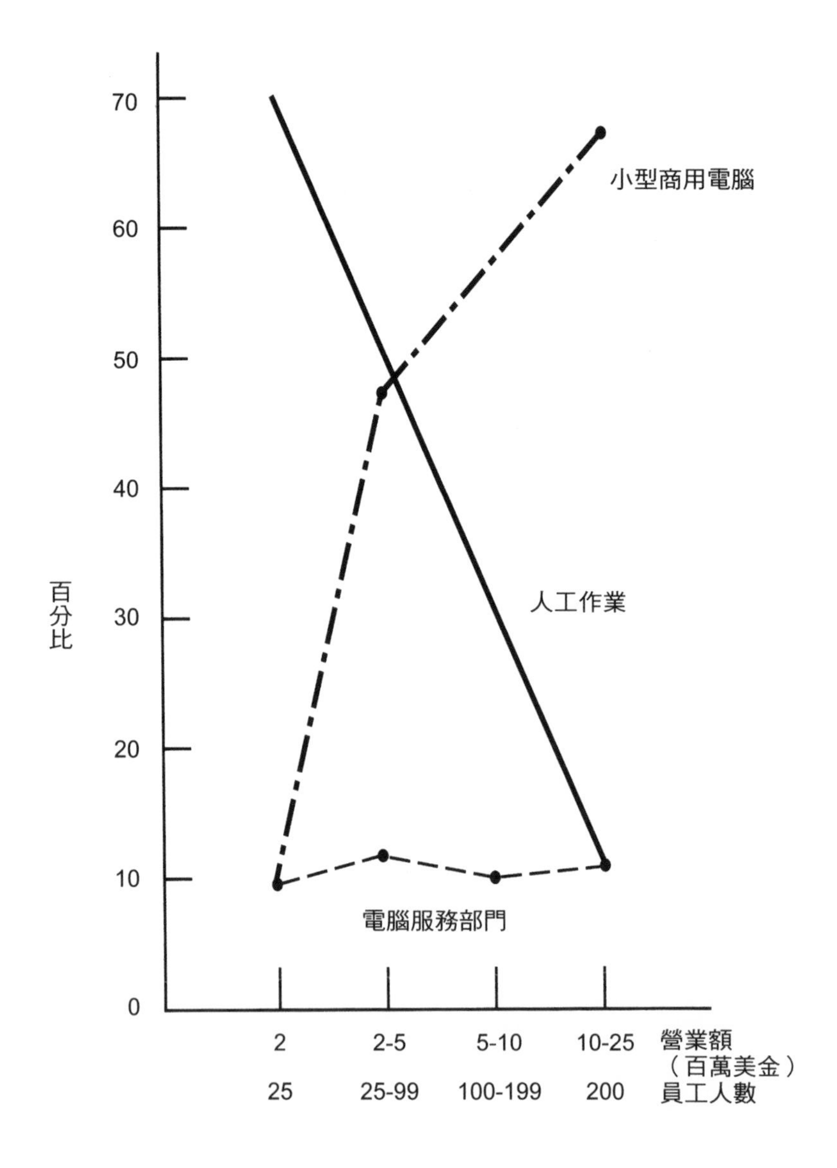

替代威脅不僅隨客戶區段而改變，也會隨產品、地理區域和通路而改變。在不同情況下，替代品會有不同的功能、或不同的使用方式。因此在相對價值價格比或移轉成本上也會不同。例如文字處理機問世之後，大型辦公室用打字機被替代的可能，高於手提電子打字機，因為在辦公室裡，文字處理機的特性和修改能力的價值，比個人在不定場合打字時更高。

替代品的滲透程度通常會隨產業區段而異。一個替代品的滲透力，與它所服務的產業區段數目，滲透新的產業區段以達到相對價值價格比的規模，以及與既有產品間的移轉成本有關。因此，要了解替代的途徑，產業區段和替代的互動情形很重要，這也是下面要討論的主題。

替代威脅的變化

替代品的威脅通常會因替代形態與時間而改變。在替代威脅中，許多改變是可預測的，也受企業在替代方面的攻防策略影響。替代威脅的變化，來自與替代經濟直接相關的五個大領域：

- ❏ 相對價格的改變。
- ❏ 相對價值的改變。
- ❏ 客戶價值觀的改變。
- ❏ 移轉成本的變化。
- ❏ 替代傾向的變化。

當（一）、既有產品和替代品的相對成本改變，並部分或全面轉嫁到客戶身上，或（二）、既有產品和替代品的相對利潤差距改變時，相對價格將會出現變化。當既有產品和替代品提高價值的速度不同時，相對價值就會改變。客戶對價值的看法則是情報擴散的結果。當替代品被重新設計，或第一代客戶承受部分後期客戶的移轉成本時，移轉成本將會出現變化。客戶面對替代品的傾向則是客戶態度、資源和競爭條件作用下的產物。

當替代品產業發動攻勢，被替代品產業採取守勢時，時間對替代威脅的影響，要看這兩個產業的產業結構和競爭者的行為。這兩個產業短兵相接的戰鬥會影響到替代過程。產業結構也會改變這兩個產業的競爭本質，以及企業面對替代過程的反應。由於競爭者的行動會影響到替代的走向，因此，競爭者選擇的戰場與替代有重大關係。比方說，當替代品產業的競爭廠商資金充裕時，他們可以在降低成本、價值訊號、壓低最初價格方面投資，以改變原本均衡狀態，並形成對他們有利的局面。同樣地，像美國無線電公司決定將彩色電視機專利廣泛授權，競爭者的策略性動作也會影響到替代過程。因此，企業要確定替代威脅的未來變化，就得預測產業結構和競爭者行為，對替代過程中每一項元素的影響。

以下是決定替代現象的五個領域中，各領域的相關重要條件。關於預測替代品產業和被威脅產業結構性變化的工具，在《競爭策略》第八章中有詳細的解釋。該書第十章對崛起中產業的分析，也能應用在替代品產業，因為替代品產業經常是新產業。

相對價格的改變

相對成本的改變：替代品和既有產品較勁的項目之一，是相對成本地位的改善。替代品常在替代過程中，透過規模經濟或學習曲線改善它的相對成本。比方說，在廠商大力鼓吹，以碳纖維取代汽車、飛機的鋼和鋁材料之下，碳纖維的價格從一九七〇年代初期每磅一百美元，降到一九八二年的每磅二十至二十五美元。另一個長期以來降低替代品相對成本的因素是，技術變革降低了產生相同功能時所需的產品數量。煉鋁和海洋鑽探就是很好的例子。從替代品的銷售量就可以看出這些改善的效果。但是，當替代品成功而使得它的關鍵原料成本提高時，替代品的成本也會逐漸提高。

受到產業歷史和產業趨於成熟的影響，被威脅的產業可能沒有多少降低成本的機會。甚至於，由於替代品的滲透，也讓既有企業的規模和產能使用減少，進而提高它們的成本。然而，暮氣沈沈的產業往往因替代品的威脅，在降低成本上激發驚人成就，因此，相對成本如何變化是不能一概而論的。

第三章的架構，可以幫助企業了解替代品相對成本的長期表現。分析者應該找出既有產品和替代品的重要成本驅動因素。這些成本驅動因素間的互動，以及競爭者的可能行為，就呈現出替代品的長期成本特性。有時候，從既有產品和替代品過去的成本趨勢，可以看出未來的相對成本。但是，由於被威脅的產業會有回應，加上替代品早期成本降低的步調不易持績，只根據過去表現推估，有其危險性。因此，要預測相對成本變化，還要考慮規模擴大、學習、和其他成本相關因素對替代品的影響，並比較既有產品透過重新設計、遷移地點、引進新製程技術，而降低成本的能力。第三章所討論的動態成本來源，也提供了如通貨膨脹等，影響相對成本的可能因素。

利潤的變化：無論替代品或既有產品的價格，都含有利潤（有時候因為替代品要滲透市場，所以利潤可能是負數）。長期來說，替代品和既有產品的相對利潤可能會逆轉。這種相對利潤改變通常是因為，受威脅的產業以降低利潤空間回應替代品的挑戰。例如，當電視遊樂器遭到個人電腦挑戰時，利潤就快速滑落。一個被威脅的產業，在企業撤退之前，利潤可能降低的幅度，取決於最初利潤的高低，以及退出障礙是否會限制企業脫離這個產業。

在替代的過程中，替代品的利潤也會改變，好壞取決於替代品產業的結構。如果早期進入替代品產業的廠商基礎不穩，產業進入障礙不高，一旦新競爭者加入，利潤就會大幅滑落。替代品進行市場滲透時，企業也可能因為嚐到甜頭，而以較低價格促銷。如個人電腦的發展所顯示，當替代品趨於標準化，爆炸性成長趨緩時，銷售替代品的競爭就會愈來愈劇烈。替代品擴大滲透率也可能會引發客戶逆向整合的威脅。這些因素都會擠壓一個替代品的利潤空間。因此，既有產品和替代品的利潤，是它們產業結構的變化，以及兩者互動的結果。

相對價值的改變

因為技術變化、更好的服務，以及其他各式各樣的原因，替代品對客戶的相對價值也常常改變。生產替代品的廠商可能加強專業知識，使價值鏈符合客戶的需求，而受威脅的產品製造商也會找出一些能夠增加產品對客戶價值的方法。本書第四章就強調，決定產品對客戶價值的因素是動態、可變的。其中促成變化最重要的三種來源分別是，在替代品和既有產品間技術變化的相對步調、基本設施的發展，以及社會制度因素。

替代品和受威脅的產品，通常在技術的變革上比賽，看誰能夠更快改進產品對客戶的價值。關於技術變革的可能步調和範圍，可以用第五章所討論的概念加以分析。當替代品屬於新產業時，它可能在技術上占優勢，不過第五章中的一些案例也顯示，被威脅的產品或製程也可能出現大幅度的技術進步。這些技術變化的步調又明顯受到競爭廠商的資源和技術能力左右。以材料產業為例，鋼鐵被塑膠和鋁材料替代的原因之一是，鋁業和塑膠業廠商的技術導向，使得這些產業的變化更快。

長時期來看，由於基礎設施的發展愈來愈好，對產業發展的支持力也愈來愈強，因此相對價值價格比的變化通常對替代品比較有利。比方說，替代品站穩腳步後，又會促成獨立維修店的出現，並增添大盤商的產品陣容。一旦替代品的可及性獲得改善，供貨不足的風險也會隨之降低。

很多外部影響與制度因素也會改變替代品的相對價值價格

比。例如聚氯乙烯（PVC）曾企圖取代鋁等其他材料，但功敗垂成，因為科學界發現它可能是致癌物。太陽能熱水器的市場滲透則與政府政策改變、預期能源價格的變動有關。另外像食品的相對價值，也因社會上對膽固醇和鈉的注意而發生改變。這些外部影響力雖然很大，通常卻很難預測。

客戶價值觀的改變

由於時間和行銷活動會改變客戶對替代品和既有產品的比較方法，客戶的價值觀也會慢慢改變。如果客戶愈來愈熟悉如何使用某種替代品，它在客戶心中的價值就會增加。譬如說，阻撓碳纖維在機翼和其他用途上替代鋼、鈦或鉛的因素是，許多工程師最初不知道如何以這種材料來設計產品。因此，碳纖維要能完全發揮優點、席捲市場，大前提是工程師必須了解這種材料的特性。事實證明，當這一步實現之後，碳纖維的價值也大大增加。時間通常對替代品有利，但有時也有負面傷害。像許多替代品開始時，大肆宣揚它們的價值，但隨著時間和嘗試經驗之後，它們的影響力不增反減。

客戶對既有產品和替代性產品的觀感，也會受到訊號活動的相對密度和創造力影響。擴大替代品知名度的廣告專案，往往受挫於被威脅產業強化既有價值的反擊。像美國的唱片產業由於影視娛樂產品的影響，銷路不斷下滑，因此提出「音樂禮物」的促銷專案。唱片出版商從每張唱片售價中撥出一點五分美元做廣告，強調唱片做為禮物的價值。訊號活動的適當與否要看產品的訊號條件而定。

改變移轉成本

替代品的移轉成本會隨時間而改變，通常是愈來愈低。原因之一是早期移轉的廠商在發展製程、設計和標準化上面，承擔了一些後繼移轉廠商的成本。譬如說，早期將鐵罐換成鋁罐的飲料廠商，可能必須發展產品標準和罐面商標的印刷方法，這都使後繼廠商有所依循，不必再自行摸索。移轉成本長期下跌的原因也可能是，替代品經過重新設計，提高它與附屬設備的相容性，或供應商發展出能夠降低客戶移轉成本的製程。此外，類似顧問、安裝人員和人力培訓公司等第三者的興起，也可能降低移轉成本。以辦公設備為例，顧問和培訓公司的不斷出現，降低了整批更換辦公室自動化設備的困難程度。

移轉成本高低與客戶的技術選擇有關，因此會隨客戶產品和流程的轉變而變化。以鋁替代鋼和鑄鐵的例子來說，客戶的新技術就降低了替代品的移轉成本。例如汽車廠的生產線就已經兼具處理鋁以及鑄鐵材料的能力，而製罐廠的新生產線也能夠生產鋁罐與馬口鐵罐。

改變替代傾向

廠商接受並轉換到成功替代品的態度，通常與日俱增。早期使用替代品成功的例子，會緩和他們對風險的疑慮，而不跟進可能喪失競爭優勢的顧慮，又會帶動更多客戶的移轉動作。

替代與整體產業需求

替代品除了與既有產品爭奪市場之外，也會提高或降低整個產業的需求。當替代品的使用壽命高於既有產品時，一旦它經過萌芽期並開始快速替代既有產品，整體產業需求將會降低。在更耐用的輻射層輪胎替代交叉層輪胎的例子中，就出現了這種現象。

當替代品有助於擴大產業規模，或是會提高使用量、或更換頻率時，它的滲透將增加整體產業需求。以新力（SONY）的隨身聽為例，它不僅與傳統卡式錄放音機爭奪市場、同時也擴張了整個錄放音機市場的規模。同樣地，BIC推出用完即丟的原子筆，一方面對傳統筆形成替代作用，同時也刺激客戶購買更多原子筆。替代品對既有產品整體需求的任何影響，必須和替代途徑的預測一併考慮，以便預測替代品長期的銷售數量。

替代與產業結構

替代品開始滲透後，可能對產業結構產生二度效應。比方說，替代品可能提高或降低價格敏感度，客戶成本結構也會隨之改變。替代品也可能帶來新供應商，進入障礙也不同於原有產品。因此，分析替代品必須把它當成一個新產業，而非既有產品的一種變革。替代品的產業結構可能比被替代產業更具有、或更缺乏吸引力。這是替代品發展策略上，一個非常重要的事實。

替代途徑

一個產業的替代途徑是產品相對價值價格比、客戶對相對價值價格比的認知、移轉成本，以及替代傾向等因素長時間發展的結果。每個產業中替代品的市場滲透速度都不相同。有些替代品很快就被接受，有些則很慢甚至無以為繼。然而，在大多數產業中，如果以替代品占總需求的百分比，以及與所對應的時間繪成圖型，通常成功替代品的替代途徑總是一個 S型曲線（見圖8.2）。

一般說來，一種產品在它生命週期的初期，都會替代某些其他產品，S型的替代曲線因此和產品生命週期曲線很相似。

圖8.2　典型的S型替代途徑

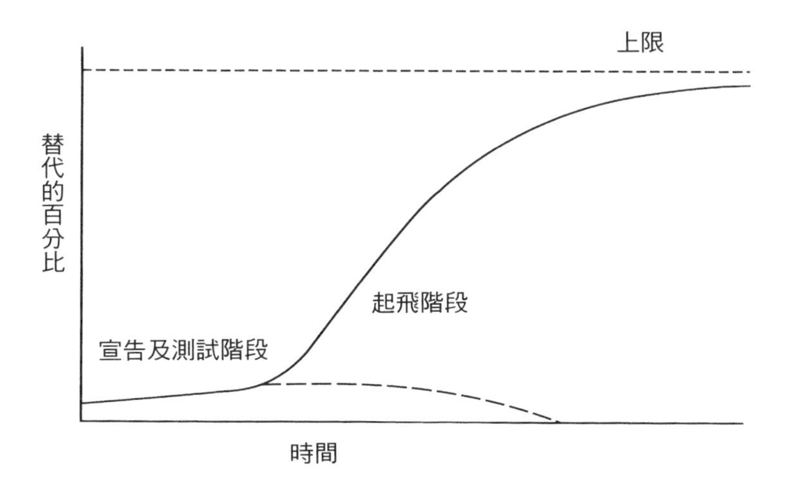

即使並非所有成功的替代都呈S型途徑的特色，而且在《競爭策略》第八章已提到，以產品生命週期說明產業結構變遷並不周延。然而，S型的銷售成長途徑仍是生命週期理論最常見的預測原則，了解S型曲線為什麼發生，才能夠辨認深層的經濟因素。在一個特定的替代現象中，如果經濟活動呈現S型曲線，我們就可以利用一些技術來協助預測替代的速度。

如圖8.2顯示，S型曲線途徑中，替代最初進行的很緩慢，甚至要持續相當長的時間。這段期間一般稱為「宣告和測試階段」。除非該替代品本身有缺陷，或被威脅的產業成功抵消替代品的優勢，接下來，替代品會進入「起飛階段」，開始快速攀升，達到最大滲透程度的上限。上限通常是以這項替代品對多少客戶具有潛在價值而定。替代的最高點可能隨時間而改變，影響它的是技術的變革、或客戶需求改變等，導致預期客戶增加或減少的因素。

S型替代曲線，是一套關於移轉成本、客戶長期的替代傾向，以及實際和認知的相對價值價格比等因素交互作用的假設。一般說來，開始時，替代品的不確定性較高，也缺乏有實力的企業投入，許多客戶可能根本沒有聽過這個新產品，或知道它有什麼特性，加上銷售數量有限或供應商在價格上抽成，它的價格通常也居高不下。除了替代品本身的不確定性外，它的移轉成本也很明顯，而且在客戶和供應商都不很熟悉這項新產品該如何使用的情況下，移轉成本變得非常高。甚至於，在客戶享受替代品的好處之前，就必須擔負此項移轉成本。

在宣告和測試階段，有些肯冒險或對替代品評價非常高的客戶，會實驗性地由既有產品轉到替代品。如果他們發現替代品的相對價值價格比非常高時，他們可能進入永久的轉換。在這個階段，替代品開始證明它的價值，也可能暴露出它的缺點。它的缺點也許是無法彌補的，這麼一來滲透也將無以為繼；也可能可以改善，但可能要迅速撤出市場，擇期重新推出。在這段期間，行銷活動和口耳相傳的效果會使察覺到這項替代品的客戶群擴大，並修正他們的認知。

假設這項替代品終於達到早期移轉客戶可以接受的表現時，它的滲透速度就開始循S型曲線快速增加。這種發展基於幾個理由。首先，當早期引進這項產品的客戶具有成功經驗時，這項替代品在價值認知和失敗風險的不確定性都會隨之降低。其次，一旦少數客戶移轉成功，競爭壓力會導致其他客戶跟進，以維持自己的成本地位、差異性、或面對消費者的形象。第三，移轉成本會因前述理由開始降低。第四，採用數量的增加導致這項替代品的知名度增高，也提高它的信譽。第五，這項替代性產品的滲透力增加，通常是因為規模經濟和學習效果降低了它的成本（前面提過，替代品成本降低與滲透力增加之間並沒有必然的關係）。第六，一系列新的替代品陸續推出，又形成新的產業區段。最後，替代品加快它的滲透力，吸引更多競爭者加入這個產業，同時也激勵供應商在價格、行銷和研發上更積極，更具攻擊性。

當前述過程發生後，替代品開始逼近它所能吸引到的全部客戶，一旦進入這個階段，滲透速度會開始減緩，開發新客戶也變得更為困難。不過，如果相對價值價格比、或新替代品的改進上有進展，也可能打開並未預見的潛在客戶群，造成這個替代品成長的新契機。圖8.2的上限因而向上延伸，以包容更大量的客戶。

在此同時，這項替代品可能因客戶使用方式改變，導致需求增加或減少。以電視機為例，因為客戶願意買第二、第三、甚至第四台電視機，彩色電視問世後，黑白電視機的銷售仍然強勁有力。同樣地，在電動刮鬍刀替代傳統剃刀的過程中，由於新的小型攜帶式電動刮鬍刀價錢不貴，用途廣泛，因而電動刮鬍刀的市場上限推往新高點。因此，圖8.2的上限就應包括產品的新成長量。

宣告與測試階段的長度受到某些因素左右。比較重要的是，替代品在相對價值價格比的改善程度。它的誘惑力愈強，這個階段也就愈短。不同替代品，證明效益所需的時間也不同，這會明顯影響到測試階段的長度。譬如說，自動滴濾咖啡壺的測試時間可能只需要幾週或幾個月，而一個新的資本財設備可能需要在生產線上進行數年的測試，才能評估出它的真實效能。改善替代品表現或成本的時間，以及建立足夠產能所需的時間，也會影響測試階段的長短。最後，客戶產業的競爭激烈程度，以及替代品的相對價值價格比對該競爭的重要程度，也會影響測試階段的長短，因為當一個客戶改用替代品時，這項因素就會成為其他競爭者是否仿效的壓力。

起飛階段的陡峭程度也是因客戶產業的競爭程度而定。這種競爭程度也是前面所提快速滲透的原因。比方說，當替代品進入一個競爭非常激烈的客戶產業時，起飛階段可能非常快。

起飛階段的陡峭程度也是客戶完全移轉到替代品，並形成足夠產能所需的時間。客戶產業的採購週期則是另一個重要變數，因為客戶改用替代品的時機，常常是在下新訂單，或必須更換產品的時刻。這種作法會降低因驟然換掉仍有數年使用壽命，或是客戶仍然擁有大量庫存所帶來的移轉成本。基於相同的理由，當客戶正值產業成長階段，必須投資新的設備機器時，耐久財類的替代品就比較容易轉換。

另一個對替代途徑產生重大影響的因素是，受威脅產業的回應。被威脅的產業如果反應激烈，可能一鼓作氣擋下這個替代品的滲透行動，或產生一段時間滯延的作用。但是，如IBM進軍個人電腦產業，柯達加入拍立得相機產業的例子所顯示，高知名度的競爭者加入一個替代品產業時，會加速這個產品的滲透速度。在大多數產業中，如果多數客戶接受一個替代品時，就會出現如圖8.2的平滑替代曲線。如果這個產業的客戶有限，光是一個主要客戶的決定，就有可能一夜之間改變這條曲線的形狀。在這種情況下，替代分析最好是以單一客戶為基礎進行。

區段和替代途徑

產業的替代途徑通常和產業區段有密切關係。最早發生替代的產業區段，往往是替代品能提供最高的相對價值價格比、最低移轉成本，以及（或）客戶最具冒險精神或對替代品評價高的客戶區段。最早接受替代品的產業區段是這個產品降低成本、進行改善，進一步打入其他產業區段的基礎。對一個會在替代品初期階段就採取引進行動的產業區段而言，這項替代品必然有它抵償最初高昂成本的價值，或能夠帶來極高的利潤。當其他產業區段也開始被這項替代品滲透，產品價值開始降低時，這個替代品為客戶產業帶來的利潤也會隨時間而降低。

要說明替代途徑和產業區段的關係，迷你電腦的替代過程是個很好的例子。迷你電腦最初打入的產業區段是科學和電腦中心。這個領域非常需要電腦的運算能力，使用者也有能力自行撰寫程式，修改電腦以符合本身需求，甚至能作一定程度的維修。接下來滲透的產業區段則是工業控制領域。這個領域的客戶仍不外行，支援性需求也不太高。再經過一段時間後，迷你電腦發展出自己的服務和支援能力，才將觸角延伸到小型企業的應用上。

這些導引替代品在某些產業區段進行早期滲透的因素，也意味著當產業區段不同時，替代品的滲透速度也不相同。它們在相對價值價格比、移轉成本上也會不同。有些產業區段被滲透的速度比較快，有些則較慢。因此，本質上，產業替代曲線是各個產業區段替代曲線的集合。

替代品的預測模型

由於成功的產品替代過程常常是一條S型滲透曲線，因而這條曲線也可以應用在預測上。許多以S型滲透假設為基礎的模型，都源自對產品擴散過程的研究。如果將替代過程初期的數據，套入以S型假設為基礎的模型上，就能夠預測整個替代曲線。這條替代曲線也就是分析替代現象中經濟活動的基礎。

如果我們調整這條標準曲線，來反映出某個特定替代現象的經濟活動，將可以預測未來數年這個替代現象的變化。這麼做的基本前提是，以此一替代現象初期滲透數據畫出的圖形，必須足以顯示它的S型曲線傾向，如此才能夠成為分析的起點。

「邏輯函數」是最常使用的擴散模型，擴散模型很常用在預測新品牌的成長，以及技術擴散速度。重要的擴散模型包含曼斯菲德（Mansfield, 1971）、巴斯（Bass, 1969）、費雪與斐（Fisher and Pry, 1971）。此處所描述的邏輯模型和費雪與斐所提出的模型類似。它的公式是：

$$\frac{F}{1-F} = \text{exponential } K（時間）$$

F = 整個潛在市場中已採用替代品的部分

K = 替代品早期成長速率的常數

邏輯函數有兩個重要的假設：一、如果已經有部分客戶開始採用替代品，最後所有的潛在客戶都會採用；以及二、替代品達成部分替代的速率，與既有產品剩餘總額成比例關係。其中第二個假設是形成S型曲線的原因。當我們依據時間在半對數座標紙（semilogarithmic paper）上點出F/（1－F）的位置時，邏輯函數將導出斜率為K的替代曲線，如圖8.3〔替代達五〇%時，邏輯函數會在S型曲線上出現迴折點（inflection point）。至於哥貝特函數（Gompertz function）的迴折點則出現在滲透達三七%處，兩者都有實際經驗支持。但是在實際操作上，邏輯函數比較容易使用〕。

圖8.3 典型的邏輯曲線

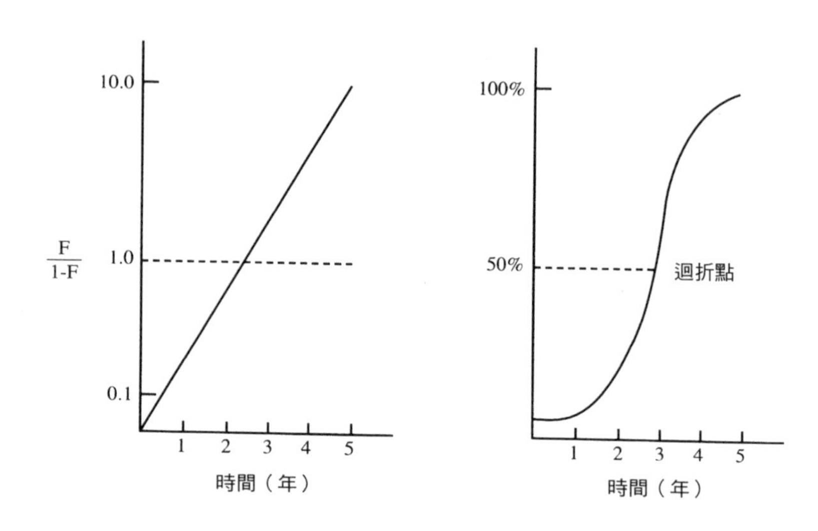

當企業假設並判定S型替代曲線的邏輯能反映現實，也能顯示部分替代的常態速率時，邏輯函數就能用來預測將發生的替代途徑。作法是，先找出過去的替代數據以決定每年的F/(1－F）值，然後把F/（1－F）值對應時間，標示在半對數座標紙上，就能夠定出一條吻合早期歷史的直線。這條線的延伸就是依邏輯曲線推估的未來替代途徑。必須注意的是，當供應替代品的產能受到限制時，滲透率必須調整。

圖8.4是鋁製啤酒罐替代鐵罐的歷史演變，很能說明替代的過程。這個例子的早期情形非常符合邏輯曲線。根據它的歷史演變，我們可以期待一九八二年時，如果既有邏輯曲線不變，替代程度將達到百分之九十一左右。必須注意的是，預測

圖8.4　鋁質啤酒罐取代鐵罐的初期情況

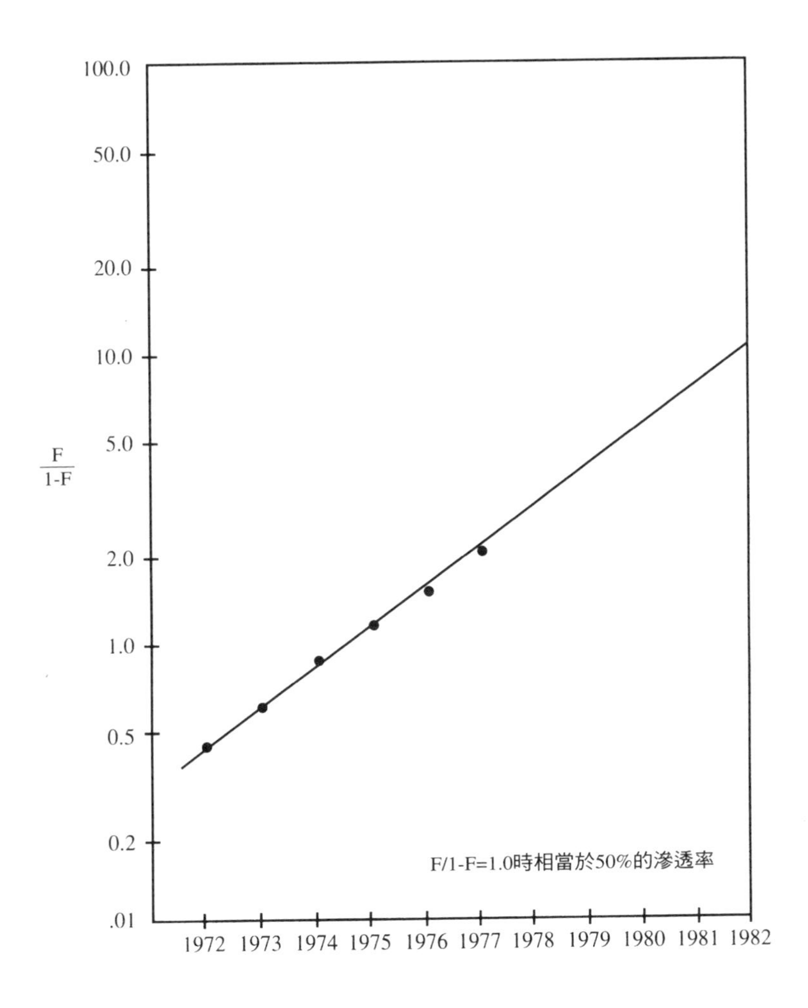

準不準確，要看邏輯曲線反映特定產業替代經濟的程度，其中一個重要變數是市場的潛在規模及隨之而來的上限。在飲料罐的案例中，上限很清楚。當上限往上移動時，邏輯曲線會有高估滲透率的傾向。替代過程中的另一個重要問題是，替代品需求的強度可能隨時間改變。

替代是否會遵循早期發展的邏輯曲線進行，關鍵的因素也許是引導替代現象的相對價值價格比，隨時間而改變的程度。因為邏輯曲線基本上假設替代的動機是穩定的。如果相對價值價格比滑落，替代品的滲透程度可能會減少，有時候無法在邏輯曲線上反映出來。反過來說，如果替代品的相對價值價格比改善，它的市場滲透比率可能比早期更強，進而形成一條新的曲線。圖8.5就是飲料罐產業實際出現的情形。

一九七六年皇冠瓶塞公司與鋼鐵廠合作，推出更便宜的兩片式鐵罐製造技術，降低了鋁罐的相對價值價格比，也減緩了鋁罐的市場滲透速度。然而一九七八年時，美國啤酒產業的第二大廠美樂啤酒（Miller Beer）宣布將要進行鋁罐與鐵罐的比較測試，形成市場的觀望，鋁罐的替代速度更加緩慢。但是次年，美樂啤酒決定全面使用鋁罐，鋁罐的替代步伐又再度加快，甚至超過一九七六年的程度。這種戲劇性的改變，部分是因為美樂啤酒的決定使得替代品取得正當性。另一個因素是，鋁罐比鐵罐更容易回收處理，鋁罐回收的規模不斷成長。當基礎設施容許更廣泛的回收處理作業時，由於鋁材料成本降低，鋁的相對價值價格比又較先前更高。到了一九八二年，鋁的市場滲透程度已達百分之九十八，遠超過根據早期數據所推測的

圖8.5 鋁質啤酒罐取代鐵罐的情況

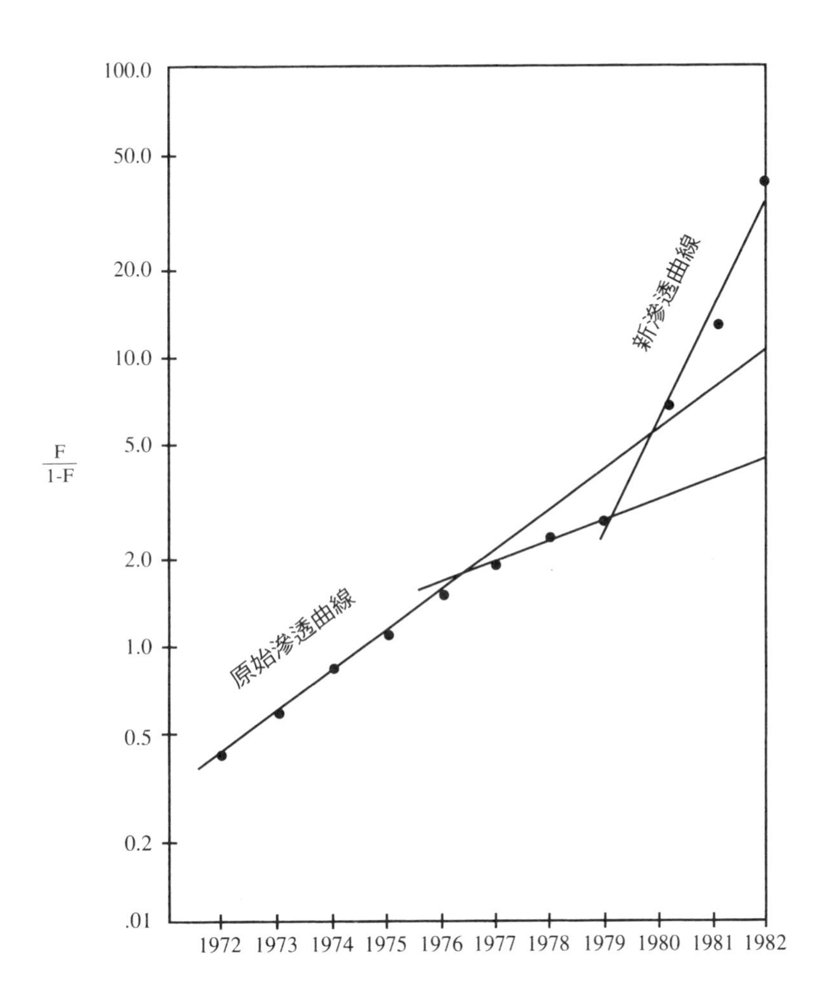

百分之九十一。

飲料罐的例子顯示，邏輯曲線並不是最完整的替代分析工具。它只是詳細分析替代經濟的起點。真正的替代途徑會隨產業差異而有不同，也會受技術變化和競爭動作的影響。要使邏輯曲線具有意義，必須充分了解決定相對價值價格比的各種因素、移轉成本、特定產業的替代傾向，並預測它們的可能改變。由於替代經濟通常隨不同的產業區段而異，因此邏輯曲線應該在產業區段層次上使用，而非在產業層次上進行。以啤酒廠商為例，他們對飲料罐的要求就不同於其他飲料廠商。以所有金屬罐為對象進行鋁罐替代鐵罐的邏輯曲線分析，就不如針對啤酒罐廠商所建構的曲線準確。

替代和競爭策略

無論企業推動或阻擋替代，都有許多策略。一般說來，防止與推動替代的策略作法正好相反。我將先說明一些推動替代的原則，再討論如何進行防禦。

如何推動替代

企業的動作如果有提高替代品的相對價值價格比、降低移轉成本、或增強客戶移轉傾向等效果，將有助於引發或加速替代。這些作法當然需要成本，也帶有風險性，以下是一些在推動替代時可以思考的概念：

瞄準早期移轉型客戶：如「產業區段和替代」一節所強調的，一個產業中，替代品對部分客戶或客戶區段，會有較高的相對價值價格比、較低的移轉成本，或是較高的移轉傾向，這些客戶和客戶區段就比其他客戶更可能採用替代品。滲透這類產業區段的順序就是替代策略中最重要的元素之一。因此，當企業企圖推動替代時，應該將力氣集中在最有可能早期移轉的客戶身上，再利用他所爭取到的客戶、與這批客戶的支持，引發替代品自我強化的起飛階段。早期移轉型客戶可能是那些正在重新設計本身產品、更新設備、面臨只有替代品才能解套的壓力，或是充滿冒險精神的採購者。企業要爭取這些客戶，可能必須對早期的試用行為提供補貼。例如慕那勞公司（Mauna Loa）以極具誘惑力的價格，將澳洲堅果賣給一些航空公司，目的就在爭取目標客戶的試用機會。

改進企業所提供的各種條件，使相對價值價格比的效益達到最高點：相對價值價格比愈高，替代過程中產品以及價值鏈其他活動的改善效果也愈大。當企業對相對價值價格比有充分的了解時，就能依此決定自己在研發和行銷活動的優先順序。以彩色電視機為例，要使客戶從黑白電視機轉換為彩色電視機，最重要的就是高品質畫面。因此在相對價值價格比上，彩色電視機的畫面品質比外觀造型更重要。同樣地，許多產業的共同問題常不在產品功能的好壞，而是客戶不了解它們。因此，要推動替代時，提出保證就是一個很有效的工具。

降低或補貼移轉成本：假設替代品的相對價值價格比較高，企業在降低移轉成本方面進行投資，也會形成刺激移轉的一大動力。企業應該在技術發展中列入「降低移轉成本」的項目。製造客戶間傳播訊息的機制也有相同效果。很多時候，使用型錄或新聞信等簡單作法就能達到這樣的效果。

企業補貼某些客戶的移轉成本，也有利於替代。企業並不需要補貼所有客戶，它只需要針對核心客戶群，也就是採用之後能夠誘導替代品進入起飛階段的客戶。這些客戶應該是意見領袖，能對其他客戶傳達可靠的價值訊息。補貼移轉成本有很多方式，如免費訓練、代付產品重組或測試的費用，供應或協助設計附屬設備、免費協助修改生產程序、給予較優惠的折價條件，提供無效退款的保證，免費現場示範等都是。

投資於訊號的傳播：替代品的主要障礙之一是，潛在客戶對它缺乏認知和了解。企業必須找出客戶評估替代品時，哪些是重要的訊號條件，並在這些訊號條件上投資以影響客戶。當替代品的相對價值價格比不明顯時，客戶很容易誤判。因此訊號常常決定替代的成功與否。

逐步向下整合或誘發逆向整合，以形成推拉效果：在煉鋁業中，許多策略運用成功的例子是，選擇性的朝下游產品進行向下整合，以創造對替代品的推拉需求。還有一種策略是，誘發終端使用者逆向整合，迫使原本不願意採用替代品的中游產業跟進。無論正向整合或創造終端使用者需求，有時都可以強迫頑抗的中間商忍受替代的移轉成本。以向下整合展現替代品的效益，也是縮短推廣過程，或降低移轉成本的另一種方法。

當終端使用者使用替代品的移轉成本不高，而中游客戶的移轉成本卻很顯著時，向下整合的效果最大。金屬罐就是一個例子，飲料公司要轉換到鋁罐，顯然比需要大量投資、更新設備的製罐廠商容易。

確保多重來源與（或）足夠產能：當替代品只有一個供應來源，或面對未來需求的產能不足時，主要客戶常常有成本與風險的顧忌。企業如果鼓勵更多競爭廠商進入替代品產業，或建立超過需求的產能，將會減少這些疑慮，進而加速替代。這也是良性競爭者給企業帶來好處的例子（見第六章）。

促進附屬產品或基本設施的改善：當企業能刺激必要的附屬產品或基本設施改善成本或品質時，也將使替代品的相對價值價格比、或移轉成本更具競爭力。這樣做能夠調整對附屬產品的技術投資，並且與其他公司免費分享研究結果。這也意味著生產附屬產品廠商的聯合投資、建立其他關係，或創造服務設備等必要的基本設施（見第十二章）。像美國無線電公司為了推廣彩色電視機，一開始就訓練了非常多的彩色電視維修人員。

定出能夠獲得相對價值價格比效益，並創造障礙的價格：替代品的價格必須讓客戶也能夠分享替代品所創造的部分價值，以提供客戶移轉的誘因。產業結構會決定替代品價格與相對價值價格比之間的關係。當進入障礙很高時，企業最好不要急著全面推動替代，而先以較高的價格，對高價值的產業區段進行滲透；再逐漸降價，滲透價值較低的產業區段。當搶先行動者的優勢存在時（參考第五章），企業應該犧牲短期利潤以求快速滲透市場，建立足以保障長期利潤的障礙。如果進入障礙低，企業應該在跟隨者侵蝕它的地位之前，迅速攫取利潤。

發掘替代品的新功能以擴大市場：如果能找出替代品的新功能，就可以大幅擴張潛在市場的規模。這不僅涉及產品設計和功能選擇，也與價格策略有關。以鮮花產業為例，歐洲的花材零售商注意到，市場不應侷限於傳統婚禮或其他特定場合，低價位策略還可以打開日常擺飾這個全新功能的鮮花市場。如此一來，歐洲的鮮花市場反而比價格較高的英國還大。許多產業往往默認產業已經成熟的事實，而不去尋找新的替代可能性。

如果替代品的競爭地位無法持久，應盡快收割：如果企業能持續替代品產業的競爭優勢，或這個產業的結構具有吸引力的話，它應該投資以擴大市場占有率。否則，企業也許應該及早撤出替代過程以保障利潤，而非抬高價格阻止其他業者進入或擴張市場。一個成功的替代品不必然就是一樁無往不利的生意。

對抗替代品的防禦策略

企業要阻擋替代品的攻勢，第一步是標示出所有的可能替代品。這需要通盤了解產品的基本功能。對抗替代品的戰鬥策略是依照前一節步驟的相反方式進行：

- ❑ 藉著降低成本、改進產品、加強附屬產品等動作，改善產品和替代品間的相對價值價格比。
- ❑ 改善產品形象。
- ❑ 提高移轉成本。
- ❑ 直接對客戶的下游推銷，封殺可能從下游而來的推拉效應。

當逆移轉成本很高時，企業除了尋求更基礎的長期相對價值價格比改善之外，也必須積極投資在短期占據市場的行動以防止客戶轉換供應商。企業必須雙管齊下的原因是，當客戶的逆移轉成本很高時，一旦客戶採用替代品之後，就很難回頭採用被替代的產品。

除了這些動作以外，企業還有一些可以對抗替代品長驅直入的考慮方向：

找出產品未受替代品影響的新用途：產品面對替代品時，也能以重新定位而形成新用途。亞韓公司的烘培用蘇打粉就是一個很好的例子。經過十年推廣，亞韓公司讓既有產品成為過半數美國人的冰箱除臭劑，這個新用途的使用量遠超過原本對蘇打粉的需求。

在替代品擅長的領域之外，另闢戰場：替代品的相對價值價格比優勢，一般來自於較低的成本、或具有特定價值。一個很好的防禦策略是，試著將競爭焦點移出替代品擁有優勢的範圍。要擊退低價位替代品，可能的作法包括：提供更長的保固期限、更多的技術支援、或新的產品功能等。

將供應商拉入防禦陣營：通常，重要零組件的供應商也會在對抗替代品上投入相當大的賭注，並且能夠為防禦動作帶來重要的資源和技術能力。供應高成本零組件、或是對產品價值具有重大影響的供應商，正是企業結盟的最佳選擇。

調整策略，鞏固最不受替代品影響的產業區段：某些產品或客戶區段受替代品影響的程度比較輕。廠商可以針對這類區段做更精確的防禦性投資。對於擋不住替代品攻擊的區段，企業應該撤出或趕快收割成果。及早從那些產業區段撤退，企業還可能從促銷或流動資產上獲得較多現金，過遲行動則可能血本無歸。這個概念對正在走下坡的產業尤其重要（參見《競爭策略》第十二章）。

以收割取代死守：根據替代品未來可能的相對價值價格比，以及防禦策略的可行性研究，企業面對替代的最佳策略也許是採擷現有成果，而非繼續投資。這類策略包括，將注意力集中在替代品滲透速度最慢的區段，並提高價格等作法。

進軍替代品的產業：與其將替代品看成威脅，倒不如將它視為一個機會。企業進入替代品產業，有時反而可能從既有產品和替代品間的交互關係，如共同的通路和客戶等方面攫取競爭優勢（參見第九章）。

產業與企業的替代策略

替代的過程，部分操控在企業手中，另一部分則來自產業整體的影響。無論如何，個別企業會受到如產業形象、產業整體產品表現的一致性等因素影響，這些因素會影響客戶的態度、混淆替代品的優點。這意謂著，產業整體的行動對於個別企業在促進、或阻擋替代上的努力是一種有效的支持。比方說，紐西蘭的奇異果廠商透過整個產業支援的研發活動，從二十個品種中選出一個特定品種，全體栽種農戶也一致生產這個品種，刺激這項產品成為其他水果的替代品。加上廣告的配合使得這個作法獲得更好的效果。

能夠促進（或阻擋）替代效應的產業活動包括：

- ❑ 產品的形象廣告：產業整體的廣告攻勢能夠影響產業的整體需求。
- ❑ 匯集研發經費以擴展這項產品的使用，或發展將產品整合進入客戶價值鏈的技術。

- ❑ 建立並強化產品標準，以平息客戶對產品品質或表現的顧忌。
- ❑ 取得法令規範對這項產品的認可，以降低客戶的移轉成本、或產品已被察覺的風險。
- ❑ 聯合行動以改善產品品質、可及性和附屬產品的成本，以提高本身的相對價值價格比。

企業投資促進或阻擋替代品時，競爭者經常會坐收漁利。要解決這個問題，常見的作法是由同業公會或其他產業組織斡旋，進行集體性產業行動，以促進或阻擋一個替代品。比方說，美國煤炭業近來著手電視和報紙廣告，以樹立煤炭是一種存量充沛，容易開採，而且很「美國」的燃料形象。缺乏產業的集體行動，個別企業常因擔心競爭對手不勞而獲，而無法促進或對抗替代品。

對抗替代品的策略陷阱

對所有的產業而言，某種程度上，替代可以是正面、也可能是負面的力量。企業和替代品交手時，常犯一些共通的錯誤。對這些錯誤的討論其實就是本章重要概念的摘要：

未能察覺到替代品的存在：由於企業將本身產品的功能看得太狹隘，不承認在不同的產業區段會有不同的替代品，或忽略了下游被替代的狀態，結果在替代過程已經發生之後，才注意到替代品的存在。

不了解相對價值價格比：做為替代活動關鍵要素的相對價值價格比是很複雜的。企業卻常把一個替代品成功或失敗的原因看得太簡單。比方說，造成替代的真正原因可能是替代品比較好安裝，節省客戶的使用成本，但企業卻可能誤認是因為替代品的功能更卓越。不了解替代品為什麼成功或失敗，經常是企業攻防策略錯誤；或是直到替代品已成氣候時，既惱怒又訝異的原因。

誤判早期的緩慢市場滲透：企業常因為替代品早期緩慢的市場滲透率，而掉以輕心，並忽略這是一種S型的替代過程。很多替代品可能以失敗收場，但早期的緩慢滲透卻不必然是失敗的訊號。無論替代品的市場滲透速度快慢，企業最需要的是，謹慎分析相對價值價格比，以及早期使用替代品客戶的經驗。

靜態的相對價值價格比觀點：面對替代，無論攻擊或防禦策略，都要以替代品目前及未來的相對價值價格比為依據。在漫長的替代過程中，企業可能在錯誤的領域進行產品和行銷的改進，或未能在改善相對價值價格比上做規劃，或因為替代品的蠶食鯨吞，造成本身利潤的喪失。

對抗或是合作：當相對價值價格比長期看來不利於既有產品時，許多企業常常企圖以更大量的投資來對抗替代品。同樣地，它們對抗替代品的防禦動作常常是全面性的，並未反映出替代品在不同產業區段中具有不同弱點的事實。有時候企業必須提早行動，鎖定特定產業區段迅速收割成果，或是直接揮軍進入替代品產業。

接受成熟期：在各種陷阱中，最不幸的一項是，企業承認產品已經成熟，卻不考慮替代品出現的可能性。企業習慣於向內看，而且沈迷於與既有競爭者競爭。比較好的作法是，利用替代使整個市場擴大。被替代可能的高低，很難由一個產業的年齡來判斷。產業成熟有時也可能只是一個幻象。

第三部

企業策略與競爭優勢

- 相關產業的競爭範疇為何？
- 如何以整體策略協助各經營單位提升競爭優勢？

| 第九章 |

經營單位間的交互關係

這一章將建立一個分析經營單位交互關係的架構，並且說明交互關係與競爭優勢的關聯。

首先解釋為何交互關係的重要性與日俱增，交互關係又如何影響企業運作。接著分別說明經營單位間的三大類交互關係，最後則探討企業如何辨認交互關係，如何運用各種交互關係建立競爭優勢。

隨著策略規劃理論與實務的開展，大多數企業開始將策略分為兩種類型：「經營單位策略」（business unit strategy）與「企業策略」（corporate strategy）。經營單位策略負責規劃企業在特定產業的所有活動；企業策略則強調企業在不同經營單位間的投資組合。根據這種分類思考，多數大企業會把所屬事業分成幾種策略性經營單位（strategic business unit），並且訂定正式的規劃流程。按照流程，策略性經營單位每半年或一年，提報計畫供高層管理部門審核。同時，企業策略——特別是採用某些七〇年代廣為接受的投資規劃（portfolio planning）技術之後，則逐漸被視為一種投資管理（portfolio management）。

當正規的策略規劃朝前述方向發展時，「綜效」（synergy）則被認為是過時的觀念。六〇年代和七〇年代初期，美國企業大都認為，結合不同但相關的經營單位，能夠因為綜效而創造價值。綜效因此成為當時美國企業擴張、多角化經營的依據。關於可能在哪些領域產生綜效的聲明，往往伴隨著企業的購併宣告出現，在企業的年度報告中更是司空見慣。這種熱情到了七〇年代末期，卻趨於黯淡。看起來綜效是個不錯的想法，但事實上卻很少發生。這時候，對經營單位的經理人授權、要求負擔責任、並以績效為獎勵依據的「分權」（decentralization）觀念，似乎指出了一切的答案。不僅通俗的商業文獻指出，分權是許多企業成功的基礎。許多大企業更以近乎宗教狂熱的態度實施分權。隨著綜效影響力的淡去，分權概念讓一般人深信，投資管理才是企業策略的首要課題。

綜效不靈光，問題不在概念本身。根本原因是企業不了解它，也缺乏執行能力。企業往往張冠李戴，以綜效解釋基於其他理由所採取的行動。這使得許多企業拿定義不清的綜效概念訂定策略。有時候，企業雖然碰到形成綜效的絕佳時機，依然無法成功，原因在於它們缺乏適當的分析工具，或無法克服執行過程中的組織問題。

驅使企業整合經營單位的力量仍在，只是企業必須重新檢討它對綜效的看法。企業如果能找出相關但性質不同經營單位間的交互關係，它在經濟、技術和競爭條件的優勢都將增加。這種交互關係絕非過去討論綜效時模稜兩可的「配合」（fit），而是價值鏈的任何活動中，確實能夠降低成本或加強差異化的可行機會。甚至，當企業建立這種交互關係時，其他競爭者會因為喪失競爭地位的風險而群起仿效。

跨越部門界限的「橫向策略」（horizontal strategy），就在這種發展情勢下崛起，它可能是多角化企業的策略中最重要的課題。「橫向策略」是不同但相關聯的經營單位之間，一套相互協調的目標和政策。在多角化企業中，不論營運群、事業部或企業層次都需要這麼做。橫向策略不是用來取代或取消各別經營單位或經營單位策略，而是各經營單位之間的協調，使得企業策略或事業群策略，遠超過各經營單位策略效益的總合。橫向策略是多角化企業強化經營單位競爭優勢的機制。

橫向策略是營運群、事業部與企業的策略思考，它的考慮基礎是競爭優勢，而非財務或股票。多角化企業的策略如果只問財務表現，將缺乏明確的方向。甚至，即使是成功的財務策略，也只能帶給企業暫時的利益。如果沒有橫向策略，多角化企業的存在就缺乏說服力，因為它頂多只是一個「共同基金」（mutual fund）。事實上近來對股票市場的評估已經指出多角化企業的內部貼現（conglomerate discount）問題。當多角化企業的某個經營單位缺乏相關聯經營單位時，獨立門戶反而比留在企業裡更有利。如果缺乏利用交互關係的橫向策略，這種貼現就會被合理化。因此，企業策略的精髓在於橫向策略，而非投資管理。

其實，多角化企業大多具有策略性的交互關係，只是很少有系統地辨認、開發與利用而已。企業要利用交互關係，只知道它們可能在那裡是不夠的。在實際發展交互關係的過程中，即使策略的好處顯而易見，企業仍面臨許多高難度的組織障礙。因此，執行內部橫向策略時，如果缺乏誘導交互關係的組織機制，任由交互關係與分權的組織結構同時運作，橫向策略仍將失敗。

這一章將建立一個分析經營單位交互關係的架構，並且說明交互關係與競爭優勢的關係。首先，我將解釋為何交互關係的重要性與日俱增，交互關係又如何影響企業運作。接著，我將列出經營單位間的三大類交互關係：有形交互關係、無形交互關係，以及競爭者的交互關係。最後則是企業如何辨認交互關係，又如何運用各種交互關係建立競爭優勢。

第十章將匯整所有交互關係的原則，說明企業如何針對現有經營單位擬訂橫向策略，以及如何擬訂多角化經營策略，以便進入新產業競爭。在第十一章則討論交互關係造成的組織問題。當企業發展交互關係時，策略和組織是緊密關聯的。經營單位的交互關係、區段的交互關係（見第七章）以及地理上的交互關係（或在不同區域、國家進行活動的交互關係），其實都有相似之處。這一章的重點雖然放在不同產業的交互關係，其中許多策略原則也適用在不同形式的交互關係上。

重要性與日俱增的橫向策略

今天的企業，絕少敢忽視橫向策略。近十年來，企業在經營單位間發展和利用交互關係的能力正不斷增加，這個趨勢在八〇年代與九〇年代還可能更快。同時這股力量也引導了產業的全球化。

多角化經營哲學正在改變：七〇年代初期以來，企業多角化經營的策略原則出現顯著轉變。相關聯的多角化事業受企業重視的程度大增。這導致企業更看重「配合」，並大幅修改投資管理作法。企業多角化經營初期成立的經營單位，如果與其他經營單位缺乏關聯或關聯性低，大多被轉手賣掉，像柏登（Borden）、史考維（Scoville）、環球（Trans World Corporation）、艾優國際（IU International）等公司，就以這種作法提高公司的股價。最常見的購併是，企業將所屬部門賣給更能與它密切配合的同業。

從強調成長轉向注重效益：由於全球性競爭比過去十年更為激烈，大多數已開發國家的產業成長開始趨緩。企業的經營重點也從追求成長轉為提升競爭優勢。獨立的經營單位固然有助於企業成長，但在產業環境日趨艱難的情勢下，協調經營單位，善用交互關係的策略，卻愈來愈重要。面臨壓力的客戶，會形成迫使上游加強協調的力量。像大醫院日趨複雜的採購作業，就促使嬌生、美國醫療供應公司等企業，主動整合負責醫院的經營單位業務人力與配銷系統，以維持競爭優勢。而這兩家企業過去都曾是分權制度的高度擁護者。

技術變革激發交互關係，也使交互關係更容易建立：技術正打破產業、特別是以電子、資訊技術為主產業的藩籬。微處理器、價格低廉的電腦與通訊技術正進入許多行業，並使它們朝技術密集的方向新生。當大量產品與製程都需要這些技術時，企業共用技術研發、採購及零件生產活動的機會也增加。郭德（Gould）、聯合科技（United Technologies）等大型多角化企業積極併購電子公司，就是這個潮流的最佳寫照。

前述科技也在改變一些產品的功能，並使它們成為更大系統中的一部分。像飛機駕駛艙的整合系統、辦公室自動化系統、電子通訊系統，以及大樓照明、暖氣、空調系統與電梯系統，都是以大型中央電腦控制的例子，這些變化反映出，因為技術發展，過去毫不相干的企業關係日益密切。

新技術也讓經營單位彼此分享以往辦不到的活動。「自動化彈性製造系統」就是一個重要的例子。它利用電腦控制生產機械，以極短的轉換時間，生產各種性質相近的產品。這套系統的普及速度雖然很緩慢，發展空間也還不明確，但是對生產相關產品的經營單位而言，它大幅增加了經營單位共用零件生產與裝配設備的可能性。這種容許共用活動的彈性，放在自動測試和電腦輔助設計等領域，前景同樣看好。

不斷進步的資訊系統也使經營單位間的交互關係更為方便。隨著資訊系統連線處理數據資料的能力不斷提高，自動化系統在訂貨流程、物料管理、倉儲管理，甚至生產活動以外的其他價值活動上，都有顯著的發展。相關企業共用自動化系統的趨勢也愈來愈普遍。雖然，電腦價格下降減少了共用電腦的需求，但同時也帶動新的共用需求。像銀行與保險等產業的行銷通路和銷售流程，就因共用資訊系統而產生變化。

新技術不僅創造了交互關係，也降低了開發交互關係的成本。資訊處理技術的進步使它順利打入後勤、庫存管理、生產流程和業務人力安排等價值活動中，也提高了這些活動的作業彈性。過去，某些價值活動的共用可能很複雜，成本也高得驚人，今天則是稀鬆平常。

多目標競爭正在增加：導致企業重視橫向策略的最後一項動力，是伴隨其他三項因素自然形成的。當企業主動或被迫利用經營單位間的交互關係時，同時開闢多點戰場的廠商也就不斷增加。所謂多目標競爭廠商是指，特定事業外，同時也在許多相關事業彼此競爭的企業。像寶僑家品、金百利克拉克（Kimberlyl-Clark）、史谷脫紙業（Scott Paper）和嬌生，就在紙尿布、紙巾、衛生棉、衛生紙及面紙等多種消費用紙上彼此競爭。同樣地，奇異電器、西屋、方迪（Square D）與艾默生電氣也在某些電器產品上激烈競爭。因此，當企業面對多目標競爭對手時，它必須跳出單一事業的格局，才能理解對方，因為此時的競爭優勢取決於更廣泛的競爭範圍。

這些力量也正影響到許多重要的產業部門。對金融服務業而言，資訊技術創造的交互關係使這一行出現革命性發展，而法令改變則讓它擺脫諸多限制。如美國運通公司、花旗集團、西爾斯、保德信集團（Prudential-Bache）和美林證券（Merrill Lynch）等企業，正積極整合一些過去分開運作的金融服務事業。保健方面也有相同的變化，像醫療設備和藥品製造商正努力發展經營單位間的交互關係。少數醫療保健業者甚至開始經營醫院、療養院、養老院、居家看護服務等機構。娛樂業也在探索以協調性策略經營不同媒體的可能性。如麥格羅．希爾（McGraw-Hill）與鄧白氏（Dun and Bradstreet）等資料公司，就往合併資料庫產品的方向進行。而電腦公司與電訊公司如非聯手，就是互相侵入對方領域。IBM和羅姆（Rolm）的結合，美國電話電報公司（AT&T）進軍電腦產業都是明顯的例子。工廠和辦公室的自動化將許多產業連接起來，並使奇異、西屋和全錄等企業，由點的策略推向面的策略。前面所提到的例子，只是一部分以交互關係連結產業的實例。

我的研究也顯示交互關係導致力量增加，這項研究的對象是一九七一年和一九八一年，財星五百大企業（Fortune 500）中的七十五家多角化企業。一九七一年時，這七十五家企業將所屬數千個經營單位併成三百個營運群（group），而一九八一年時又調整為三百一十五個。我觀察這兩個時期每個營運群中，各經營單位間交互關係的本質和強度。十年間，營運群中潛在交互關係的數量和強度都明顯增加，投資管理也經過重新設計。不過，企業開發潛在交互關係的效果並不明顯。我想了解的是，這段期間企業的組織結構如何改變，研究結果顯示，企業傾向將相關經營單位組合成營運群。

這項研究說明，橫向策略的重要性與日俱增，也反映出過去的綜效觀念不足以應付未來產業競爭。但是大多數企業還是無法將潛在的交互關係，轉化為競爭優勢的來源。這些企業開始組合相關經營單位，卻沿用投資管理方式經營。因此多角化企業在辨認與應用交互關係之際，也必須學習如何管理交互關係。

經營單位間的交互關係

經營單位間有三種主要的交互關係型態：有形交互關係、無形交互關係與競爭者交互關係。三種類型對競爭優勢的影響各有不同，但都很重要。這三種類型也可以同時並存。

有形的交互關係：由於相關經營單位具有共同的客戶、行銷管道、技術或其他因素，這些價值鏈間共用活動的機會就成為有形的交互關係。當共用活動所降低的成本或增強的差異化程度，超過所需的成本時，有形的交互關係就會帶來競爭優勢。譬如說，不同經營單位共用一個業務部門，可能降低本身的銷售成本，或是讓業務人員能夠提出獨特的產品組合供客戶參考採購。企業利用有形的交互關係時，涉及共同進行某項或多項價值活動。例如，當姊妹事業交叉銷售彼此的產品時，它們就在共用銷售力量。

無形的交互關係：無形的交互關係涉及個別價值鏈間，專業管理技術的移轉。有些經營單位無法共用價值活動，但具有客戶型態、客戶採購、生產流程、與政府關係等方面的相似性。以啤酒和香煙為例，兩者都是銷路廣泛的休閒性產品，也都以形象與風味做為銷售訴求。在運輸和廢棄產品的處理上，也都需要有同時管理多個定點的能力。

要透過無形的交互關係獲得競爭優勢，企業必須將一個經營單位管理某項活動的專業技能與技術，轉用在另一個經營單位，以降低該活動的成本或使它出現獨特性，進而抵消移轉專業技術的成本。以菲利普莫里斯（Philip Morris）為例，它將從香煙產業學到的產品管理、品牌定位與廣告概念，應用到啤酒事業上，明顯改變了美樂啤酒（Miller）的競爭特質，也強化了它的競爭地位。對菲利普莫里斯而言，它在香煙與啤酒業的行銷雖然是分頭進行，所應用的管理技能其實是相同的。

無形的交互關係會表現在企業所屬多個經營單位的一般性策略上，並反映出管理階層執行特定策略的技巧。如愛默生電氣與亨氏公司（H.J. Heinz）旗下的經營單位，習於採取成本領導策略。因為母公司掌握了從管理活動中取得成本優勢地位的技巧，並將這類專業技術運用到其他經營單位相近的價值活動中。

競爭者交互關係：當企業與對手的實際或潛在的競爭範圍超過單一產業時，競爭者之間也會出現交互關係。對多目標競爭的廠商而言，當某個產業中的行動可能影響到另一個產業時，他就必須將這些產業連結起來。雖然，競爭者交互關係是否出現，與有形或無形交互關係毫不相干。但是，因為有形與無形交互關係是企業多角化經營的基礎，因而它們經常同時存在。使得特定產業中的對手，通常也會朝相同方向擴張觸角。

競爭者交互關係會使另外兩種交互關係的辨認與開發變得非常重要。一個多目標競爭的對手會迫使企業主動因應某種交互關係，否則將面臨競爭的劣勢。此外，多目標競爭者也可能以不同的交互關係，連結一群部分重疊同時互有差異的事業單位，使得企業難以因應這種交互關係。

這三種交互關係可能同時存在。某些價值活動的無形交互關係，可能增強其他活動的有形交互關係。兩個經營單位共用活動的表現，可能因其他經營單位間共享類似活動的經驗與技術，而得到改善。當多目標競爭者存在時，通常也同時存在有形與無形兩種交互關係。不過，在形成競爭優勢上，各種交互關係的方式並不相同。

其實，綜效絕非空想，而是三種截然不同的想法。這也是為什麼綜效的解釋總是含糊不清的道理。綜效最常被說成是無形的交互關係，也就是將一個單位的管理技能或專業知識移轉給另一個經營單位。這種交互關係雖然很重要，效果卻可能最短暫，對競爭優勢的影響也不確定。因此，許多企業認為綜效在實務上可望而不可及，並不令人意外。

本章將進一步討論這三種型態的交互關係。有形交互關係與競爭者交互關係對競爭優勢的關聯最密切，也較容易執行。無形的交互關係則充滿陷阱，執行上也比較困難，不過，它是某些產業強大競爭優勢的來源。對企業的橫向策略而言，這三種型態的交互關係都有其作用，這部分將留到第十章再做討論。

有形的交互關係

價值鏈是分析有形交互關係的起點。企業的經營單位間都有共用某項價值活動的可能，而且也沒有主要活動或輔助活動的差別。以寶僑家品為例，它就有效地運用了紙尿布與紙巾兩個經營單位間的有形交互關係。它們聯合生產並處理部分原料，分享產品與製程的研發成果，再由共同的業務部門負責對超級市場銷售，甚至以同樣的運輸系統送達客戶手中。圖9.1就是這些交互關係的表現。這個例子顯示，兩個經營單位間有形交互關係所涵蓋的價值活動可能不只一項。不過，如果兩個經營單位共用大部分價值活動時，在策略上它們就不能算是個別獨立的經營單位，而是同一個經營單位。

當共用活動的利益超過成本，競爭對手又無法依樣畫葫蘆時，就能夠產生持續的競爭優勢。共用活動是由降低成本、或

圖9.1　紙類產品價值鏈之間的交互關係

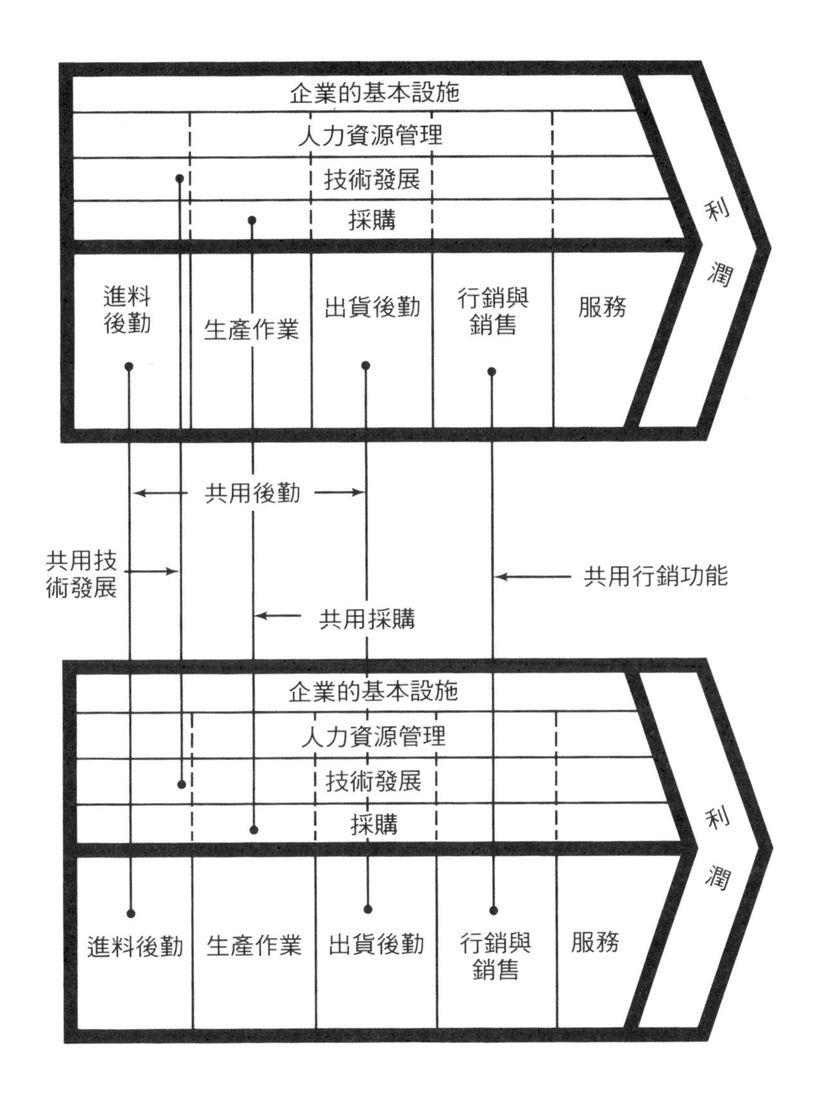

增強差異化來產生競爭優勢。但是它也會帶來新成本，包括不同經營單位間協調的成本，或為促成共用活動，經營單位必須修改策略的成本。

共用活動與競爭優勢

如果被共用的價值活動，在企業經營成本或資產中占有重大比例（我稱為高價值活動），共用活動將帶來顯著的成本優勢，也會降低進行活動的成本。如果被共用的價值活動對差異化舉足輕重，共用活動將會大幅提升企業的差異化程度，它可能增加活動本身的獨特性，或降低建立獨特性所需的成本。因此，當共用價值活動對成本或差異化驅動因素造成影響時（參考第三、第四章），將帶給企業競爭優勢。

活動共用與成本

只有在所共用的價值活動，目前或將會在經營成本或資產上占有重大比例的情形下，共用活動才會具體影響整體成本地位。在寶僑家品的例子中，被共用的價值活動使收益增加百分之五十以上。但是必須注意，除非共用活動有利於成本驅動因素，否則它不必然會降低成本。因此，當一項價值活動的成本受規模經濟、學習效應或產能使用型態影響時，共用活動就有降低成本的可能。如果學習效果要看累積銷售量多寡而定，共用價值活動會增加一項活動的規模經濟，因為產量增加，進而加快該活動的學習速度（其實，無形的交互關係也是一種學習，只是這種學習是將某一經營單位學到的知識移轉到另一個經營單位，而各經營單位仍保有自己的活動）。如果相關經營單位能在不同時間應用同一項活動，共用也可能改善該活動的產能使用型態。譬如說，一年當中的某段時間，業務部門或後勤系統專門支援某一個經營單位，其他時間則受另一個經營單位指揮。共用活動對成本地位的三種效益可能同時發生。

經營單位的共用活動，也可能形成其中任何一個經營單位「市場占有率的潛在替代」。當企業能夠在經營單位間，共用某些具有規模或學習敏感度的價值活動時，通常能夠削弱某一經營單位之高市場占有率競爭對手的成本優勢。不過，共用活動不必然等同於提高經營單位的市場占有率，因為比起規模相同但只服務單一經營單位的活動，共用活動的複雜性高出很多。即使同樣是被共用的後勤系統，負責十種產品的系統與負責五種產品的系統相比，它的複雜性是呈幾何級數增加，所增加的複雜性也會成為共用活動的一項成本。

當規模經濟、學習效應或使用型態並非重要的成本驅動因素時，共用活動可能反而提高成本。企業常因為某項活動的產能過剩，而強迫其他經營單位進行活動共享。假使不能形成規模或學習上的優勢、或對長期的使用型態有所改善，共用活動所需的成本反而是一項不利因素。這時候，正確的解決方式是降低該項活動的產能，而非共用這項活動。

圖9.2說明，企業如何根據這些原則，選擇能夠改善成本地位的共用活動。在圖右上方的交互關係，因為所需成本高，而且對規模經濟、學習效應或產能利用的敏感度高，因此潛在重要性很高。圖左上方的交互關係則沒有立即的重要性，因為

圖9.2 共用價值活動以及成本地位

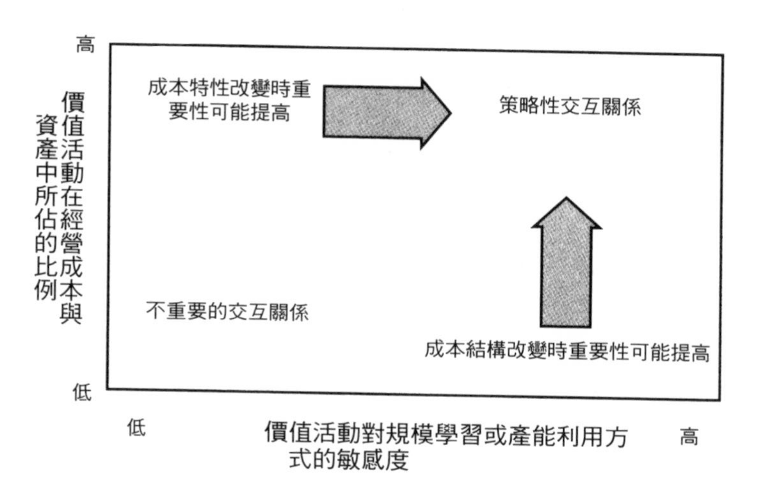

縱使這個部分的價值活動占成本或資產比例很高，但是共用這些活動無助於降低成本。不過，如果這些活動的技術改變，使得交互關係對規模、學習或產能使用方式更敏感時，交互關係將轉趨重要。譬如說，在很多配銷產業中，訂單處理技術已經從人工作業改為電腦連線作業，這就使得「相關產品共用訂單處理系統」創造出重要的優勢。圖右下方的交互關係說明，如果成本結構改變會提高相關活動的經營成本或資產比重時，這些交互關係對成本地位的影響力也會增加。像廠房與支援性基本設施的建造成本愈來愈高時，共用設備的潛在優勢就會增加。

活動共用與差異化

共用活動會從兩方面影響差異化。它可以因為增加活動的獨特性而提升差異化，也可能降低差異化的成本。第四章曾說明影響客戶價值與差異化的相關活動。當共用活動對實際價值或訊號價值產生重大影響時，它對差異化的影響也最大。以消費性電子產業為例，由於差異化與產品設計有關，因此，共用研發活動就對差異化具有重大影響。對差異化的另一個重要影響則是降低差異化的成本。例如，降低「建立銷售及服務網」等必須花大錢的差異化成本。

共用活動能夠直接提高活動的獨特性，也可能透過對獨特性驅動因素的影響，間接地提高活動獨特性。當共用活動的單位超過一個以上時，共用會提供客戶更高的價值，並直接強化該活動的獨特性。比方說，由同一個業務部門銷售數種產品，客戶採購可能更方便，並有產品搭配、配套銷售的優勢（見第十二章）。以電信產業為例，客戶通常希望單一廠商供應整套系統。同樣地，聯合開發也可能提高相關產品的相容性。共用也能由擴大活動的規模經濟或加快學習速度，間接增加獨特性。因為規模經濟與學習都會增加活動的獨特性。

當共用活動影響到差異化的成本驅動因素時，這類活動也會降低差異化的成本。如果產品開發很容易受規模經濟影響，經營單位共用該項活動將降低產品類型迅速變動的成本，共用後勤活動也會降低採購最高級材料或零件的成本。不過，因為活動的複雜性增加，會形成共用成本，這項成本對差異化不利。

共用活動的優勢與經營單位的地位

當各經營單位共用一項活動時，它們在成本或差異化的改善效果通常各有不同。原因是各經營單位的規模差異。當生產活動共用某種零件時，經營單位如果使用量大，它因共用而產生的成本優勢就不如使用量小的經營單位。反過來說，使用量小的經營單位會因規模較大的經營單位參與，而得到大量生產的好處，使它的成本地位明顯改善，市場地位也會提高。由於所得利益不均，大的經營單位往往無意與較小的經營單位發展交互關係。必須注意的是，經營單位規模差異的重點，在於對共用活動的規模，而非經營單位的整體規模。譬如說，一個經營單位可能規模不大，但在後勤活動的使用上卻很頻繁。

產業結構的差異，也可能導致經營單位共用活動時的利益差異。比方說，小幅改善成本地位，可能是日用品產業競爭的一件大事，但對產品差異高而且著重品質與服務的產業就沒有那麼重要。交互關係的重要性也要看相關經營單位的策略。因交互關係而來的獨特性，可能對某個經營單位很有價值，對另一個經營單位則不然。因此，經營單位很少把因交互關係形成的獨特性視為對各方同樣有利。理解這種觀感，對企業內部橫向策略的形成，以及高層主管說服經營單位發展交互關係時十分重要。

共用活動的成本

由於交互關係會迫使經營單位修改部分作法，自然也需要付出成本。共用一項價值活動的成本可以分成三類：

- ❑ 協調成本。
- ❑ 妥協成本。
- ❑ 無彈性成本（cost of inflexibility）。

在這三類成本中，協調成本比較容易理解。經營單位共用活動時，必須在進度安排、決定輕重緩急與解決問題等方面彼此協調。協調的成本包括時間、人力和金錢等，並且因不同的共用型態而有明顯差別。譬如說，經營單位要共用業務部門，就必須持續不斷地協調；而聯合採購則必須定期溝通，以決定各經營單位在每個階段的採購數量。不同經營單位對協調成本的看法也可能不同。規模較小的經營單位比較在乎協調成本，視它為一場爭取優先順序的長期戰爭，並有被大型經營單位支配的風險。至於本身不需執行共用活動，或與共用活動關係較遠的經營單位，則會擔心自己的最大利益缺乏保障（參見第十一章）。

價值活動的複雜性也會影響共用活動的協調成本。活動性質不同，共用活動的複雜性也不同。比方說，經營單位共用一套電腦化訂單處理系統時，所增加的複雜性很有限。相反地，當兩個經營單位各擁有很多產品時，共用一個後勤系統就複雜多了。多個經營單位共用所增加的複雜性，有時還會抵消規模經濟或減緩學習速度。因此，當共用活動改變規模、學習與成本之間的關係時，規模可能增減，學習速度也可能加快或變慢。重要的是，因為所處環境的差別，一項活動在規模或學習敏感度上的改變，會對企業的成本地位產生正、負面影響。一般而言，電腦化能夠降低處理共用複雜性的成本。這也是交互關係愈來愈重要的原因之一。

妥協成本是更重要的共用成本。共用活動的原則是持之以恆、一視同仁，這對追求功能最大化的個別經營單位而言，未必是最理想的情況。以兩個經營單位共用一個業務部門為例，銷售人員可能不會特別關心那個經營單位的產品，他們對每項產品的了解程度也不如專責的銷售人員。同樣地，共用零件的生產活動可能意味著，零件設計時要兼顧其他經營單位的需要，因此無法完全符合特定經營單位的想法。妥協成本不僅出現在共用的活動上，其他相關價值活動也會受到影響。比方說，業務部門被共用時，業務人員可能無法兼顧次要的服務工作，服務人員的需要人數就會隨之增加。因此，企業促進共用活動的政策，反而成為經營單位之間成本或差異化的負面影響。

經營單位要共用價值活動，勢必得做些讓步。妥協的成本可能微不足道，也可能大到足以抵消共用所產生的價值。例如，當經營單位在產品尺寸、重量、交貨頻率與交貨時間的敏感性明顯不同時，共用一個後勤系統將無法符合任一經營單位的需要，因此省下的成本也將得不償失。不過，共用品牌或共同採購的妥協成本可能很低，甚至沒有妥協成本。

共用活動的妥協成本依經營單位而異。例如共用業務部門時，業績不佳的經營單位可能讓步最多。妥協成本的差別也要看不同經營單位的策略中，特定活動所扮演的角色。如聯合採購某種通用的牛奶或奶油時，假如產品等級不高，採取高品質策略的經營單位，妥協成本就高於走低成本路線的經營單位。

當經營單位在某項共用活動上的策略一致時，利用交互關係的妥協成本很低。如果相關經營單位長期協調彼此的策略方向，達成一致性的代價將很小，甚至毫無犧牲。例如，要讓特定零件發揮最大效用，兩個經營單位各自設計產品時，應該先將零件的所有特性一併納入考慮。反過來說，如果這兩個經營單位的設計部門關起門來各做各的，同一零件無法符合任一經營單位需要的可能性就很高。經營單位策略的一致性，大多需要後天培養。通用食品開發成功的布丁冰棒，是一個改變直接和間接妥協成本的好例子。由於冷凍食品的運輸條件是華氏零度，冰淇淋卻需要華氏零下二十度。通用因此將這項新產品的溶點設計得比冰淇淋高，使它能與通用食品的冷凍蔬菜共用配銷系統。共用後勤活動，好處雖然顯而易見，在價值鏈的其他部分卻有某些無法預見的後果。比方說，超級市場冷凍食品經理訂貨時，布丁冰棒是與蔬菜一起下訂單，而不是和其他冰品一起訂購，因此常常被遺漏。這個例子顯示，對於交互關係利弊得失的檢查必須貫穿整個價值鏈，而不只是被共用的活動而已。

當一項活動從開始就是為共用而設計，而不是將兩個原本分開的活動簡單拼湊起來、或不更動任何程序或技術，就將服務某經營單位的活動湊到另一個經營單位，那麼妥協成本是會下降。近來金融服務產業的動向就是很好的說明。以一套系統處理多種產品，效率通常很高，但是將原先針對個別金融產品設計的電腦系統合併起來，其中的困難程度卻遠超過想像。同樣地，試圖拿銷售股票與債券的配銷系統，來賣保險與其他金融產品，非但不能有效適用於每一種產品，還會造成很多組織問題。值得注意的是，新式的經紀人工作室正在興起。這類工作室的經營概念結合了經紀人與客戶服務代表，負責處理簡單的問題與審查客戶，並由專業人員以新的共用資訊系統，銷售其他金融產品。如此一來，共用配銷系統的妥協成本就可能很低。

第三類共用成本是「無彈性成本」。無彈性可分成兩類：一是對競爭行動的回應有困難；二是退出障礙過高。共用活動會使企業回應競爭對手的速度較慢，因為當某個經營單位受到威脅時，企業的反擊可能破壞或降低其他姊妹經營單位以交互關係形成的價值。共用活動也會提高退出障礙。一個已無競爭優勢的經營單位退出時，可能傷害到其他共用活動的經營單位（參見《競爭策略》第一章）。和其他妥協成本不同的是，無彈性成本並非持續的成本，它的特性只在企業需要彈性時才會出現，並取決於需要回應競爭或退出的可能性。

企業發展交互關係有時會同時出現協調成本、妥協成本和無彈性成本。這些成本是經營單位考慮共用活動時，真正要關心的問題，其中又以取得交互關係所需的妥協成本最為重要。

交互關係的成本會比它帶來的好處更明顯，畢竟當時後者還在理論與推測的階段。經營單位一般會依既有策略來評估可能的交互關係，而不會從策略修正之後將減少多少共用成本的角度來做評估。此外，交互關係的價值常被共用活動過程中的組織問題蒙蔽（這些問題會在第十一章討論）。因此，經營單位有時會抵制可能帶來明顯競爭優勢的交互關係。

共用一項價值活動的效益扣除妥協成本、協調成本與無彈性成本後，才是共用活動真正產生的競爭優勢。要評估一種交互關係帶來的競爭優勢，企業必須對所有相關經營單位分別檢討，至於這項交互關係的價值，則是所有相關經營單位淨優勢（net advantages）的總合。經營單位不同，它由共用所得到的淨優勢也不相同。有時候，從甲經營單位的角度來看一種交互關係，由於它必須付出高昂的妥協成本，交互關係的淨值可能是負數，但是對其他受此關係影響的經營單位而言，淨利卻很大，並抵消了負淨值。基於不願意損己利人，加上企業追求交互關係的可能偏見，經營單位往往不認同交互關係對整體的好處。因此，只有當企業的橫向策略很明確時，交互關係才會產生。

共用活動雖然有成本，產業也有降低這些成本的機制。像新技術就有降低協調成本、妥協成本與無彈性成本的效果，其中較不受影響的是無彈性成本。便利的通訊、與有效率的資訊系統會使經營單位間的協調更容易。低成本的電腦與資訊系統也使得價值活動更具有彈性，或帶來降低妥協成本的技術能力。電腦控制的機械與機器人則能滿足各經營單位的不同需求。許多企業雖已開始注意到這些降低共用成本的可能性，但是在評估交互關係時，仍然沿用已經過時的方法。

迎頭趕上的困難

企業是否能維持交互關係的淨競爭優勢，取決於競爭對手因應或跟進的難度。競爭對手迎頭趕上某種交互關係所產生的競爭優勢時，它的選擇不外下面兩種：一、複製相同的交互關係；二、透過其他手段抵消它的作用，如提高受影響經營單位的市場占有率，或運用另一種交互關係。競爭對手複製交互關係的難度，與它在相關產業的表現有關。從策略來看，沒有競爭對手、進入障礙高的相關產業中形成的交互關係最有價值。以寶僑家品為例，它能在紙尿布與紙巾兩個經營單位，持續以交互關係形成競爭優勢，因為紙巾業的競爭對手若想進入紙尿布產業，障礙既多且高。競爭對手運用交互關係時，同樣受到己方經營單位的策略與所處環境的牽制，可能付出高低不等的協調成本和妥協成本。因此，當其他條件一致時，企業應該積極追求對手協調成本與妥協成本最高的交互關係。

競爭對手能否有效減輕某種交互關係對它的不利影響，就看他們有沒有辦法修改策略，或以不同的交互關係改善旗下經營單位的市場地位。每一種價值活動都可能有共用的機會，競爭對手可以在不相關的經營單位間找出其他交互關係，或在相關經營單位間共用不同的價值活動。這種互動形式說明，如果企業追求某種交互關係，卻導致競爭對手以其他交互關係因應，最後結果仍可能不利於企業的相對地位。

企業評估競爭對手跟上某種交互關係的難度時，還要考慮對手是否會以聯合或長期合約的方式取得相同利益。有時候，競爭者不必進入另一個產業，只是合資或其他聯合形式就能獲得共用的好處。這種企業間的聯合不容易做到，但是在評估一種交互關係的價值與可行作法時，還是應該列入考慮。

辨認有形的交互關係

企業辨認內部的有形交互關係時，一種作法是，先列出所有實際上發生的各種共用形式，以及利用它們創造競爭優勢時各種方法上的調整。圖9.3將共用形式分成五類：生產、行銷、採購、技術和基本設施。人力資源管理則歸類在共用的基本設施。將這些交互關係分門別類，目的是希望因此找出共用活動的各種問題。交互關係最後還是由共同的客戶、行銷通路或生產流程等共同性（commonalities）形成。這些共同點有助於找出潛在的交互關係，但是所引發的競爭優勢未必與前面提到的利益或成本有關。表9.1則列出每一類交互關係的來源與可能採取的共用形式。

市場的交互關係

市場的交互關係涉及從出貨後勤到客戶服務，各種與客戶接觸及互動的主要價值活動。當客戶只有地理位置相同時，被共用的活動一般限於產品配銷系統、訂單處理流程，以及類似的服務與業務等方面。如果經營單位之間還有相同的客戶、行銷通路、或兩者兼具時，共用的機會就更多。當不同經營單位

圖9.3 有形的交互關係

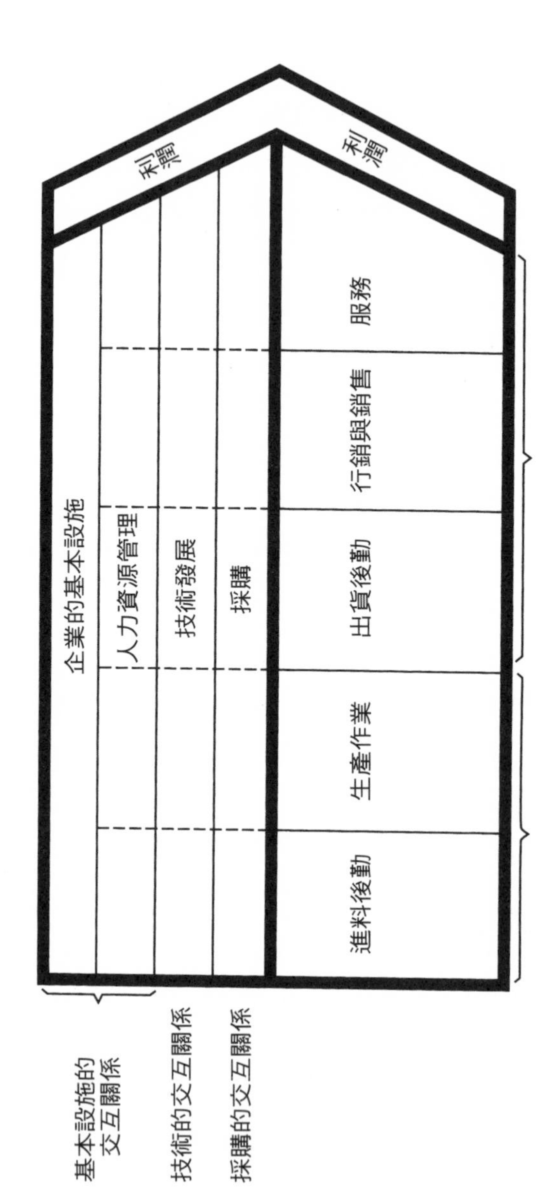
企業的基本設施
人力資源管理
技術發展
採購
利潤
利潤
進料後勤
生產作業
出貨後勤
行銷與銷售
服務
基本設施的交互關係
技術的交互關係
採購的交互關係
生產作業的交互關係
行銷的交互關係

有相同的客戶或行銷通路時，彼此共用配銷系統或訂單處理流程系統的複雜程度比較低，也會降低共用的成本。另外，正如表9.1所顯示，相同的客戶或行銷通路也可能促成許多共用的形式。

潛在的市場交互關係不容易辨認，因為企業通常想當然耳地看待客戶或行銷通路。例如，石油公司採購的產品與服務項目很多，除了鑽探設備、提煉設備，就連油罐車等運輸設備也包括在內。因此石油公司很容易被企業在許多產業中的經營單位視為共同客戶。問題是，各種產品的銷售對象其實是石油公司的不同部門，這些部門彼此間也極少聯繫。以鑽探設備為例，同一家石油公司負責採購鑽探設備與生產設備的人，可能分屬不同部門。就算是同一部門，採購決策者或對決策有影響力的人，也會因採購項目而不同。比方說，預防氣體外洩設備等高科技產品，可能由工程師負責採購，而導管等標準配備則歸採購人員負責。

另一個將客戶看得太廣的例子是金融服務業。股票與債券的客戶和一般壽險客戶不同，他們又與期貨的典型客戶有所不同。這些差異使金融服務業很難取得市場交互關係。這些例子說明，只有當採購決策者相同或決策者間有聯繫時，經營單位之間才有發展市場交互關係的機會。

同樣的問題也出現在界定共同通路上。當兩種產品都採用百貨公司的銷售管道時，如果其中一種是由大眾化的折扣型百貨商店銷售，另一種則由洛得—泰勒（Lord & Taylor）或尼曼—馬庫斯（Neiman-Marcus）等獨家經銷的百貨公司銷售，它

表9.1 交互關係的可能來源

採購的交互關係		技術的交互關係		基本設施的交互關係	
交互關係的來源	可能的共同形式	交互關係的來源	可能的共同形式	交互關係的來源	可能的共同形式
相同的採購項目	聯合採購	相同的產品技術	聯合技術開發	相同的基本設施需求	聯合資金籌募
		相同的製程技術	聯合介面設計	相同的資金	共同運用現金
		與其他價值活動相同的技術			共用會計
		與其他產品組合的產品			共用法務
		產品間的介面			共用政府關係
					共用人員招募與訓練
					共用其他基本設施活動

表9.1　接上頁

生產的交互關係		市場的交互關係	
交互關係的來源	可能的共用形式	交互關係的來源	可能的共用形式
相同的原料所在地	共用進料後勤	相同的客戶	共用品牌
相同或相似的組裝流程	共用零件生產	相同的通路	交叉銷售產品
相同或相似的裝配流程	共用裝配設備	相同的地理性市場	配套或組合銷售
相同或相似的測試／品管流程	共用測試／品管設備		交叉補貼附屬產品
相同的工廠支援需求	共用工廠的支援活動		共用行銷部門
	共用場地基本設施		共用業務人員
			共用服務／維修系統
			共用訂單處理系統
			共用運輸系統
			共用客戶或配銷商的金融機構

們並沒有通路上的交互關係。即使是同一個銷售通路中，產品不同，經手的採購人員也往往不同。像肉類產品雖然屬於冷凍食品，但是大多數連鎖超市採購冷凍食品與肉品的人員就不一樣。話說回來，當客戶與行銷通路相同時，即使採購決策者不同，仍有共用後勤與訂單處理系統的機會。

共用市場行銷活動時，如果產品項目包含替代品或附屬產品，將對共用利益產生影響。如果既有產品與替代品共用行銷活動，因為購買者只選擇其一，而非兩種都買，因此會削弱產品的成本優勢。換個角度看，主動提供客戶替代品可以降低被替代的風險，因為當一個產品失去優勢時，還有另一種產品可以彌補（參見第八章）。企業將一個產品與替代品聯合行銷，也能夠增強差異化。

當經營單位兼賣附屬產品時，共用利益通常比同時銷售無關產品或替代品更大。客戶對附屬產品的需求通常是相關聯的，企業可依這類需求，有效利用共用活動，採取共用品牌、聯合廣告和配套等作法。第十二章將討論附屬產品的相關策略。

表9.2說明，主要市場交互關係可能帶來的競爭優勢，以及妥協成本的最可能來源。像市場研究、業務行政與廣告製作（如繪圖、完稿）等間接活動，因為妥協成本較低，通常比直接活動更容易共用。另外，改變相關經營單位的策略來降低妥協成本，也會增加市場交互關係的利益。比方說，企業如果將銷售作業標準化，重新定位品牌以改善形象，以及統一交貨標準或付款條件等，都可能更容易進行共用。

表9.2 決定市場交互關係淨競爭優勢的因素

共用的形式	潛在的競爭優勢	妥協成本最可能的來源
共用品牌	降低廣告成本	產品形象不一或相互衝突
	增強產品形象／信譽	客戶不願向一家公司採購太多產品
		如有一項產品不佳，將影響品牌信譽
共用廣告	降低廣告成本	無法運用最適當的媒體，或傳遞最佳訊息
	更強的廣告媒體購買力	由於產品過多，而降低了廣告的效益
共用促銷活動	透過共用折價券或交叉折扣，降低促銷成本	無法在最佳時機或以最佳方式促銷
對彼此的客戶交叉銷售產品	降低尋找客戶的成本	產品形象不一，或互相衝突
	降低銷售成本	客戶不願向一家公司採購太多商品
與附屬產品聯合定價	參見第十二章	參見第十二章
配套銷售	參見第十二章	參見第十二章
共用行銷部門	降低市場研究成本	產品定位不一致
	降低行銷管理成本	客戶的採購行為不同
共用通路	提昇對通路的議價實力，進而改善服務、陳列位置、保養、維修、支援或通路利潤	通路取得的議價實力比企業更強 通路不願讓一家公司佔有太高的業務比例
	便於客戶一次購足，提高差異化	共用某一通路可能失去其他通路的支援
	降低支援通路的基本設施成本	

表9.2　接上頁

共用的形式	潛在的競爭優勢	妥協成本最可能的來源
共用業務人力或辦公室	降低銷售成本或業務部門基本設施的成本	客戶採購習慣不同
	素質更好的業務人員	客戶不願向同一個業務人員採購多項產品
	更多的可銷售產品，增加向客戶推銷的機會或提高客戶的方便性	業務人員沒有足夠的時間向客戶介紹各種產品
	透過不同的使用形態，使得業務資源的利用更有效益	需要不同類型的業務人員
		某些產品特別受到關注
共用服務網	降低服務成本	維修所需的知識與設備不同
	由於技術改進或更密集的服務點，使得服務更為熟練或更快	要求服務的緩急程度不同
	服務需求的關聯方式相反，使得產能運用更有效益	客戶內部自行處理時，所能得到的效益不同
共用訂單處理系統	降低訂單處理成本	訂單的形式與交易條件不同
	降低採用更先進訂單處理或帳款處理技術的成本	由於客戶訂購週期不同，使得作業流程的需求不同
	訂單處理流程完全不重疊，使得產能更有效利用	
	一次購足，提高差異化	

生產作業的交互關係

生產作業交互關係涉及進料後勤、零件生產、裝配、檢測等上游價值活動，以及維修與工廠基本設施等間接生產功能。這些共用形式的前提是，必須將活動集結在同一地點進行。如果相關經營單位的供應商與它的客戶距離很遠，將活動集中進行，會提高進出貨的運輸成本，並導致妥協成本。共用採購活動不等於生產作業交互關係，因為它與廠房設備的合併使用無關。各經營單位所需的採購項目固然可以集中採購，但是必須從供應商送達分散各地的廠房。

企業分析價值活動的生產交互關係時，常發生錯誤判斷，因為它們通常很相近。比方說，即使以同一台機器生產不同產品時，不同產品要求的加工精密度、生產量、作業時間，都可能有很大差別。正如市場交互關係，間接價值活動往往因為妥協成本低，比較適合共用。像建築物管理、維修、廠房基本設施和測試設備等活動，即使實際生產流程不同，還是可以共用。

表9.3列出，重要生產交互關係可能帶來的競爭優勢，以及可能形成妥協成本的來源。兩者能不能平衡則取決於相關經營單位的策略。比方說，當兩個經營單位都採取差異化策略，就比一個追求成本領先而另一個講求高品質，更能形成零件規格、製造精密度與測試標準方面的類似需求。

表9.3 決定生產交互關係淨競爭優勢的因素

共用的形式	潛在的競爭優勢	妥協成本最可能的來源
共用進料後勤系統	降低運輸與物料處理成本 更好的技術，提昇運送可靠度、降低損耗等 更頻繁、小量的運送，降低庫存量或提高生產力	採購來源的地理位置不同 生產工廠的地理位置不同 物料的物理特性不同，使得共用的後勤系統效益不彰 不同經營單位，對物料的需求頻率以及運送可靠度的需求不同
共用零組件（完全相同的零組件，用在不同產品上）	降低零組件的裝配成本 能夠改善品質的零組件生產技術改良	對零組件設計及品質的要求不同
共用零組件生產設備（以相同生產設備，生產相似或相關零組件）	降低零組件成本 能夠改善品質的裝配技術改良 由於相關零組件的需求並非完全重疊，有助於產能的利用	不同零組件的生產線設定成本太高 不同經營單位對零組件精密度及品質的要求不同 通用型生產設備的成本，比專屬生產設備更高 位於同一地點的大量生產人力，帶來潛在的人員招募、工會、生產力效益問題
共用組裝設備（運用同樣的設備／生產線組裝相似或相關產品）	降低組裝成本 能夠提昇品質的組裝技術改良 由於需求不衝突，有助於產能的利用 同一套物料處理系統能夠供應不同生產線	不同產品所需的生產線設定成本很高 對品質與精密度的需求不同 通用型生產設備的成本更高 位於同一地點的大量生產人力，帶來潛在的人員招募、工會、生產力效益問題

表9.3 接上頁

共用的形式	潛在的競爭優勢	妥協成本最可能的來源
共用檢驗／品管	降低檢驗成本	產品檢驗及品管標準不同
	改進檢驗技術，增加測試範圍並提昇品管能力	通用測試儀器的成本更高
共用間接活動（包括設備維修、廠房管理、人力資源部門、員工餐廳等）	降低非直接成本	經營單位間對間接活動的需求不同
	提高間接活動的品質	大量生產人力位於同一地點，帶來人力招募、工會、生產力效益等問題

採購的交互關係

採購交互關係與共用採購項目的採購活動有關。多角化企業旗下的經營單位，常會使用某些相同的採購項目，主要原料與設備之外的相同採購項目又更多。一個趨勢是，供應商愈來愈願意按照企業整體需求議價，服務範圍也擴及企業分散全球各地的經營單位。有些企業因為忽略潛在的妥協成本，或因僵化的採購流程，在爭取有利機會時缺乏彈性，結果共用採購活動帶來的困擾遠超過好處。

表9.4說明，共用採購活動的潛在競爭優勢與妥協成本的可能來源。

表9.4 決定採購交互關係淨競爭優勢的因素

共用的形式	潛在的競爭優勢	妥協成本最可能的來源
通用採購項目的聯合採購	降低採購項目的成本	由於對採購項目的不同規格或品質要求，使得標準較寬鬆的經營單位成本比預期高
	提高採購項目的品質	不同經營單位對供應商的技術與運送需求不同
	提高供應商的服務，如訂貨反應時間、庫存等	集中處理阻礙了工廠到採購動作之間的資訊流動，減緩了採購的反應速度

技術的交互關係

技術交互關係涉及價值鏈間共用技術發展活動。技術交互關係與生產交互關係不同，前者影響技術發展的獨特性或成本，後者則牽涉到持續共用生產相關活動。必須注意的是，流程技術研發的交互關係，常常與生產或市場的交互關係同時出現，因為它是主要活動交互關係的延伸。

和其他形式的交互關係一樣，看似有用的技術交互關係可能只是一種錯覺。真正關鍵的技術，可能不是各經營單位都能夠運用，反而是專業、必須單獨使用，並能幫助企業成功的技術。以哈里斯公司（Harris Corporation）為例，它原本認為將賣給報社的編輯軟體略做修改，可以降低進入文書處理系統的發展成本。但是付諸行動之後卻發現，原有編輯軟體的功能設計大多針對報業需要，真要發展一套文書處理系統，還不如從頭開始。

如同微電子科技對電信與資料處理的重要性，真正重要的技術交互關係往往與產品差異化、成本、或相關流程有關。由於許多產品會應用類似的技術，這也增加辨認真正技術交互關係的困難度。基於經營單位的策略與所屬產業的差異，各經營單位在技術交互關係上能夠獲得的淨優勢也不一樣。以共用微電子技術為例，兩個消費品經營單位的共用利益，可能大於國防事業與消費品事業共用技術的結果。當洛克威爾公司試圖將一組國防事業經營單位的工程師，調到艾德蒙（Admiral）電視機部門時，就嘗到這種教訓。因為電視機產業遠比國防設備更在乎成本，共用因此無法成功。同樣的問題也出現在商用客機產業。針對軍事用途設計的飛機進軍商用市場時，也被證明成本過高。

表9.5是共用技術研發活動的潛在競爭優勢，以及最可能的妥協成本來源。

基礎設施方面的交互關係

最後一種交互關係涵括財務、法律、會計、人力資源管理等與企業基本設施有關的活動。第二章曾提過，多角化企業的基本設施活動，很多是被共用的。在大多數的情況下，由於基本設施占成本比例不大，對差異化的影響也有限，因此共用這類活動對競爭優勢的影響也不顯著。有趣的是，這個領域卻是許多文獻探討共用的重點，其中又以經營單位如何共用財務與

表9.5 決定技術交互關係淨競爭優勢的因素

共用的形式	潛在的競爭優勢	妥協成本最可能的來源
共用技術發展（不同產品或相互組合的產品）	降低產品或生產流程設計的成本（並縮短時間） 大規模的研究計畫，或是吸引更優秀人才來改進產品或流程研發 不同產品間研發活動的移轉，有助於提昇差異化或有助於提早進入新競爭領域	技術相同，但不同經營單位對採用技術的輕重權衡不同
共用技術介面設計	降低介面設計成本 透過優異的專利介面表現提高差異化 由於非標準化介面，創造產品配套銷售的機會	非標準化介面縮小了可能的市場 產品配套銷售的風險（參見第十二章）

資本居多。其中財務的交互關係一向被視為多角化企業提供給旗下事業的最大好處。

形成財務交互關係的基本方式有兩種：聯合籌措資本與共同利用資本（主要是流動資金）。當資本需求達到一定數量時，是可能形成籌措資本的規模經濟。主動操作經營單位短期或非季節性資金需要，使得某一經營單位的多餘現金，能夠挪到另一個經營單位使用，也能使流動資本的運用更有效率。財務交互關係的妥協成本比較少，而這類妥協成本必須和所節省的金額相抵消。此外，一旦存在著財務交互關係，它們通常是各種交互關係中最容易取得的一種，這或許是為什麼它們經常被討論的原因。

資本市場的效益會限制共用財務的競爭優勢。銀行對企業融資有一定額度，因此融資成本的差異有限。企業常以借貸方式應付短期的現金需要，而將多餘現金投入有價證券等效益更高的資金市場。這都削弱了流動資金的作用。因此，除非競爭者的規模與信用程度差異很大，財務交互關係無法帶來重大競爭優勢。當然，對部分特定產業來說，其他基本設施的交互關係仍有其重要性。像有些服務業企業就非常重視共用人員聘雇與培訓活動；對天然資源企業來說，共用政府關係則對競爭優勢舉足輕重。

無形的交互關係

無形的交互關係是將專業知識或技能，從一個價值鏈移轉到另一個價值鏈，以協助企業取得競爭優勢。換句話說，也就是企業拿某個經營單位的經營心得或專業技能，改善旗下另一個類似經營單位的競爭力。至於技能移轉的方向，可以是由既有經營單位移植到新經營單位，也可以是由新經營單位回流到既有經營單位，只要是價值鏈裡的一般性專業知識或技能都可以移轉。菲利浦—莫里斯公司將香煙部門的行銷技巧，移轉給旗下的美樂啤酒；艾默生電子將廠房設計與降低成本的方法，移轉給新收購的鏈鋸廠。在這兩個例子中，移轉專業技能導致新的經營單位改變競爭方式，因而增加競爭優勢。

當接收專業技能的經營單位，在成本或差異化表現上的改善超過移轉的成本時，無形的交互關係就會導致競爭優勢。一般而言，原使用部門已經付出一項技術的成本，因此移轉成本遠低於開發成本。不過，移轉技能還是會造成成本，它可能是技術人員的時間成本，也可能是洩漏專利情報的重大風險。經營單位接收專業技能時，還有協調新技能與舊體制的成本。因此，判斷一種無形的交互關係能否帶來競爭優勢，必須衡量潛在利益與移轉專業技能所需成本。

當專業知識或技能的移轉，能夠降低成本或增強差異化時，無形的交互關係對競爭優勢而言非常重要。此時，技能移轉會牽動降低成本或加強差異的政策，或使接收技能的經營單位更了解其他成本與獨特性驅動因素。在菲利浦—莫里斯將經營訣竅移轉給美樂啤酒的例子中，美樂啤酒因此改變市場定位與行銷策略，大量的廣告開銷帶來規模經濟，進而具備大廠牌的競爭優勢。

辨認無形的交互關係：無形的交互關係是由經營單位的各種相似性形成，這些共同屬性包括：

- ❏ 相同的一般性策略。
- ❏ 同類型的客戶（但不是同一客戶）。
- ❏ 相似的價值鏈設計（如分散各地的礦場和提煉廠）。
- ❏ 相似的重要價值活動（如政府關係）。

經營單位即使無法共用價值活動，前述那些相似性會使得某個經營單位的專業知識有益於另一個經營單位，並有移轉的可能性。有時候，移轉專業知識與共用技術發展的界限很模糊。要分辨有形與無形交互關係，關鍵在於是否運用某種方法來共用特定活動，或是在不同活動間移轉專業知識。

由於經營單位間有太多可能的相似性，企業不可能像辨識有形交互關係般，將重要的無形交互關係一一列舉出來。價值鏈則是辨認無形交互關係的系統性工具。企業可以檢視所屬經營單位的主要價值活動，發掘活動之間的相似性。企業從價值鏈的建構方式，就可能找出移轉專業知識的基礎，或凸顯可能援用在新經營單位上的通用技能。

無形的交互關係與競爭優勢：無形交互關係很常見。任何兩個經營單位都可能在某些價值活動中，發現一些共通的相似性。以航空公司為例，它會廣泛佈點，擁有許多飛航點，並重視飛航班次的安排，這些特質也可以在貨運、國際貿易與生產工業用氣體的企業中出現。無形交互關係之所以比較難分析，就在於某些相似性太常見了。

要辨認哪些才是攸關競爭優勢的無形交互關係，企業可以從下面的問題著手：

- ❑ 經營單位的價值活動相似程度有多大？
- ❑ 價值活動對競爭結果的影響有多大？
- ❑ 專業知識對相關活動的競爭優勢有多大影響？

上述問題必須一併回答。經營單位之間的相似性決定專業知識適合的移轉程度。被移轉的專業知識是否重要，則要看它能為接受移轉的經營單位帶來多少競爭優勢。有時候，只是移轉觀念就能夠大幅改變競爭優勢，所以，即使看來不相干的經營單位，也會有重要的無形交互關係。不過，能形成重大競爭優勢的無形交互關係並不多。而要預測移轉專業知識的價值也不容易。

評估無形交互關係時最常見的陷阱是，雖然找出經營單位之間的相似性，它們對競爭優勢卻沒有多少影響。換句話說，被移轉的專業知識並不能影響攸關成本或差異化的價值活動，或缺乏尚未被競爭對手發掘的經營觀點。菲利浦—莫里斯公司買下七喜汽水的例子就屬於後者。啤酒產業的主力是一群市場行銷較弱的家族企業，而軟性飲料產業卻已有可口可樂、百事可樂和派柏汽水等市場行銷好手。七喜汽水沿用菲利浦—莫里斯的行銷技術，效用就不如美樂啤酒。

許多企業都有掉入這種陷阱的經驗，這些交互關係或空幻不實，或與競爭優勢無關。兩個經營單位間的無形交互關係被硬湊出來，並以其他理由進一步多角化後，又被拿來做為合理化的依據。在一度熱門的「綜效」中，無形交互關係是一個十分重要的課題，但是它在辨認與運用上的困難，又成為許多企業對綜效大感失望的原因之一。

因此，要有效運用無形交互關係，企業必須深入認識相關經營單位與所屬產業的情況。企業也必須找出具體移轉專業知識的方法，才能真正研判它對競爭的重要性。只期待甲經營單位必定能從乙經營單位學到有用的經驗，卻無實際行動，往往淪為逃避現實的空想。

雖然無形交互關係移轉專業知識的利益遠超過成本，如果移轉動作不確實，不必然導致競爭優勢。專業知識的移轉通常透過經營單位主管或其他人員，以經驗交換的方式來進行，這個過程需要高層主管的積極推動。因為接受移轉單位的相關人員可能會排斥其他領域的專業知識、懷疑它的價值、甚至公開抵制。擁有專門知識的經營單位也可能吝於耗用重要人員的時間進行移轉工作，或視被移轉的專業知識為高度專利品。此外，專業知識的移轉是一種主觀判斷，比起有形交互關係，它的好處也更不容易被經理人了解。這些因素意味著，看似重要的無形交互關係，其實是知易行難。企業真要運用這些重要的無形交互關係，就必須訂定目標，持續經營這種交互關係，並建立一套移轉專業知識的正式機制。一個有效率的組織結構會大幅降低移轉專業知職的成本。

競爭者交互關係

當企業與對手的競爭領域橫跨多個事業時，就會出現競爭者交互關係。企業針對多目標對手採取行動時，必須將所有相關的經營單位考慮在內。此外，企業與多目標對手之間的相對競爭優勢，部分取決於各自擁有的交互關係。因為在交互關係的影響下，一個多目標對手的競爭優勢，應該是它在一群相關產業的整體市場占有率，而非任何單一產業的表現。雖然多重目標競爭者不必然帶來競爭者交互關係，但是，當有形與無形交互關係，同時引發企業的平行多角化路線時，隨之而來的就是競爭者之間的交互關係。不論競爭者是屬於關聯或非關聯產業、地方和區域性產業，乃至於全球性產業，分析結果都差不多。以屬於區域性產業的航空公司為例，許多航空公司會在一些重疊的航線上彼此競爭。在全球性競爭中，多家航空公司就常在某些國家市場上互別苗頭。這個原則也適用於上面提到的所有情況。

圖9.4是多重目標競爭對手辨識圖。在圖9.4中，競爭者A、B、C、D、E是多重目標競爭者，其他則是單一目標競爭者，但也是潛在的多重目標競爭者。另外，當兩個經營單位同

圖9.4　競爭企業矩陣

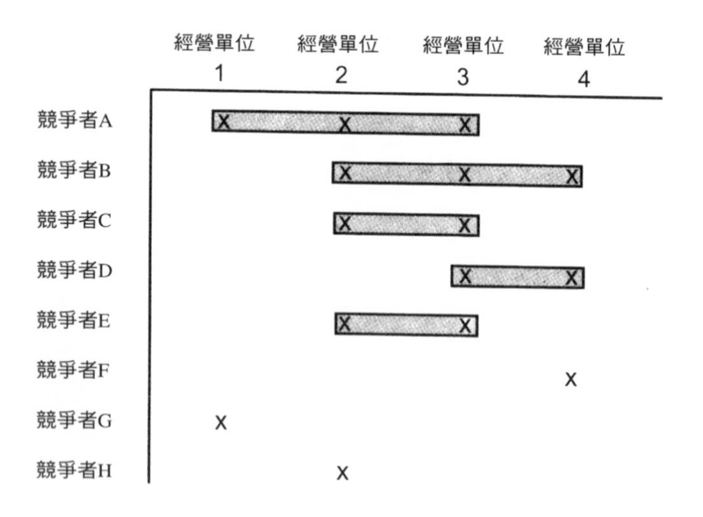

時面對多家競爭廠商時，意味著它們有很強的關聯性。編號2、3的經營單位同時面對四個相同競爭者，顯然就是關聯性強的產業。企業也可以利用產業關聯性，預測哪個對手最可能成為多重目標競爭者。經營單位2、3的產業有明顯的關係，所以競爭者H最可能成為多重目標競爭對手。

表9.6是一九八三年消費性紙製品產業多目標競爭者的矩陣圖，並附有每家廠商進入市場的年份。讀者可以明顯看出，他們之間有很多競爭者交互關係，並且逐漸增加，這種情況在一九六〇與一九七〇年代尤其顯著。其他產業也有類似的模式。我會進一步討論表中的競爭者交互關係模式。

在分析各種交互關係形式上，多重目標競爭者與單一目標競爭者的差別不大。像全錄、佳能和松下同樣在影印機產業中競爭，全錄著重高印量影印機與辦公室自動化設備的交互關係，佳能以計算機與照相機兩個事業的交互關係見長，而松下擅長的交互關係是在種類繁多的消費電子產品。有趣的是，佳能和松下正將經營觸角延伸到辦公室自動化設備，準備和全錄在相關的交互關係上較勁。

企業觀察競爭對手時，要特別注意具有不同交互關係的單一目標競爭者，因為他們進軍這個產業時，可能擁有新的競爭優勢資源。造成企業追趕不及，甚至改變整個產業的競爭基礎。正如影印機產業的例子所顯示的，具備不同交互關係的單一目標競爭者最可能成為多重目標競爭者。

表9.6　消費性紙製品產業的競爭者交互關係（1983）

	紙尿褲	衛生紙	紙巾	面紙	餐巾紙	衛生棉	衛生棉條	紙抹布
史谷脫	進入又退出 (1966)	X (1904)	X (1931)	X (1943)	X (1958)			X (1976)
金百利	X (1968)	X (1924)	X (1976)	X (1924)	X (1951)	X (1924)	X (1960)	X (1975)
寶僑家品	X (1966)	X (1957)	X (1965)	X (1960)		X (1983)	進入又退出 (1974)	
喬治亞—太平洋		X (1909)	X (1909)	X (1909)	X (1909)			
嬌生	X (1972)					X (1927)	X (1978)	X* (1980)
威爾豪瑟	X							
唐佩斯						X (1981)	X (1936)	

*該廠商的紙抹布主要供嬰兒使用

無關聯產業中的多重目標競爭者

當企業在沒有關聯的產業中遭逢多目標競爭者時，馬上面臨的策略性問題包括，某一經營單位的行動會導致其他經營單位的哪些反應，以及在數個競爭產業中，能夠與競爭者形成什麼程度的平衡。由於企業和多目標競爭者的交手範圍，可能多達好幾個產業，影響它們相對地位的變數就更多。因此，企業更需要知己知彼，避免誤判對方的行動。因為它或對手在一個產業的舉動會牽連到其他產業的表現。如此一來，競爭的複雜性更高，和平共存的困難也就更多。

另一方面，企業同時在許多產業競爭，也會增加己方發出訊號、製造威脅、建立封鎖線與採取報復行動的機會。比方說，當企業在某個產業受到威脅時，它可以在另一個產業中發動報復，以表達它的不滿，風險也低於會導致衝突升高的直接報復。企業在許多產業分頭報復（並使競爭者付出更高的代價）的威脅，也可能讓競爭對手心有忌憚。多目標競爭較能夠維持安定的另一個原因是，競爭重點或自然均勢點都比較多（參見《競爭策略》第五章）。當產業戰場只有一個時，符合各家實力的競爭重點比較少。實力相當的競爭者也只有均分市場占有率這個重點，這種競爭重點很不穩定，因為任何暫時性的市場占有率變化，都可能引起敵我間的激烈反應。當產業戰場增加為兩個時，除了競爭重點增加，穩定性提高外，企業也會很快發現切合己方實力的競爭重點。

表9.7就說明了這種情況。編號2、3的競爭重點比1號競

表9.7 多目標競爭者與競爭重點

	競爭重點1		競爭重點2		競爭重點3	
	第一個市場的占有率	第二個市場的占有率	第一個市場的占有率	第二個市場的占有率	第一個市場的占有率	第二個市場的占有率
A競爭者	50	50	60	40	70	30
B競爭者	50	50	40	60	30	70

爭重點穩定。在這兩個產業裡，市場占有率高的廠商具有明顯的競爭優勢，因此市場騷動引發其中任何一家開啟戰端的可能性就降低。同樣地，當市場地位明顯不對稱，某廠商在某一產業中具有較高市場占有率時，追求更大戰果的可能性也大為降低，因為它有可能在實力較弱的產業遭到報復。

企業針對多目標競爭者擬訂攻防策略時，必須將對手在各領域的表現視為整體。問題是，大多數競爭者分析，往往鎖定特定產業的經營單位，探討對手的市場地位。其實，針對多目標競爭者進行企業集團或營運群層級的分析是必要的。最低限度，企業必須廣泛了解多目標競爭對手，才能研判我方經營單位的對抗行動，是否會形成不利於其他經營單位的後果。更理想的作法是，詳細分析既有與潛在的多目標競爭者，並藉分析結果建立一套各經營單位共同攻擊或防禦的策略。

當企業針對無關聯產業的多目標競爭者擬訂競爭策略時，還應該考慮下列原則：

預測所有競爭產業中出現報復行動的可能性：多目標競爭者可能因為某種原因，而在一個或所有競爭產業中採取報復行動。它選擇報復的領域很可能是行動成本最低，造成影響最大的產業（參見第十四章）。例如，它可能選擇本身市場占有率低的產業進行報復，因為付出的代價比較低，而對手遭到的懲罰卻比較高。由此可見，任何一個產業都不是一個獨立的戰場。

留意在重要產業中建立橋頭堡的多目標競爭對手：在重要產業中，企業即使市場占有率很高（或現金流動大），多目標競爭者只要擁有少量市場地位就具有牽制或抗衡的效果。這種市場地位對封鎖競爭對手的行動很有效（參見十四章）。

運用優於多目標競爭對手的整體市場地位：當企業的整體實力比多目標競爭者強時，它要找出以低成本、低風險應付威脅的機會相對比較多。同樣地，企業在多項產業間聯合行動的作法，也會使競爭對手窮於應付，並且付出很高的代價。

建立以防禦為目地的防堵地位：如果重要產業出現多目標競爭對手，企業只要能在其中某個產業維持少量市場占有率，就足以形成成本低但殺傷力強的競爭工具。

當企業與多目標競爭者對抗時，它的策略也會受到對手是否察覺產業關聯性的影響。多目標競爭者的經營單位即使擁有高度自治權，又有橫向聯繫動作，並不代表它已察覺產業聯合競爭的關係。有時候，如果競爭者忽略產業之間的鏈結，更是企業提升地位的契機。比方說，攻擊競爭對手的某個經營單位，就可能移轉對方在更重要市場的注意力與資源。

關聯產業中的多目標競爭

當企業在相關產業遭遇多目標競爭者時，策略問題更為複雜。前一部分所討論的議題都會出現而且通常更為重要，因為競爭對手會因產業的相關性，更可能察覺經營單位之間的鏈結。而產業的有形交互關係，也使得彼此的相對地位更難以評估。

企業的任何經營單位遇上多目標競爭者時，有交互關係價值活動的整體表現，將會決定競爭上的優勢或劣勢。例如，當企業與對手同樣共用業務或後勤系統時，競爭關鍵就在於該部門的相對成本或差異性。一種交互關係應該發展到何種程度，不是看它有多少共用潛力，而是它對競爭優勢的影響力。此外，策略也會決定一種交互關係對雙方競爭優勢的影響力。如果對手必須比己方付出更多的協調成本或妥協成本，代表交互關係對它的價值較低。如果對手付出的妥協成本或協調成本較低，則意味這種交互關係對它的價值較高。

企業與競爭對手的相關經營單位不一定完全重疊。寶僑家品競爭的產業包括紙尿褲、紙巾、婦女衛生用品、衛生紙，但是在餐巾紙和紙抹布產業留白。金百利的競爭領域則涵括前述六項。當競爭產業不完全一致，做比較時必須涵蓋與雙方有關的交互關係。也就是說，分析時，不但要將競爭者所有的共用活動視為一體，還要比較它們的成本或差異性。譬如說，比較寶僑家品五種紙製品經營單位的產量與金百利八個經營單位的產量，將會凸顯出兩家公司在後勤系統等共用活動的相對表現。決定企業任一經營單位競爭力的優劣，就是從比較所有共用和非共用價值活動而來。

相關的經營單位之間，較弱的項目或多或少會因較強項目的相對地位而獲得補強。以寶僑家品為例，雖然它所角逐的紙製品產業領域並沒有金百利廣，但是在紙尿褲、衛生紙與紙巾等產業中，它是龍頭大廠。在各類紙製品產業中，紙尿褲又是一個比較大的產業，結果使得寶僑家品在紙製品的總產量大於金百利。因此，分析一家企業與多目標競爭對手的實力時，必須對這兩個企業做全盤性檢討。

無論戰火發生在有關聯或無關聯的產業，企業對抗多目標競爭者的基本原則是一樣的。它分析競爭者時，必須涵蓋對方旗下所有經營單位，而非只就個別經營單位單獨檢討。個別經營單位的競爭優勢，都受到此一經營單位在雙方競爭的所有事業版圖中，與姊妹經營單位間具有哪些潛在交互關係、能不能取得這些交互關係效益的重大影響。

企業有很多方法，可以讓它在共用的價值活動上勝過、或至少與多目標競爭者打成平手。它可以加強投資在已經很強的產業，使市場地位更強，並抵消競爭者從其他相關產業形成的優勢。如果對手的競爭優勢明顯來自共用活動，企業又沒有其他高招，它可以模仿對手經營相關經營單位的模式。無論是攻擊或防禦，跟上競爭對手都很重要。即使企業現有經營單位已經占有優勢，它還是不能輕忽某個競爭對手的多角化步伐，以免對方隨心所欲地奪取交互關係形成的競爭優勢。反過來說，如果企業能發現對手尚未涉足的相關產業，它就有機會強化自己在共用活動中的地位。

以消費性紙製品產業為例，多角化攻擊與防禦的方式非常多。表9.6列出每個競爭者進入各個產業的時間。從一九五〇年代末期，競爭廠商的事業版圖就已經開始擴張。寶僑家品的作法更加快了這股趨勢。它以生產衛生紙起家，進而轉戰面紙、紙尿褲和紙巾等產業，以保護衛生紙市場的戰果。

擁有不同型態交互關係的競爭者

無論單一目標或多目標競爭者，都有它擅長的交互關係型態，這裡所謂的不同型態，包括共用不同價值活動，或以不同方式共用某些價值活動。這種情況同樣可在消費性紙製品產業中看見（表9.6）。各種紙製品產業中，競爭廠商運用交互關係的不同方式，又與他們的經營單位組合和所運用的策略有關。以紙尿褲為例，寶僑家品統一採購多項紙製品的通用原料，並且共用技術發展活動、業務人員以及後勤系統。但是，每項產品又各有不同的品牌名稱。反過來說，嬌生的紙尿褲與其他多種嬰兒用品，全都以嬌生做為商標名稱。它的交互關係表現在共用品牌，共用業務人員，以及共同進行嬰兒用品市場研究。至於生產、後勤、產品或製程技術發展方面就很少共用。表9.6中，每個競爭者所擁有的交互關係型態其實不盡相同。

企業必須小心迎戰不同交互關係型態的對手。這種競爭對手之所以會構成威脅，是因為它透過交互關係形成的競爭優勢很難模仿，畢竟企業可能正好在某個產業中缺席，或缺少適當的策略來取得相同的交互關係。比方說，寶僑家品如果要跟上嬌生共用品牌的作法，勢必改變原先每種產品各有自己品牌的策略。寶僑家品即使如法炮製，失敗的陰影仍然存在，因為不是所有紙製品都適合使用與紙尿褲相同的品牌。因此，寶僑家品要對抗嬌生這項優勢，可能要在嬌生所主導的嬰兒用品方面進一步多角化。

當競爭者之間具有不同的交互關係時，高明的競爭者會從根本改變產業的競爭性質，好讓自己的交互關係比對手更有競爭力。譬如說，嬌生可因產品使用相同品牌，選擇增加廣告開支，使自己處於更有利的地位。交互關係型態不同時，競爭者也會想辦法降低對方複製相同交互關係的能力。例如，如果嬌生能用布料生產免洗尿褲，它就能大幅降低以紙製品為主的寶僑家品，在共用價值活動上的能力。同樣地，競爭者也可能更改策略，使對方在發展相同型態的交互關係時，付出更高的妥協成本，甚至於顧此失彼，在應付某一經營單位所遭遇的威脅時，反而傷害了另一個經營單位。

因此，以不同型態的交互關係競爭，形同一場拔河比賽，誰能改變競爭的基礎，使對方的交互關係付出更高代價，或提高己方交互關係的價值，誰就是贏家。紙尿褲產業是說明這種競爭遊戲的最好例子。當嬌生不堪虧損而退出美國國內市場時，寶僑家品就重回紙尿褲產業的龍頭地位。嬌生的市場交互關係雖然一度很強，但是紙尿褲總成本中，廣告開銷只占極小部分。相較之下，寶僑家品在業務與後勤系統方面享有更強的交互關係。嬌生的致命傷是，它在生產、採購與技術方面的交互關係一直無法與寶僑家品抗衡，因為在紙尿片產業中，製造成本占總成本中比重相當龐大，產品與製程的技術變革速度也相當快。由於缺乏一個高知名度的產品，嬌生根本很難與兼備高市場占有率與交互關係雙重優勢的寶僑家品抗衡。

預測潛在的競爭者

企業可以利用各種有形、無形，以及競爭者交互關係，預測潛在的競爭對手。當廠商可能介入某個產業時，它往往將該產業當成：

- 創造或發展一種重要交互關係的合理途徑。
- 跟上競爭者交互關係必須延伸的範圍。

企業要預測潛在的競爭對手，必須辨認出包括競爭者交互關係在內，與某一產業有關的所有可能交互關係。潛在的交互關係往往會從現有產業延伸到其他產業。企業根據現有競爭對手所涉足的其他產業，就能夠指出可能存在的其他交互關係型態。因此，企業在辨認相關產業的過程中，就能夠找出哪些對手可能會進入它所屬的產業。分析的同時也必須評估，這些潛在競爭對手實際進入該產業，放棄其他投資機會的可能性。

| 第十章 |

橫向策略

橫向策略的功能是，協調相關經營單位的目標和策略。它涵蓋既有經營單位，以及根據現有交互關係選出的新產業，並落實在營運群、事業部與企業等層級。

經營單位間的有形交互關係正是競爭優勢的主要潛在來源。一個明確的橫向策略更是事業組合、營運群、事業部與企業級策略的核心。

多角化企業擬定策略時必須面對兩個基本問題。第一：「哪些產業更適合進入？」其次：「如何居間協調旗下各經營單位的策略？」這兩個問題都指向一個更明確的課題：「企業應該如何幫助經營單位創造競爭優勢？」經營單位身為多角化企業的一份子，必然要承擔如管理費用、與受到企業整體政策牽制的成本。因此，除非多角化能夠提高相關經營單位的競爭優勢，否則反而會成為它們的負擔。

在這兩個基本問題中，多角化企業明顯較為關注第一個問題。儘管如此，企業所選擇的產業之間，往往缺乏關聯性。大多數多角化企業甚至不插手經營單位之間的策略協調工作。根據前一章的分析，企業不但要明瞭進入新產業對整體競爭優勢究竟有何貢獻，協調經營單位的工作也愈來愈重要。當企業面臨多重目標或具有不同類型交互關係的競爭對手時，更要發展交互關係，以維持本身的地位。

橫向策略的功能是：協調相關經營單位的目標和策略。它涵蓋既有經營單位，加上根據現有交互關係選出的新產業，並落實在營運群、事業部與企業等層級。有些企業很關切個別經營單位的策略，卻在橫向策略上留白。值得注意的是，競爭優勢的主要潛在來源來自經營單位間有形的交互關係。一個明確的橫向策略更是經營單位組合、營運群、事業部與企業級策略的核心。

這股強大趨勢正在許多產業中，引發一種新的競爭形式。主戰場是相關經營單位組成的聚群，而非個別經營單位。因此，企業主動協調經營單位的策略，將多角化觸角延伸到新產業，有助於發展交互關係。它也應該參與經營單位的各種策略性選擇。對經營單位而言，既然是多角化企業的一份子，除了財力支援之外，經理人更應該找尋各種提高競爭優勢的新途徑。

橫向策略不是有樣學樣，也不該由下而上發展。企業如果沒有明確的橫向策略，它想要求各經營單位發揮最大績效時將會面臨強大反彈，並傷害企業的整體表現，這個問題對傳統上分權決策的企業尤其重要。企業界也瀰漫著一種錯誤觀念，認為策略性交互關係應該由經營單位提出，並在全體同意的基礎上發展。這是七〇年代經營單位自主權理論的延續。它主張企業與營運群的主管應該無為而治，並將界定與運用交互關係的責任交給經營單位主管，問題是，後者並沒有相關的資源與影響力，所以由下而上的橫向策略很少有成功的例子。

橫向策略的必要性

多數企業的組織結構並不利於交互關係的發展。不過，單就組織障礙還不足以解釋，為何相關經營單位各自獨立運作時，它的總和很少能將企業整體競爭地位帶到最佳狀況。當企業欠缺一套內部的橫向策略時，各經營單位的作法很可能削弱發展交互關係的能力：

經營單位對交互關係有不同的評價，並且不熱衷於發展這種關係：經營單位因為規模、策略或所屬產業不同，由交互關係所得到的好處也有差別。經營單位不同，發展一種交互關係的妥協成本就不同，共用之後對成本地位或差異性的影響也不相同。有些經營單位就認為，只要是發展交互關係，它所付出的協調與妥協成本一定大於效益，企業也不可能因此得到有價值的交互關係。因此，規模大、獲利良好的經營單位，往往是發展交互關係的最大阻力。被要求分享專業知識，以建立無形交互關係的經營單位，也不會有多少熱忱。

經營單位各自的策略削弱了交互關係：當經營單位各自擬訂策略，發展方向又不一致時，建立交互關係的困難度就更高。譬如說，當兩個經營單位分享同一客戶或通路時，一個可能採取差異化策略，另一個卻要取得低成本地位。從經營單位的本位立場來看，它的策略也許很合理，但是因為它們之間具有潛在的交互關係，客戶或通路會因兩者的策略不一而不知所措，進而造成企業在相關產業的品牌形象模糊，並減少共用同一品牌與業務部門的機會。另一種情況是，可以使用同一零件的兩個經營單位，卻指定要用不同零件。經營單位制定策略時，往往低估那些對自身影響不大，但對整個企業有重要利益的決定。

各自決定價格與擬定投資計畫可能侵蝕企業地位：並非每個經營單位都能因交互關係而獲利。比方說，某經營單位以降價方式提高銷售量，整個企業採購共用零件或原料的能力隨之增加，而另一個共用零件的經營單位也因此獲得降低成本的機會。但是，經營單位基於本身效益擬訂策略時，絕不可能主動採取這種作法。這個問題也無法透過價格轉嫁解決，因為相關經營單位間不必然有買賣關係。

另外，當經營單位各自為政時，還有投資計畫效果降低的風險。例如，共用零件的經營單位中，有的可能遇上對價格極端敏感的客戶，另一個則無此壓力。降低共同零件成本的投資對後者價值較低，因此它可能轉而投資於其他領域。另一方面，原本急需降低零件成本以產生競爭力的經營單位，卻又缺少說服姊妹經營單位必須合作投資的理由。

經營單位可能向外尋求聯盟，以取代原本的內部交互關係：企業一旦放手，任由獨立經營的經營單位與外面廠商聯盟，這些經營單位將無法體會，在企業內部共用行銷、生產、技術發展、資源等活動的好處。建立企業內部的交互關係意味著效益將全歸企業所有。而經營單位與外面廠商聯合發展交互關係，則是與外人分享其中的效益。另外，與外界聯盟不但會強化盟友實力，還可能造就後來的競爭對手。聯盟也會導致企業的專利技術外流。基於這些考慮，在很多情況下，經營單位應當選擇接受較大的妥協成本，與姊妹經營單位合力發展內部的交互關係。問題是，經理人員通常不這麼想，往往還會持相反的看法。他們通常低估企業整體的好處，並且寧可與其他廠商打交道，因為他們在這種關係中擁有完全的掌控權。第十一章將說明，導致這種嚴重傾向的組織性問題。

經營單位忽視重要的潛在競爭對手，或現有競手對手的真正影響力：經營單位分析競爭對手時，往往看不出真正有潛力的競爭對手，或對競爭對手地位有重大影響的交互關係。由於對競爭對手的認識不足，因而無法理解，為什麼在競爭對手的廣泛目標中，特定產業會成為影響其行動的決定因素。獨立運作的經營單位也極少想到，自己引發的對手反應，可能連帶影響到姊妹經營單位。

相似的經營單位間不一定會出現專業知識移轉：專業知識移轉是發展無形交互關係的基礎，也需要刻意安排。經營單位大多想發展自己的策略，並認為自己最了解這一行。他們也不太願意向企業內其他單位學習專業知識。擁有專業知識的經營單位對橫向移轉更是興趣缺缺，因為它必須付出部分優秀人員的時間，甚至可能洩漏專利技術情報。

企業內部缺乏明確的橫向策略，就不可能有系統地界定、強化與擴展交互關係。獨立運作的經營單位不可能像企業高層，以寬廣的視野，積極利用交互關係來制定各種策略。

制定橫向策略

制定橫向策略需要很多分析步驟，這些步驟是由第九章的基本架構延伸而來：

一、辨認所有的有形交互關係：制定橫向策略的第一步，是有系統地找出經營單位間，現有、或潛在的全部有形交互關係。過程中，首先是檢查每個經營單位的價值鏈，尋找現有與可能的共用機會，找出所有看似可能的交互關係，進而淘汰不確實或不重要的交互關係。在此同時，也要界定可能共用價值活動的具體特性。譬如說，生產交互關係應該以某項生產設備或加工步驟的相似性為基礎，而不是籠統的生產流程相似性。同樣地，技術交互關係的基礎應該是，特定技術與基礎技術；而市場交互關係的基礎，應該是相同的客戶、通路採購決策者。圖10.1提出一種簡單界定企業內部交互關係的方法。

根據前一章表9.1所列舉的各種交互關係，這個矩陣圖的每個方格呈現出每組經營單位間的交互關係類型。如果交互關係能延伸到更廣的範圍，每一種類型還可以個別再繪成一個矩陣圖。如果分析者能掌握其中涉及的經營單位數目，鏈結會更清楚呈現它們彼此間的交互關係。它將交互關係強的經營單位聚在一起，便於看出經營單位應該如何分組，也就成為營運群或事業部的基礎。必須注意的是，分析者不論使用何種圖解工具，交互關係必須區分為潛在與已經形成兩大類。

多角化企業內通常有很多種交互關係。不同的經營單位群通常有不同的聯繫方式。某一群經營單位可能因為市場而形成關聯，另一群部分重疊的不同經營單位，關聯可能來自生產方面。圖10.1的交互關係矩陣就可看到這種型態，編號1、3、4的經營單位使用相同的零組件與原料，而編號1、2、3的經營單位則擁有共同的客戶。

當多角化企業有很多經營單位時，交互關係的類型也會

圖10.1 多角化企業的有形交互關係

A.交互關係矩陣

	經營單位1	經營單位2	經營單位3
經營單位2	共同的客戶		
經營單位3	共同的客戶 共同的原料 共同的零組件	共同的客戶	
經營單位4	共同的原料 共同的零組件		共同的原料 共同的零組件

B.鏈結圖

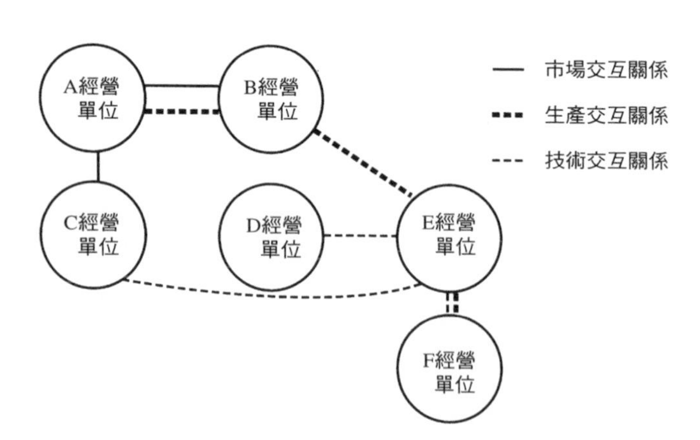

增加。為了簡化交互關係的分析工作，應該先將企業分解成好幾個內部具有許多交互關係、但彼此交互關係較少的經營單位群。第十一章裡，我將說明這種經營單位群與營運群、或事業部之間的關係。如果分析者發現兩個經營單位間的交互關係範圍很廣，並且涵蓋很多重要的價值活動，可能是對經營單位的定義不適當。如何界定經營單位的界限請參考第七章。

二、追查超出企業範圍的有形交互關係：企業旗下所有的經營單位很少全面處於作戰狀態。因此，找出經營單位與尚未涉入產業間的交互關係就變得很重要。要做到這一點，企業需要仔細檢查重要的價值活動，找出相關產業間能夠共用的機會。比方說，當企業有一組針對特定客戶群、並且表現優異的業務人員時，它應當找出該客戶群可能購買的其他產品，或符合該組人員專長，可以推銷給其他客戶群的產品。同樣地，從品牌、行銷通路、後勤系統、技術發展，一直到其他重要價值活動上，企業也都應該發展與其他產業共用的機會。

辨認企業的外部交互關係需要一點創造力。這類交互關係對多角化經營規畫、與防堵潛在進入者的防禦策略，都有很大幫助。企業要找出具有重要交互關係的產業，多角化競爭對手的投資規劃是一個重要線索。然而，找出尚未被任何競爭對手開發的交互關係則更有價值。

三、辨認可能的無形交互關係：發現有形的交互關係之後，下一步是找出無形交互關係。這需要先將專業性價值活動獨立出來，因為這些知識可能應用在其他經營單位或新的產業中。企業還需要確定，哪些新產業能為現有經營單位帶來專業知識。無形交互關係的訊號包括：類似的一般策略、客戶類型或價值鏈設計等。辨識無形的交互關係並不容易，但是對企業的競爭優勢而言非常重要。事實上，潛在的無形交互關係很多，也不難發現，這使得辨別它們對競爭優勢的重要性，成為一項重要工作。

四、辨認競爭者交互關係：企業必須標示所有的競爭對手，包括既有和潛在的多重目標競爭對手，以及運用各種不同交互關係形式的競爭對手。上一章圖9.4就是進行辨認的基本架構。多重目標競爭對手通常是找出現有交互關係的重要線索，也有助於確認這些交互關係。反過來看，企業也可以藉由交互關係，預測潛在的競爭對手。確認之後，下一步是畫出每個重要競爭對手經營單位間的內部交互關係。競爭對手不同，涉及的經營單位也不相同，內部交互關係也有差異。

五、評估交互關係對競爭優勢的重要性：企業由某種有形交互關係得到的淨競爭優勢，取決於共用的效益、成本，以及跟上該種交互關係的難易程度。企業必須從這三方面，比較它與競爭對手在共用活動上的表現。多角化企業通常有很多有形交互關係。但是真正有策略性價值的可能不多。如何將重要的交互關係，包括與準備進入產業有關的交互關係區隔出來，就成為很大的挑戰。事實上，尚未建立的交互關係並不代表它不重要，可能是大家忽略了這個交互關係，或是因為經營單位的策略不一致，使得妥協成本很高。當移轉專業知識的效益大過所需成本時，無形交互關係就能帶來競爭優勢。同樣地，如果不同經營單位的價值活動很相似，它們對產業競爭也有舉足輕重的影響，這類專業知識一旦移轉，會使得企業的競爭優勢增強。不過，有些看似合理的交互關係其實並無用處，因此，企業評估無形交互關係時，必須抱持質疑的態度。

六、制定一個經過協調的內部橫向策略，以建立與增強最重要的交互關係：企業要發展、強化重要交互關係，可以運用很多種方式。

共用適當的價值活動：如果共用的效益大過成本，相關經營單位就應該共用價值活動。包括業務部門合併、生產設施的合理利用、協調採購，重新設計產品品牌等。既然要共用價值活動，現行作法不免需要修改，經營單位的策略也可能要做調整，才能從共用當中得到最大利益。同樣地，價值活動本身也要重新設計，以降低妥協成本。

協調相關經營單位的策略：為了增加交互關係的競爭優勢、減低妥協成本，企業必須協調相關經營單位的現有策略。調整幅度可能是小幅修正經營單位的經營策略，也可能是收購和讓售等攸關企業重新定位的重大變革。協調後的策略必須在行銷計畫和投資計畫上達成一致性，各經營單位也必須清楚彼此在產品發展與其他重要領域的計畫。「協調」也意味著，針對競爭對手所採取的行動，應該是整合後的營運群、事業部或企業整體作戰計畫的一部分。例如，強調市場交互關係時，各經營單位的經營策略必須一致，才能從共同的顧客或通路中，獲得最大利益。在交互關係的發展和運用中，這種一致性是絕對必要的，差別只在於程度上的不同而已。協調經營單位經營策略的過程中，經常出現增強交互關係與提升個別經營單位地位的衝突。如何取捨並不容易。不過，即使抵償結果能為企業帶來好處，如果缺乏內部橫向策略，企業還是可能視而不見。

區分經營單位的目標：經營單位的目標應該與它們在交互關係中所扮演的角色一致。譬如說，有些經營單位被賦予拉抬其他經營單位市場地位的任務，因而訂出較高的銷售目標，但獲利標準必須相對降低。至於要求所有經營單位達到相同目標的作法，看似「最公平」，但也可能是傷害競爭優勢的亂源。

投資管理技術著重開創、守成或收割成果等目標，根據交互關係制定的事業目標，涵括範圍則更廣泛。投資管理模式一般不考慮交互關係。當它們為經營單位訂下不同目標時，唯一的想法是某些經營單位會賺錢，另一些經營單位則比較花錢。交互關係則讓企業的競爭策略除了考慮資金流動之外，還能有更寬廣的視野。

協調攻防策略，以對抗多重目標與具有不同交互關係的競爭對手：企業需要一個整體作戰計畫，以應付有威脅性的多重目標競爭對手、與具有不同型態交互關係的對手。最理想的作法是，引導產業朝增進己方交互關係，而對手代價愈來愈高的方向發展。如何選擇攻防策略，將在第十四、十五章討論。

透過正式的專業知識移轉計畫，發掘重要的無形交互關係：企業應該積極鼓勵旗下經營單位，就可能重要且類似的價值活動，進行專業知識的移轉。其中的困難在於，接受的一方可能因技術是外來的而加以排斥；被要求移轉的一方則因必須付出時間與人力而意願不高。經營單位間要建立無形交互關係，不但成員間必須對它的價值具有共識，還需要企業在內部設置促成專業知識移轉的組織機制。

以多角化增強重要的交互關係或創造新的交互關係：多角化首重於找出值得進入的新產業。企業選擇的新產業必須能夠增強重要的交互關係，或創造有策略價值的新交互關係。多角化策略的相關問題將在下一節討論。

出售無法與其他經營單位形成重要交互關係、或有礙交互關係的經營單位：長遠看來，如果某個經營單位不能與其他經營單位形成重要交互關係，對企業進一步多角化也沒有幫助時，它就是應該出售的對象。這種經營單位即使頗具吸引力、甚至是賺錢的事業，但是將它們留在企業內，無助於企業進一步增強競爭優勢，賣給其他企業卻有提高己方競爭優勢的可能。在這種情況下，企業應當出售這些經營單位，以取得企業整體應有、甚至更高的價值。交易所得的資金則轉投資於以交互關係提升競爭優勢的經營單位。在實務上，這種策略需要謹慎為之。一方面，企業不容易找到肯以最佳價位收購該經營單位的買主。另外，企業要發展出獲利良好，又具有高度交互關係潛力的新事業並不容易。

當某些經營單位的關聯性很低，並會妨礙企業建立其他更重要的交互關係時，它們也是考慮處分的對象。例如，如果企業旗下某一個經營單位，使用不同而且有衝突的通路爭取同一客戶群時，它與其他經營單位間就不可能共用配銷通路。如果某個經營單位是其他經營單位的客戶，又與一般客戶利益衝突或競爭時，也很難找出業務部門與客戶群在行銷手段上的共用機會。企業與客戶、供應商或行銷通路間，也很可能因交互關係而出現衝突。美國運通就發生過這種情形。它與銀行間的競爭日趨激烈，而銀行又是發售旅行支票的重要銷售點。如果企業要解除某些交互關係，可能必須退出某些產業。

當企業內部有很多種交互關係形式，又涉及不同的經營單位群時，前述作法可能會涉及輕重權衡的問題。也就是說，企業可能為了發展某種交互關係而調整既有策略，但同時削弱了另一種交互關係的能力。企業為個別經營單位訂定目標時，也會出現權衡問題。這類問題的取捨原則是，以對競爭優勢影響最大的交互關係為重，必要時可以犧牲其他交互關係。不過，下一章的組織機制課題中，也會討論到在不同經營單位群之間同時發展交互關係的作法。

七、建立內部橫向組織機制，以確保交互關係的作用：由於內部橫向組織結構能促進經營單位間的協調與專業知識移轉，缺少這套組織結構，企業將無法充分運用各種交互關係。例如：界定適當的經營單位，將經營單位組織成合適的營運群與事業部，以及建立能激發經營單位主管合作的獎勵制度等，都是企業內部交互關係運作成功的關鍵。第十一章將進一步討論企業內部橫向組織的相關原則。

交互關係與多角化策略

以交互關係為基礎的多角化經營，是在既有產業中提升競爭優勢，或在新產業中持續競爭優勢的一大利器。在多角化策略中，無論有形或無形的交互關係，都扮演重要的角色。其中，有形的交互關係是擬訂多角化策略的切入點。無形交互關係則較難建立，對競爭優勢的影響也不確定。

交互關係使企業能由內部發展多角化，也比缺乏交互關係的對手更能夠克服新產業的進入障礙（參見《競爭策略》第十六章）。交互關係也有助於企業併購新事業，因為在議價雙方當中，它更清楚將被收購經營單位的價值，而能以適當價格贏得比價。企業發展交互關係的另一個好處是，不論以併購或內部發展的方式進行多角化，現有經營單位會因為與新經營單位之間具有交互關係而受益。

多角化經營的另一個考慮是結構性吸引力（參見第一章）。對企業而言，當準備進入的產業與旗下經營單位有關時，該產業不會只因為具有相關性，而具有更強的結構性吸引力。企業必須留意新經營單位所在的產業，是否具有實際或潛在的結構性吸引力。交互關係並不是企業進入其他產業的充分理由，它還必須能使這個產業的吸引力由無變有。因此，企業多角化時，必須選擇兼具結構性吸引力與交互關係的產業，才能擁有競爭優勢，這是多角化策略的雙重原則。

以有形交互關係為基礎的多角化

表9.1中的每一種有形交互關係，都可以應用在多角化策略中。根據前面的條件，最理想的多角化策略必須引發最具競爭優勢的交互關係。企業多角化，可能是為了提高在主要對手產業中的地位，或防禦對手的多角化。企業選擇進入某個產業，也可能是為了以交互關係形成的整體實力，打敗只有單一事業或佈局不佳的競爭對手。有形交互關係可以產生兩種作用。它可以加強既有經營單位的市場地位，或以既有經營單位拉拔新的經營單位。兩種作法對競爭優勢的影響同樣重要。

表9.1列的三大類有形交互關係——市場、生產和技術方面的交互關係，代表三種多角化途徑。市場導向的多角化策略，目的是利用市場交互關係，向相同的客戶、通路或區域市場推銷新產品。生產導向的多角化策略則著重於，共用生產方面的價值活動以生產類似產品。採購交互關係通常由生產交互關係延伸而來。技術導向的多角化策略，目的是發展或進入核心技術相近的產業，並將產品賣給既有或新的市場。比方說，日本著名的寶第（Brother）工業公司，就是利用「技術樹」

（technology tree）進行多角化，藉由某一經營單位發明的技術，進入另一個事業領域。寶第公司利用縫紉機的小型馬達技術，進入小家電與電動打字機市場，而打字機的電子專業技術又幫助它進入印表機市場。

這三類多角化途徑會導出不同的發展方向。企業向相同客戶、通路或地區銷售更多種類的產品，通常需要不同的技術與生產流程。而使用類似的技術或生產流程來增加產品種類，常常意味著企業正進入新的市場。不過，這當中不乏例外。以消費性電子產品為例，新力和松下都曾利用既有的產品技術開發新產品。企業也可能同時運用市場交互關係與生產交互關係。新力和松下都曾各自在多項產品中，共用品牌、服務部門、廠房和採購等價值活動，事實上這種交互關係，正是它們形成競爭優勢的主要來源。另一個例子是百工電器進入小家電產業。百工同時運用技術與生產方面的交互關係，將電動工具的核心技術——小型電動馬達，應用在小家電上。

當企業內部能共用多項重要價值活動時，多角化具有提升整體地位的最大潛力。成功的多角化企業不認為市場、生產與技術導向的多角化途徑是水火不容，反而會設法將它們結合運用。根據作者對一九七一和一九八一年《財星雜誌》五百大企業（參見第九章）的研究，在七十五家企業當中，高科技廠商同時增強這三類交互關係的能力最強。這個發現與電子、資訊處理技術被認為具有連結產業能力的觀點是一致的。因此，隨著技術發展，企業進行多角化所能應用的交互關係形式，也會愈來愈多。

經橋頭堡展開多角化

每個企業透過多角化形成重要交互關係的能力不同。它的機遇也受到許多因素影響：

- ❑ 企業內現有經營單位的組合，使它很難再與其他產業建立重要的交互關係。
- ❑ 重要的交互關係可能已被開發。
- ❑ 考慮進入的相關產業缺乏結構性吸引力。
- ❑ 競爭對手已搶先一步，進入相關產業的策略不再可行。
- ❑ 反托拉斯的規定使企業不能進入某些相關產業。

當多角化可以應用的有形交互關係很少或已經耗盡，企業就該考慮運用無形交互關係。由於無形交互關係主要是靠通用知識與技能的移轉，而非價值活動的共用，既有經營單位可能發展無形交互關係的產業數目，自然多於可發展有形交互關係的產業。然而，發掘能增強競爭優勢的無形交互關係，過程頗費心思，因為企業不但需要了解一個新產業，還得清楚如何移轉產業間的知識與技能，才能真正發生作用。

即使新產業與既有產業相似，移轉知識不見得就能夠創造競爭優勢。因為新產業中的對手，可能也擁有相同或更優異的知識與技能。企業還必須檢討一項技能援用到新產業的可能性，因為表面上的相似可能產生誤導。在六〇與七〇年代，企業的多角化策略之所以鎩羽而歸，問題就在於企業是以無足輕重或想當然耳的相似性做為多角化基礎。企業進行產業分析時，除了注意這些問題，也可能發現一些新產業的無形交互關係，它們都是多角化的堅實基礎。

以無形交互關係為基礎的多角化不僅是一個競爭機會，還是一個潛在的橋頭堡。一旦企業由無形交互關係進入一個新產業，就能進一步應用後續的有形交互關係進行多角化。寶僑家品收購喬敏紙業（Charmin Paper Company）就是一個很好的例子。寶僑家品以喬敏紙業做為橋頭堡，建立了交互關係很強的紙製品事業聚群。圖10.2說明由橋頭堡發展多角化的過程。相關經營單位先由某種有形交互關係形成聚群。這個聚群的無形交互關係又是發展新聚群的基礎。因此，各聚群中的經營單位

圖10.2　多角化形式與交互關係

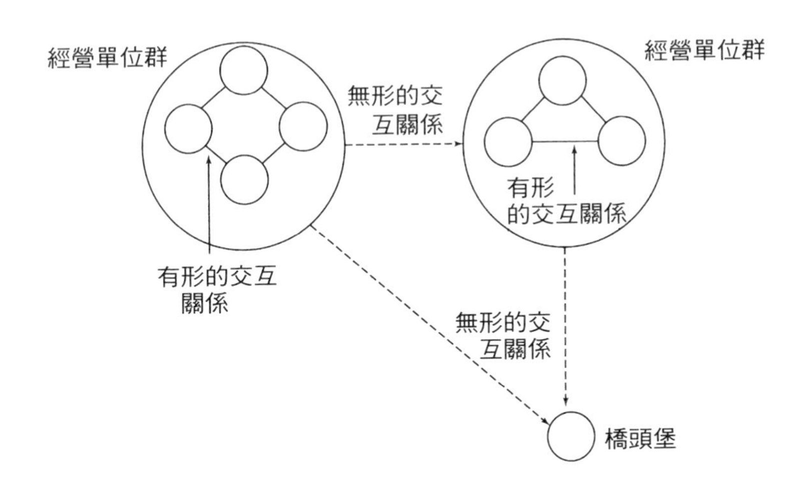

以有形交互關係形成關聯，聚群之間又以無形交互關係串連，構成一個多角化企業。企業是否有機會利用無形交互關係進行多角化，就看這些無形交互關係能否扮演橋頭堡的角色。

多角化與企業資源

一個多角化企業的獨特資產，正是旗下經營單位價值鏈中既有與潛在的交互關係。這些交互關係是多角化企業對經營單位的最大貢獻，也是企業進入新產業的關鍵因素。多角化企業的角色就在培植與擴張這些交互關係。

多角化是企業擴張價值活動範圍，增加資產與技能的一種手段。企業選擇新產業不只要與既有的價值活動有關，並且應該帶來能夠發展新交互關係的價值活動。所以，最理想的多角化不但增強企業既有實力，也為新交互關係創造基礎。

橫向策略的陷阱

企業雖然可以透過交互關係取得競爭優勢，但是橫向策略的執行過程中也潛藏著許多陷阱。最嚴重的陷阱是根本忽略交互關係。企業不應倚靠經營單位片面的策略規劃，但是也不能無謂地發展所有的交互關係。

忽略交互關係所遭遇的陷阱

本章與第九章提到了許多忽略交互關係所導致的問題。在此，只列出較明顯的幾個陷阱：

誤判經營單位的策略性貢獻：如果企業不了解交互關係，對經營單位表現的考核就不夠周延。如此一來，它可能鼓勵經營單位採取不利於交互關係與企業整體地位的行動。

誤判與主要競爭者的相對地位：如果企業只在經營單位層級規劃經營策略，將無法判斷競爭中雙方所占的地位，也擬不出能有效增強企業整體地位的競爭策略。

投資管理：在各種交互關係中，有形的交互關係會限制投資管理模式的適用性。投資規劃模式的用處，是輔助多角化企業達到財務上的平衡。但是，它的考慮層面並不周延。在這種情況下，企業建構經營單位組合時，如創造、強化交互關係等重要策略問題，可能隱而不現。當經營單位間具有交互關係時，企業也不應片面做出成立或收購經營單位的決策。以投資管理方法管理營運群或事業部是很危險的，因為經營單位群或事業部中的經營單位，大多具有有形交互關係，並且需要比較細膩的管理。

企業高層、營運群與事業部的主管絕不可誤將投資管理當成內部橫向策略。擬定內部橫向策略的難度遠高於投資管理，卻是多角化企業從經營單位創造真正利益的途徑。

追求交互關係的陷阱

不加選擇地盲目追求交互關係，一樣是很危險的。

共用活動或技能移轉的負面影響：有形交互關係的建立，需要經營單位在策略上妥協。因此，企業發展無意義的交互關係，片面利益可能微不足道，卻傷害了所有相關經營單位的最大利益。專業知識與技能的移轉是需要成本的，如果所移轉的技能或知識，不符合接收移轉經營單位的需要，同樣會造成很大傷害。所以，共用活動或知識移轉要有明顯的潛在淨利益，交互關係才具有策略價值。

追求僅涉及小型價值活動、規模經濟或學習效應低、或對差異性無關緊要的交互關係：當企業狂熱地發展多角化策略時，它可能陷入過度投入無關競爭優勢的交互關係而不能自拔的陷阱。企業擁有某種交互關係、即使它是唯一可行的交互關係，並不等於企業可以因此擬訂內部橫向策略。

虛幻的交互關係：技術、後勤系統、生產流程與客戶群等領域，即使表面上相似，並不代表它們就能夠共用活動。兩個經營單位的技術看來也許類似，仔細研判也可能滿足不同客戶的不同需求，但是實際作業卻可能事倍功半。以油井鑽探為例，在外行人眼中，海上與陸上作業看來很相似，其實兩者之間並沒有多少能共用的活動。很多無形交互關係其實是一種假象。譬如某些經營單位之間，往往存在很多無關競爭優勢的一般相似性。因此，企業利用潛在交互關係進行共用活動或修改策略前，必須審慎檢查這些交互關係，以免後來發現不適用而前功盡棄。

| 第十一章 |

建立交互關係

任何經營單位要策略性地應用交互關係，都有它的困難，如果不能克服這些困難，企業內部的橫向策略就可能失敗。

在這一章裡，首先標示企業在建立交互關係時會碰到的組織性障礙，以及它們的成因。接下來以橫向組織概念，說明企業應如何克服這些障礙。

很多企業認為，交互關係很難落實。造成這種看法的部分原因是，共用活動的成本可能有礙競爭優勢，效果適得其反。不過，即便能明顯創造競爭優勢的交互關係，也還有組織性障礙的強大抗拒。這裡的組織性障礙包含從組織結構、組織文化到管理因素等。事實上，當前很多多角化企業的經營哲學，恰好與形成經營單位交互關係的作法相衝突。

大多數的多角化企業會在自負盈虧、自主經營的原則下，將權力分散到各經營單位中。有些企業是宗教狂熱般地進行分權。問題是，缺乏管制的分權，只會鼓勵經理人一味追求部門獨大的策略，而非通盤性合作，結果反而破壞了形成交互關係的可能性。此外，投資管理規劃技術也強化了一種觀念，認為各經營單位是彼此獨立、沒有關聯的獲利或支出單位。許多大型多角化企業在組織管理上的實際作法，如獎懲辦法、價格轉嫁政策等，也與交互關係背道而馳。對大多數經理人而言，組織本身就是無法形成甚至釐清有利交互關係的最大障礙，這也是他們反對綜效概念的最主要理由。

任何經營單位要策略性地應用交互關係，都有它的困難，如果不能克服這些困難，企業內部的橫向策略就可能失敗。在這一章裡，我假設企業已按照第九章的討論，標示出具有策略價值的交互關係。此處則專門討論發展交互關係的機制。

首先，我將標示企業在建立交互關係時，會碰到的組織性障礙，以及它們的形成原因。接下來，我將以橫向組織（horizontal organization）概念，說明企業如何克服這些障礙。目前多角化企業組織形式的主流是縱向組織，由高階經理人直接指揮各經營單位的活動。資訊、決策與資源，大多從經營單位到最高階層垂直流動、或反向進行。介於兩者之間的中間組織，無論是營運群或事業部，只負責督導這個垂直流程，減少高層指揮的範圍。整個企業的策略規劃與獎懲辦法，又進一步強化這個縱向決策與控制體系。

相較之下，多角化企業的內部橫向組織，會與經營單位的結構重疊，使經營單位之間的合作更流暢。橫向組織的機制包含經營單位群組化、執行委員會、管理體系、人力資源政策，以及其他正式或非正式協調經營單位間活動的設計。企業只要用到交互關係，就需要一個橫向組織來潤滑它的縱向組織。而交互關係的日漸普遍，顯示在多角化企業中，一套能在橫向與縱向組織間達到平衡的新組織形式愈來愈重要。

企業內部橫向組織的功能並非淘汰或取代分權制度。分權制度有它的價值。事實上，某些多角化企業的分權制度還有不足的地方。企業在縱向組織上增加一套橫向組織的機制設計，在於更有效發揮交互關係帶來的競爭優勢。而且當一家多角化企業缺乏完善的分權組織時，它可能必須先做分權，再進行經營單位之間的橫向組織設計。這種兩制並行的結果不是所謂的矩陣組織（matrix organization），而是在跨組織機制聯繫下運作，並且共享價值的獨立經營單位。過程中，經營單位的自主權有可能被削減，但是推動橫向組織，目的不在重新界定經營單位的自主性，而是引導整個公司走向成功。

建立交互關係的障礙

企業要建立有形的交互關係，需要經營單位將價值鏈中某些活動與其他經營單位分享，同時仍保持其他價值活動的獨立自主，以及應負的利潤責任。同樣地，企業要建立無形的交互關係，必須讓專業知識能夠在各經營單位間流通。當企業追求交互關係時，很可能導致兩個以上的經營單位，在價值鏈的不同部分進行聯合活動。比方說，甲經營單位可能與乙經營單位共用業務部門、同時又與丙經營單位共用生產工廠。

無論企業如何規劃它的組織型態，推動交互關係必然具有協調成本。然而，很多不必要的協調成本是因組織性障礙而來。在這些障礙作梗下，新的關係會使經營單位內部一些功能協調出現困難。但是，經營單位內部功能的協調並不是問題，問題在經營單位之間必須相互配合，才能達成任務。實際上，經營單位常因資源有限、力求表現與爭取最高主管注意，而將其他經營單位看成競爭對手。

形成障礙的來源

當經營單位與企業主管觀點不同的時候，經營單位之間的協調障礙會逐漸增加。以下是一些主要的障礙所在：

利益不均

經營單位抗拒交互關係，因為它可能處於吃虧的一方。如前幾章討論過，當交互關係形成競爭優勢時，規模與策略上的差別會使得某個經營單位的收穫大於另一個經營單位。某些案例也顯示，交互關係可能有利於企業整體，卻可能是某個經營單位的毒藥。除非企業的獎懲制度能反映出這些差別，否則想讓某一經營單位，與其他經營單位合作追求交互關係，比登天還難。如果企業一意孤行，單是協調如何分攤共同成本就可能沒完沒了；在營收的計算上更會大費周章。因此，如果交互關係能讓所有參與的經營單位雨露均霑，就很容易定案實行。反之，利益不均的交互關係則乏人問津，而自認受害的經營單位更是百般推卸，不肯合作。

喪失自主權與控制權

除了經濟因素可能造成的抗拒之外，經理人也可能因為擔心自主性受到傷害，而強烈反對發展交互關係。以下是一些造成抗拒的來源：

保護地盤：經營單位主管可能小心眼地保護自己的勢力範圍。在經營單位內，他們享有完全的控制權，並且因為自己對整個企業的潛在影響力而獲得滿足。在許多企業中，自主權意味完全掌控所有功能，這也使得經理人不願意稍做讓步。

擔心稀釋了己方與客戶的關係：經營單位抗拒市場交互關係，因為它們深恐喪失對客戶的掌控權，或傷害它與客戶的關係。經營單位很在意其他經營單位會偷走「它們的」客戶，傷害它們的形象，或讓客戶搞不清楚該與誰接洽。像同一家公司的股票經紀人，即使已經建立了財務服務的交互關係，但要他們與姊妹經營單位分享客戶名單，仍然難如登天。

無法對其他經營單位就事論事：一般說來，經營單位與外面廠商交手，處理服務、交貨或產品問題時，要比與同一企業的經營單位協調來得自在。因為企業高層常會介入經營單位間的爭執，或保護表現較差的經營單位，避免它們在交互關係中吃虧。這些因素影響之下，與姊妹經營單位合作，如同自縛手腳。經理人認為與外面廠商交手的限制較少，因為一旦交互關係破裂，他們大可以就事論事，討回公道。

共同活動中優先順序的衝突：經營單位分享價值活動之後，也常發現彼此在共用業務人員、後勤網路、或研發中心上，會有優先順序衝突的風險。比方說，當共用研發中心時，工程師的時間可能優先派給需求最迫切的經營單位；共用業務人員時，也有銷售某產品的火力高於其他產品的情形。從總公司的觀點看來，設定這些優先順序是合理的，但是經營單位主管難免因為妥協而心生不平。因此，經營單位往往從開始就拒絕提供資源，或在交互關係建立後，又強行創造一個能夠自行指揮的單位。

績效不彰時不公平的責難：經營單位主管常擔心，如果交互關係的結果失敗，他們會遭到不公平的責難。經理人所憂心的是，高層主管可能以一個他們無法負責的結果，來評估他們的表現。這也導致他們寧可放棄交互關係的可能利益，以確保自己能充分掌握命運。

經營單位主管對自主權的在乎程度，很大程度受到企業歷史和組織構造的影響。在很多多角化企業中，經營單位的自主權是過去的長期政策，並且被細心地呵護與強調。如聯合食品（Consolidated Foods）、畢翠思食品（Beatrice Foods）、嬌生、艾默生電氣與惠普科技等企業中，經營單位自主權的信念不但牢不可破，還被認為是企業成功的關鍵。企業固然不宜低估經營單位自主權的重要性，有時卻過度強調、同時忽略了競爭環境的變遷。當企業內部經營單位長期強調自主性，它可能連非常有價值的合作計畫都會抗拒。以艾默生電氣為例，當旗下經營單位奉命執行一些威脅性較低的交互關係，如共用研發中心開發某些選擇性技術，都要大費周章。

當企業長期維持經營單位自主權時，部門主管的訓練與拔擢，往往偏重獨立情境的優異表現。這又引來更多勇於單打獨鬥的經理人。此外，企業購併另一家廠商時，也會允諾對方保有自主權。在這樣的歷史傳統下，經理人通常會抗拒任何侵犯他們自主權的動作，或排斥企業朝集權原則方向的變化。

一般說來，經營單位的規模愈小，愈需要運用交互關係以達到規模經濟，但是，如果連最起碼的經營單位也要求充分自主時，進行交互關係的困難度也最高。有趣的是，經營單位愈小，它對自主性的在乎程度就愈高。以美國醫療供應公司為例，它有許多很小的部門，業務人力各自獨立，並對同一批客戶銷售不同的醫療產品。由於這些經營單位主管狂熱地強調獨立性，總公司的協調往往徒勞無功。

獎懲辦法的偏失

如果，試圖建立交互關係的經理人會遭到間接的懲罰。這時候，企業的獎懲辦法會讓原本就困難重重的交互關係雪上加霜。經營單位一般缺乏參與交互關係的誘因，它們往往看不到改變原有工作方式，以便於分享或移轉專業知識所產生的效益。更糟糕的是，獎懲制度鼓勵經營單位與外界合作，甚於與姊妹經營單位間發展交互關係。

不利於交互關係的獎懲制度，大致分成以下數種：

吃力不討好：一般獎懲制度只考核經營單位本身的表現，而忽略了它對姊妹經營單位的貢獻。因此經營單位為交互關係付出、進而提高企業整體效益的貢獻，通常很難評估。一致的財務目標、價格計算方式與績效歸屬較易於管理，而且給人核算精確的印象。然而，這種制度會忽略了個別經營單位對企業整體的真正貢獻。

如果企業對交互關係的評估不明確，經營單位主管就無意對交互關係投入時間與資源。他們看不出為何要承擔交互關係帶來的妥協成本，或是更糟的，所獲效益比不上其他姊妹經營單位。以松下電器為例，跨部門產品開發就出現這類問題。因為計畫參與者不知道新產品會給自己帶來多少利益，因此常常消極敷衍這些研發計畫。

評估偏差：有些企業在營業額、成本、或資產分配與評估上存有偏見，這也會讓經營單位更加漠視或抗拒交互關係。譬如說，將投資或購併視為增加資本財，卻將發展內部交互關係視為增加成本。當企業以業績評估經營單位表現時，後者自然會朝投資而非減少獲利的方向發展。當經營單位只關心營業成長目標時，它對參與交互關係專案，與姊妹單位分享業績的作法，必然反感。在這類情況下，經營單位寧可付錢與外面的廠商合作。

經營單位間的不同環境

經營單位如果處於不同的組織環境，很難達成交互關係。因為不同環境會提高溝通的困難度，導致經營單位將姊妹單位看成「另一家廠商」。以下是經營單位間常見，並會形成交互關係障礙的組織差異：

強烈的本位主義：當經營單位的歷史與自我意識有別於母公司時，彼此尋求交互關係是很困難的。比方說，經營單位可能原屬不同企業，卻因購併而湊在一起，或長期擁有自己的名稱。在這種情況下，經理人與幕僚對經營單位的忠誠度通常高於對總公司的忠誠度。比方說，已成為產業龍頭或是先驅的經營單位，就常常抗拒與姊妹事業共同努力的動作。

文化差異：如果經營單位的組織文化不同，合作也會很困難。所謂的文化差異包括，人際行為規範、使用術語與基本經營哲學等。這些差異會妨礙溝通，使得工作關係難以協調與維繫。當美國運通購併瑞士的貿易開發銀行（Trade Development Bank），在整合它與己方銀行的關係上，就出現很大的困難。不同的經營風格與語言障礙，就是整合困難的主要因素之一。

有時候，企業與經營單位主管也擔心，在有文化差異的經營單位之間發展交互關係，可能會模糊各經營單位的差別。這時候，文化差異被視為經營單位成功的第一要素，交互關係則變成一種威脅。這類問題尤其容易出現在購併，或有高度自主權傳統的多角化企業當中。本斯維克公司（Brunswick）的高級主管就充滿這種疑慮。這家企業的經營單位分布於各種休閒產業，它也購併這些行業中的知名廠商。因此，一旦要整合這些經營單位，首要難題就是如何不傷害各經營單位的原有文化。

管理上的差異：當各經營單位的主管們，在背景、技巧與作風上有所不同時，推動交互關係也非易事。他們打交道時可能很拘束、甚至彆扭，達成協議的難度也因此增高。會造成困難的管理差異包括，年齡、頭銜、教育背景、技術專業與年資等。

程序上的差異：經營單位不同，作業流程也不一樣，並造成交互關係的困難。這些程序差異包括，不同的會計與資訊系統、核可權限以及工會協議。當經營單位試圖合作時，程序差異會造成困擾與分裂，以及額外的協調成本。

地理位置上的分隔：當經營單位散布於不同地點時，要持續協調，達到交互關係，也會很困難。解決問題需要持續交換意見，地理距離卻會增加這方面的困難度。

擔心造成分權制度的混亂

事業主管的背景與企圖心固然可能形成交互關係的障礙。即使總公司的主管也不見得喜歡交互關係，他們常擔心交互關係會造成分權制度的混亂。以下是形成疑慮的理由：

擔心傷害企業家精神（entrepreneurship）：企業經理人最不願意見到，由於分權制度受到干擾連帶傷及所屬事業的企業家精神。問題是，除非將企業家精神窄化為獨立經營，否則交互關係與企業家精神之間並不矛盾。對剛起步的新經營單位而言，極端的分權行為或許有其必要，但對一般經營單位主管而言，透過企業家精神形成的交互關係，一樣會創造強大的競爭優勢。儘管如此，多數廠商還是深信完全分權制度才會帶來最大的企業家精神動機。經營單位主管也常以有礙戰鬥意志的理由，抗拒交互關係。

期望組織的一致性：很多多角化企業建構旗下經營單位時，希望維持共通的一致性。這種作法有助於管理單純化，卻與交互關係背道而馳。交互關係意味著不同經營單位（與經營單位群），應該有不同程度的自主權，掌控不同的活動，並以不同的方式評估經營目標與表現。

績效評估不易：許多企業會以成長與獲利等客觀的量化條件，做為獎懲誘因。然而，經營單位對企業整體的貢獻通常很難精確量化，交互關係的績效評估難免會有主觀成分。有些公司就是不能接受這種主觀的評估基準。

擔心成為屬下的「藉口」：在經營單位之間進行交互關係，必然會影響原本明確的權責。總公司高層主管因此也擔心，經營單位主管可能以交互關係為藉口，為自己的拙劣表現開脫。

交互關係與平等

許多橫亙在交互關係前的組織性障礙，根植於交互關係與平等觀念的認知衝突。平等或公平幾乎已是所有企業深信不疑的原則，並以此處理組織衝突、激勵經理人努力。然而，很多經理人誤認為交互關係會造成不平等。因為參與交互關係的經營單位，從中獲利的程度往往不一樣。交互關係也意味主管在自主權、目標或獎勵誘因上，有程度不同的差別。經營單位主管可能會抱怨，他們正在「提攜」其他經營單位，而獎勵卻落在某些表現不如他們的主管身上。

無論是刻意或無心，很多多角化企業會因為分權化的組織結構，而形成一種狹隘的平等觀點。這種平等認為，每個經營單位應受相同待遇，並避免在任何、尤其是獎懲或價格轉嫁等敏感領域中，做出主觀的決策。平等更被界定成，交互關係必須是所有經營單位都同意的作法。

這種偏狹的平等觀不僅邏輯上說不通，也使交互關係只存在於極少數，所有經營單位都必須得到同樣效益的領域；或各單位都能保住自主權的情況下，才能進行。一個比較有建設性的平等觀點是，強調公平而非相等。這將使高階主管能在成功達成交互關係的前提下，處理經營單位間的衝突。內部橫向組織的基本任務之一，就是形成這種平等觀，或讓經營單位擁護企業高層的目標。

企業間障礙的差異

由於歷史、涉足事業的組合、組織結構與政策的差別，企業發展交互關係的難度也不同。以下是最難達成交互關係的情形：

- 企業本身高度分權化，又擁有許多小規模經營單位。
- 企業傳統上高度尊重自主權。
- 企業的組成是靠購併各方獨立公司而來。
- 企業在創造共同意識方面缺乏努力。
- 企業欠缺發展交互關係的經驗，或是過去曾經有慘痛的失敗經驗。

達成交互關係的組織機制

單純縱向的組織結構，不足以保證企業確認與達成有利的交互關係。障礙不僅出現在工作中，也存在於經營單位主管的連篇議論，使營運群或企業嘗試重要交互關係的努力功虧一匱。經營單位主管很清楚建立交互關係時必須做的妥協，但是可能的好處卻還是問號。當高階主管對所涉及的產業了解不足時，他很難反制這股由下而來的抗拒。

面對交互關係的組織性障礙，企業通常有兩種反應。有些企業歸結心得認為，交互關係雖然在理論上說得通，但只是紙上談兵而已。經營單位主管遇到前述難題時，也常常放棄與姊妹單位合作，改以獨自行動。企業層級的主管在疲於解決含糊不清的責任問題與各種爭端之後，也向絕對分權制度投降。第二種反應是，認清交互關係的重要利益，轉而修正已成傳統的多角化經營方式，並在其中建立起交互關係。

交互關係既不會從天而降，也不是一條坦途。企業要鼓勵經營單位主管發展交互關係，增加內部合作與溝通順暢，必須要有一套良性的組織機制。這種能增進交互關係的組織事務，我稱為「橫向組織」。企業的橫向組織會在一個垂直結構中，將各個經營單位連結起來。對多角化企業而言，如果要發揮交互關係的潛能，必須在內部的縱向組織與橫向組織間取得平衡。

內部橫向組織可以分成以下四大類型：

- 橫向結構：橫跨經營單位界限的組織單位。作法如，將經營單位組成經營單位群，部分事務集權化，跨事業部門的任務編組，成立行銷或通路事務的委員會。
- 橫向系統：跨越經營單位的管理系統。作法包括規劃、控制、獎勵與財務預算等。

- ❑ 橫向的人力資源作業：人力資源業務能使經營單位間的合作更容易。作法包括，跨經營單位的職務輪調，管理訓練與會議。
- ❑ 橫向的衝突解決流程：經營單位之間具備解決衝突的管理流程。這類流程與企業的管理方式有密切關係，可以從橫向結構與系統中建立。

組織結構與系統通常兼具縱、橫兩個面向。以經營單位群為例，它可以是很單純，減少高層控制的縱向工具，也可以在內部橫向策略中扮演重要角色，差別只在於如何管理經營單位群而已。同樣地，企業的獎勵制度可以是一條鞭模式，或包含鼓勵經營單位橫向合作的有關規定。我的說明僅限於橫向組織實務，與縱向組織的互動。因為學術界不乏從縱向觀點看多角化企業組織結構與制度的討論。

任何能形成策略性利益的交互關係，不能只靠單一、能激勵經營單位合作的工具。因此，企業需要應用很多能強化經營單位關係的管理方法。在橫向策略上成功的企業，一般會同時使用許多方法，以從交互關係中獲得最大利益。由於經營單位不同，它與姊妹經營單位合作與交互關係的型態就不同，利弊得失的考慮也不同，因此最適合它的項目與作法也會不同。

如果企業高層主管的作法得當，如清楚闡明企業目標、選擇進入新產業的方式等，將使他在強化內部橫向組織上扮演很重要的角色。這部分在說明如何使用達成交互關係的橫向組織之後再討論。

橫向結構

橫向結構是指跨越經營單位界限，支援經營單位結構的暫時或永久性組織。這類組織不必然互斥，並能達成交互關係。

經營單位群組化

在橫向結構中，最普遍的形式就是將經營單位群組化，形成營運群（group）或事業部（sector），也就是指定某些經營單位對一個更高階的主管回報。營運群或事業部設計的最初目的，大多是為了減少企業集團總經理控制權的幅度，或是培訓未來升任總公司高階主管的經理人。長久以來，在縱向型組織中，營運群或事業部已扮演重要的角色。

儘管如此，很多營運群或事業部主管在形成策略上的角色卻很消極。他們花在帶動策略的力氣，遠不及審查或批准經營單位策略，以及對經營單位主管的指導、建議上面。然而，無論是組織或實務，在找出、追求與管理交互關係，提供營運群或事業部經營範圍等方面，營運群或事業部主管是責無旁貸的。

當企業將經營單位編組為營運群或事業部時，必須反映出策略中最重要的交互關係。經營單位之間因為可能有多重交互關係，營運群或事業部的界限常無法明確界定。以通用食品為例，它旗下的經營單位，有些是按共同的客戶與行銷通路編組，也有些按產品形式與生產技術編組，結果形成經營單位群組之間的重疊現象（如冷凍食品）。企業必須認清，雖然經營單位的編組方法很多，並且會形成不同型態的交互關係，但是它只能選擇其中之一。由於各經營單位在交互關係中的重要性不一，這又會增加選擇編組原則的困難。

經營單位如何編組固然有很高的主觀成分，編組原則其實很清楚。企業應該先列出各種可能的交互關係，決定哪一種交互關係對競爭優勢最重要，再根據它對經營單位進行編組。比方說，當各經營單位的產品定位、廣告與行銷的成本比重很高，或都需要與競爭對手有明顯的差異性時，市場交互關係就是適當的編組原則。以日用品批發廠商為例，按客戶或通路進行經營單位編組，就比依製造技術編組妥當。反過來說，對一家追求差異化策略的高科技公司而言，由於應用技術是競爭優勢的關鍵所在，依照技術進行編組則比較合理。企業進行經營單位編組時，應該優先考慮它們的有形交互關係，如果有形交互關係不明顯，或已經沒有發展空間時，再依無形交互關係進行編組。比方說：有形交互關係很強的經營單位可以編成營運群，而有形交互關係不強，或依靠無形交互關係的經營單位，則可以編成事業部。

除非企業將經營單位編組後不依編組原則行事，否則編組是最能引起注意，也最能強化交互關係的工具，這也是企業必須依策略上最重要交互關係進行編組的道理。當相關經營單位都對一位營運群（或事業部）主管回報時，協調、管理共用活動、化解衝突、交換情報、設定最佳目標與獎勵，都將比較容易。

最重要的交互關係不是絕對的編組原則。企業固然可以採取同樣的基準，對旗下所有經營單位進行齊頭式編組，但並非所有的經營單位群組都是市場導向、生產導向或技術導向。除非整個企業只有一種明顯的交互關係可能性，否則不同群組應該依不同型態的交互關係形成。

不同的經營單位群組，內部經營單位之間的交互關係強度也會不同。交互關係的強度，要看企業所經營事業的組合而定。有些群組內部的經營單位間具有很強的交互關係，有些則不然、或是為了減少專權而已。它們之間的差異與管理作風有關。此外，群組內的經營單位態度，會因交互關係影響本身策略的利弊而定。經營單位群組的主管應該特別注意那些受益不多的經營單位，因為它們可能選擇與強化交互關係相反的策略。這類經營單位的績效評估與獎懲，都應該量身訂做。它們對群組的妥協底線，應以不傷害它維持現有競爭地位的策略為準。無論是哪一類交互關係，管理原則不外成本與優勢平衡，或出現淨值。第九章中有很清楚的說明。

經營單位群組主管的角色

長期以來，群組主管的角色大多曖昧而不討好。在多角化企業中，制定策略的通常是經營單位主管，而群組主管充其量只是個評審。時間一久，許多群組主管感覺，組織經營得好，自己上不了功勞榜，組織出問題時，自己倒是首當其衝。

群組主管最重要的工作是，界定與達成經營單位群組內部與外在的交互關係。在一個交互關係左右成敗的群組中，他必須是制定戰術的領導人。問題是，在許多多角化企業中，「營運群策略」是個很模糊的名詞，使得群組主管將自己定位為投資管理人，專注於平衡內部事業之間的資金調度。當經營單位正在進行交互關係時，這類的主管角色根本是錯誤的。營運群策略絕非各經營單位的戰術累積，還要包括穿透內部各經營單位的橫向策略。營運群策略也不是為了取代各經營單位的策略，而是將後者進一步整合。

經營單位群組的主管修正經營單位策略時，必須擁有絕對的威信，才能達成交互關係。群組主管除了關心各經營單位的計畫之外，也要勇於發動內部的橫向策略。前面一再指出，經營單位個別獨立的策略，很少有助於交互關係、或能犧牲小我成就大我。群組主管要成為總策劃人，他要有界定與分析經營單位群組內外交互關係，以及多目標競爭者的能力，也要熟悉旗下各經營單位。群組主管要成為橫向策略規劃人，也需要能純熟應用橫向工具。群組主管要建構一個名符其實的橫向策略，工具不外集中管理關鍵性價值活動，掌控部分獎勵機制，以及人事運用權等。

部分事務集權化

部分事務集權是一種橫向結構。經營單位群組主管為了達成重要的交互關係，他可以在維持經營單位利潤責任制度的同時，集中管理某些價值活動。有時候，集中管理的價值活動還可以超過個別經營單位群組的範圍。

部分事務集權化見於採購、銷售與後勤系統。以通用食品為例，它在製造、採購與後勤方面相當程度上是跨群組統一操作，但是在產品研發、行銷作業方面，則分別向各單位主管報告。麥格羅．希爾則擁有一套共用的訂購系統，負責統籌書籍、雜誌與其他經營單位的業務，而堡廚公司（Castle and Cooke）則以同一套行銷與配銷制度，處理許多生鮮食品的業務。

共用活動可以有不同的隸屬關係。比方說，主控權可以由某一個經營單位掌控，其他經營單位則是協同角色，也可能是共用活動向各經營單位負責，或直接對營運群或企業集團主管負責。最理想的情況是，為了能夠保持市場敏銳度，集中管理的價值活動應該有一個直屬主管，他要主動協調共用活動與各經營單位間的關係，並積極解決前幾章提到的各種問題。這種作法與消極、短視的管理模式截然不同。

部分事務集權化要成功，前提是組織結構與獎勵制度要能夠使經營單位自我管理，或將權力交給一個超越它們的直屬主管。這套作法要成功，也需要相關單位建立共識，相信部分共管形成的交互關係會使得整個企業受益，進而同意在姊妹經營單位間建立正式或非正式的溝通機制。因此，無論是共用部門的主管定期與各經營單位做正式接觸，或與各經營單位聯合規劃共用活動，都會產生積極的效果。

其他跨經營單位的組織機制

在達成交互關係的各種形式中，經營單位群組化與部分價值活動集權化都有很強的效果。建構經營單位群組時，首要目標是達成最重要交互關係。次要的交互關係可能帶來競爭優勢，但涵蓋範圍也可能超過經營單位群組的範圍。因此，在內部橫向策略中，無論暫時或常設的跨經營單位機制，先要鞏固基本組織結構中流失的交互關係。這種模式不僅具有管理、規劃與執行交互關係計畫的功能，同時也是教育主管交互關係重要性很有效的一套機制。這套制度常常與矩陣管理混淆，但其實它只是使經營單位橫向合作更為順暢的一項工具而已。

下面是達成橫向結構中，最重要的組織工具：

焦點市場委員會：企業設計組織結構時，首要考慮必然是產品或技術，市場角度則會形成第二類交互關係。以麥格羅・希爾公司為例，這家公司是依書籍、雜誌、資料庫等產品，建立它的組織部門。但是換成市場角度時，營建、金融服務等產業是這些經營單位的共同銷售對象。因此，麥格羅・希爾應該從既有組織結構形成交互關係，對那些新市場出擊。

企業發展市場交互關係，一種作法是設立焦點市場委員會。企業在成立這個組織前，必須先標示出有潛在交互關係的重要市場，並指派主管專責督導該市場的開發工作。進一步則是召集與該市場有關，或準備進入該市場的經營單位高級主管，共同組成一個常設委員會，定期聚會督導市場調查，辨認並規劃既有產品之間的可能交互關係，以及障礙與所需努力等事務。委員會的幕僚可以從各單位抽派，支援必要的分析作業。接下來，委員會命令專責主管動員各相關經營單位，朝特定的交互關係目標邁進。一般說來，委員會決策比較耗時，可是，如果競爭對手已朝這種交互關係努力時，我方不行動將會喪失競爭優勢。

在多角化企業中，如果市場交互關係變成最重要的策略目標時，焦點市場委員會具有將整個組織結構，從產品或技術導向，轉為行銷導向的中繼功能。然而，即使企業轉入行銷導向組織，仍需維持能強化生產或技術性交互關係的組織機制。

技術、通路與其他交互關係委員會：常設委員會或工作小組也可以解決不同經營單位涉及產品（如辦公室自動化設備）、生產、採購、技術、共用通路、後勤系統或訂單處理系統等其他重要交互關係的問題。這些組織的功能與焦點市場委員會大同小異。仍須由一位資深主管負全責，而定期召開的委員會則確保各項工作按進度被嚴格執行。

臨時工作團隊：常設委員會是為了督導重要、跨主要組織結構的交互關係而設，其他交互關係則不妨以臨時，跨經營單位的工作小組來推動。一般說來，臨時的工作團隊著重於無形交互關係的專業移轉，或確保一些有形交互關係順利運作。此外，臨時工作團隊也能協助企業研究交互關係，或了解執行交互關係的方式，提供部分事權集中管理、常設委員會、或經營單位業務一次徹底改變等建議。

跨經營單位的臨時工作團隊能處理很多類型的交互關係。以通用汽車為例，它就常以跨經營單位的工作團隊執行重要專案計畫。工作團隊的幹部從原單位抽派出來之後，完全隸屬於這個新組織，時間可長達數年。另一個短期工作團隊的例子，是麥格羅・希爾公司整合全公司資訊事務的工作團隊。這個臨時組織的成員是由總公司企劃部門幹部，以及各經營單位調派的兼任員工組成。還有一個例子是西爾斯公司，這家公司正以工作團隊研究各事業間的交互關係，以達成金融服務方面的交互關係。

營運群或企業集團內部交互關係的推動者

最後一項有助於達成交互關係的措施是，任命營運群、事業部或企業集團階層的高級主管，擔任交互關係的推動者。在某些企業裡，這類高級幕僚工作非常重要，並在管理交互關係上具有很大貢獻。這樣的高級幕僚能指出負責領域的關鍵交互關係，並協助相關經營單位達成這類交互關係。比方說，一個行銷方面的高級幕僚能協調購買廣告篇幅事務，使企業擁有最大的議價實力，或規劃協調共用配銷通路等事務。高級幕僚還能幫助如委員會、工作團隊或經營單位主管，控制交互關係的執行。

管理跨經營單位的組織

跨經營單位的組織管理是件高難度的工作，美國企業的情況尤其嚴重。會造成這種現象，部分原因在於經營單位已有根深蒂固的自主傳統，委員會又常被視為「浪費時間」，而非整合管理功能的機制。企業要推動跨經營單位的組織，事前必須做好妥善的設計。

跨經營單位的組織必須向直屬高階主管回報，以保證它在企業內的影響力，並在最重要的事務上著力。這個組織的主管必須負責可靠，立場中立，並能對結果負全責。組織本身需要有實際行動，否則其他經營單位不會將它放在眼裡。它的事務人員必須由企業最高主管指派，並來自相關經營單位，以確保交互關係的計畫一旦展開，必能順利執行。在代表性上，參加成員必須相當資深，才能有足夠的影響力要原經營單位做應有的配合。同樣地，幕僚必須要有跨經營單位的組織能力，或能對特定議題做周延的建議分析。最後，跨經營單位的組織必須有其他橫向組織支援，以克服交互關係中的其他障礙。當企業追求重要的交互關係時，即使是扭轉員工對跨事業的委員會冷嘲熱諷的態度，就已經朝競爭優勢邁出一大步。

橫向系統

第二種橫向組織機制是橫向系統，也就是能在經營單位間，強化協調與聯繫的管理系統。大多數管理系統的縱向管理機能只要稍做修改，就能夠支援企業建立交互關係。以下是達成交互關係上，一些特別重要的系統。

橫向策略規劃：大多數多角化企業會採用縱向的策略規劃。經營單位研擬策略方案，呈報上級主管，等候批示。當經營單位間有重要的交互關係時，原本的縱向策略規劃流程，必須增加一套橫向機制，以使相關方案發生效果。

企業增加策略規劃的橫向溝通，有以下幾種作法。第一，由企業集團的企劃部門負責界定與推動交互關係。第二種作法是，由營運群與事業部的主管訂定內部橫向策略，並確定營運群或事業部的工作鎖定在發展交互關係上面。第三種作法是，在經營單位的計畫中，增加交互關係項目。每一個經營單位都應該指出，它在營運群內外，具有重要交互關係的經營單位，並提出執行這些交互關係的行動方案。最後一種作法是，要求有重要交互關係的經營單位同時提出，單獨行動與聯合行動的策略方案。

恩益禧則採取第四種作法，同時維持兩套策略規劃系統。除了經營單位有策略規劃系統，企業集團也有一個規劃系統（Corporate Business Plan），專門負責跨經營單位的重要投資或專案計畫。這個系統使涉及重要交互關係的經營單位主管，長期配合或執行策略性計畫。事實上，這套系統的重心就在針對重要橫向事務提出特別計畫。

組織要增加橫向機能，前述的四種作法可以並行不悖。企業能同時推動其中幾項的話，效果可能更好。由於每個組織層級有不同的橫向需求，營運群與企業集團都該有橫向規劃機制。因為經營單位本身不可能看清楚所有的交互關係，或提出所有可能達成交互關係的方案。

橫向程序：當跨經營單位活動的運作有一定流程時，交互關係會有事半功倍的效果。許多企業具有內部採購價格政策，或區別內部採購與對外採購的規定。但是對聯合專案的營收、成本分攤、或資金預算程序定出指導原則的企業並不多見。少了這些指導原則，企業想要發展交互關係，將引發一連串的行政混亂和溝通障礙。一般性指導原則有助於潤滑交互關係，也能夠限制經營單位不要一心找外界援手、或逃避內部交互關係。

企業對交互關係的誤解，有時可以從價格轉嫁與採購規定看出來。它們根據市場價格訂定內部交易規定，使經營單位成為界線分明的獨立個體。雖然行政部門喜歡這麼做，卻會增加經營單位對交互關係的成見。交互關係意味著，價格轉嫁與其他決策應該以改善整個企業的地位為主，而非個別事業的財務表現。比方說，帕金愛默公司（Perkin-Elmer）就定出一套辦法，規定產品按市場價格對外銷售，而依成本價格供應內部經營單位採購。當業務部門按真實成本賣給企業集團時，買賣雙方都有交易的意願。要讓經營單位持續配合價格轉嫁的規定，應該要調整它的目標。比方說，當經營單位依成本賣給其他事業時，它的利潤目標就應該單獨考慮。

另一個容易忽略交互關係策略價值的領域則是採購原則。如果企業認定，經管單位能找到「最佳」（不論來自內部或外界）的採購來源，因而放手不干預時，必然會損及交互關係。成功建立交互關係的企業，內部採購時大多言行如一，經營單位也會將姊妹事業看成最重要的客戶。高階主管應該清楚地對全公司傳播這項期許，並處分未依原則行事的經營單位。

橫向獎勵措施：企業的獎懲制度，要能夠激勵在交互關係上有貢獻的經營單位與主管，而非一味鼓勵追求個別成就。獎懲制度不應該暗示經營單位對外聯手、或一味擴張的作法，反而應該鼓勵經營單位與姊妹經營單位合作。在握有重要交互關係的企業中，經營單位與主管達成上級交付目標的重要性，絕不下於本身目標。在我的觀察中，能達成交互關係的企業，都有針對經營單位完成大我（營運群或企業集團的表現）的救濟措施。這些例子說明，能支援友軍的經營單位主管照樣會晉陞要職。反過來說，績效考核只看經營單位本身的戰功，其實是把這項管理工具看得太狹隘。當獎懲制度夠周延時，經營單位主管將是公司經營團隊的一份子。經營單位性質不同，績效評估的內容也應該有差別。績效評估的目標應該是，各經營單位的應有表現與由交互關係對企業集團貢獻的綜合評估。高層資深主管的權責就在於，向旗下各經營單位主管說明獎懲制度的公平性與企業集團層級的目標。

涉及交互關係的獎懲，難免有主觀成分在內。經營單位對企業的貢獻，最好不要根據量化數據。量化標準並不能準確判斷出所有因素的份量，還會誤導出違背企業利益的作法。營運群與企業集團主管要從大局著眼，關心經營單位對營運群或企業集團策略的配合程度。傳統上，企業會刻意將主觀的獎懲客觀化。因此，高階主管必須經常與營運群、經營單位溝通，表現出對它們的重視，以及在企業整體下，它們貢獻所得到的公平獎懲。

橫向的人力資源業務

第三種橫向組織機制是人力資源政策。要平衡事業分權與中央集權的關係，聘雇、訓練與人力資源管理等方面的政策，也具有事半功倍的效果。如同橫向系統的考慮，橫向人力資源政策應該遍布整個企業，或至少落實在有重要交互關係的領域。

經營單位間的人員輪調：經營單位之間的人員輪調，也能夠協助達成交互關係。它會減少經營單位之間的文化與流程差異，增加人員之間的認識，使合作方案更容易進行，並啟發主管與其他經營單位發展交互關係的機會。員工在經營單位的認同感之外，也會增加對整個企業的認同感。比方說，將兩個具有交互關係的經營單位主管或經理人互調，可能產生極佳的效果。輪調人力可能增加訓練時間與持續的成本。但是長期看來，人員輪調不只能幫助交互關係，還能打破經營單位的傳統經營觀點。像杜邦、奇異、花旗等企業，都有積極的人員輪調活動，並使交互關係進行得更順利。

企業集團主導訓練與聘雇業務：由企業集團（或營運群）來負責聘雇與訓練作業，可以建立員工對企業整體的認同感，進而自覺地關心整個企業的利益。由企業集團負責新人的訓練課程計畫，可以使主管更了解其他經營單位，鼓勵新進主管之間更多人際交流，進而遍及所有經營單位，形成一個大家庭的感覺。現任主管進修計畫也有助於達成交互關係。將經營單位主管齊聚一堂，除了啟發的功能之外，也能夠幫助他們多了解彼此，建立良好的人際關係。但是，企業集團負責整個企業的聘雇與訓練事務時，仍應保留各經營單位遴聘專業人才的空間。

內部晉陞：企業採行內部晉陞辦法，有助於強化企業一體的觀點，並使主管們更願意進行長期的橫向聯繫。這些效果都會幫助交互關係的開展。一般說來，由內部拔擢的主管，對企業的認同感比較強，也會形成內部的人際關係網路；順利推動橫向合作。內部晉陞固然有強化企業一貫看法的風險，但是對於具有重要交互關係的企業而言，內部晉陞應該是個重要的原則（但不等於由各經營單位內部直陞）。

跨經營單位的討論與會議：當企業細心設計一些會議，使各經營單位主管齊聚一堂，也有助於發掘與達成交互關係。在這類會議中，參加的主管可以對其他經營單位做簡報，說明本身狀況，並分組討論一些跨經營單位的事務。

交互關係的觀念教育：企業的重要課題之一，是重要主管必須了解交互關係的策略價值，彼此有共同語言，並有界定交互關係的分析能力。這類教育可以放在主管訓練計畫、企業集團會議，以及其他討論場合。許多企業的高層主管非常清楚交互關係的重要性，但是中層主管的言行，卻往往背道而馳。

橫向的衝突解決程序

橫向組織的第四種型態是，化解經營單位間衝突的管理程序。成功的組織結構，除了正式的結構外，一定也有形成主管之間持續互動的機制。橫向的衝突解決流程不如前述制度明顯，但是企業要成功，不能小覷它的重要性。當組織互動頻繁而權責不清時，這套機制尤其必要。

企業要達成交互關係，主管之間必然會有權責重疊，不斷協調以及主觀的績效評估，因而不能沒有解決經營單位間衝突的流程。這類流程的型態也會因企業不同而有所差別。唯一不變的是，高階主管必須設定經營單位互動時的語言，並且擔任爭議時的仲裁者。企業使用哪種衝突化解流程並不重要，重要的是，這套流程能為營運群、事業部與企業集團層級的主管認同，並肯定它的公平與公信力。

企業集團在促成交互關係上的角色

由下而上的交互關係很少成功。企業集團高階主管與各經營單位主管的言行，則對促成交互關係有重大影響。資深主管有很多機會界定更大的企業目標，強化重要的交互關係，修正經營單位、事業部與營運群主管的偏執行為。當整個企業的價值被堅定地推動，並與企業認同緊密連結時，必然對解決衝突，降低冷嘲熱諷等負面態度，形成積極的助益。

一種強化交互關係的重要作法是，營造一個統一的基調。在激勵各級主管發掘並執行交互關係下，一致的基調是非常有效的工具。基調一旦形成，高層資深主管必須隨時隨地，在全業內外與各個層級反覆強調這個觀點。以恩益禧為例，它的「電腦與通訊」（Computer & Communication, C & C），就象徵著這家企業要將電子與通訊技術整合為一。公司的海報標語、最高主管的演說、企業的年度報告、內部討論中，也鮮活而持續地圍繞著這個基調發揮。恩益禧的各級主管都了解這個基調，並形成協助經營單位發掘交互關係的效果。

當各經營單位的商標、標語與文具用品上，明顯出現企業識別標章時，也會使交互關係事半功倍。這並非要實力強的經營單位放棄本身的商標。相反地，它意謂著企業應該同時在公司內外，發展整個企業與各經營單位的認同動作。這麼做不僅會影響到各級主管的看法，也能使客戶更清楚意識到各經營單位之間的聯繫，進而達成市場方面的交互關係。

交互關係與多角化的形式

企業從內部發展新事業，會比由外面購併更能達成交互關係。企業從內部發展新事業，必須根據交互關係行事。衍生的新事業，也會與其他姊妹經營單位保持策略上的一致。這種情況下，價值活動最容易共用。反過來說，對外購併其實是企業與外界合作，阻礙交互關係的事務也比較多。購併也意謂著，企業追求交互關係時，必須做更多策略上的妥協。IBM、柯達、寶僑家品、奇異、杜邦等成功應用交互關係的企業，都長期維持內部衍生新經營單位的傳統。

購併會增加交互關係的困難，但不意謂企業不該嘗試。選擇由內部發展或對外購併前，應該進行嚴格審核。購併動作明顯會影響到橫向策略。當企業選擇購併時，必須反映出與所購併公司發展交互關係的困難。很多企業選擇以購併發展多角化，著眼於開始時的損失最低，營收成績最快。但是犧牲掉其中的交互關係，卻可能對長期發展造成不利影響。

即使購併是企業進入新產業的最佳途徑，仍不可忽略橫向策略的相關事務。除非企業購併一個毫不相關的公司，否則就應該衡量彼此達成交互關係的可能性。許多購併案因為有保障被購併事業自主性的前提，也否決了建立交互關係的可能性。比方說，泛美集團（Transamerica）買下保險經紀商費利德公司（Fred S. James）時承諾，對方可不經母公司保險事業群，直接向泛美集團的執行長負責。該宗購併案雖然不乏達成交互關係的可能性，但具有更多實質上的困難。

管理橫向組織

企業內部交互關係必須仰賴各種橫向機制。很多企業逐漸發現，光是將相關經營單位組合起來，並不保證企業就能夠應用交互關係。只有當營運群與事業部主管明瞭，他們是橫向策略的靈魂角色、加上適當的管理系統與人力資源政策，既有的組織結構才能被強化。企業該用哪些橫向機能，要看它需要哪種交互關係。各類經營單位中，有些就是比其他更需要交互關係，每家企業在垂直與橫向組織間的平衡點，也就各有不同。高階主管的職責是，時時提醒交互關係的重要性，鼓勵一套超越經營單位，以企業集團為認同對象的組織文化。

企業要達成交互關係，必須創造一些經營單位之間的共用活動。經營單位主管也必須認清與姊妹經營單位合作的重要性，並因此得到獎勵，而集團高層主管更需要持平地判斷，參與合作經營單位的績效。有時候，交互關係可以透過強迫的方式達成，但是比起共識和充分了解的情況，被動形成的交互關係往往缺乏持續力。其實上，企業要帶動經營單位主動參與交互關係，少不了一套貫穿整個企業，形成制度的橫向組織機制。形成這套流程不是一、兩天的事，也不能期待企業上下一發現交互關係的機會，就能自動引發橫向管理機制。

成功的案例

美國運通是一個以交互關係建立企業策略的例子。它希望成為一個多元化的金融服務公司，一方面提供高所得消費者完整的服務，同時也對金融機構與企業進行專業服務。根據策略，它早期買下費爾門基金（Fireman's Fund），後來購併雪爾生公司（Shearson Loeb Rhoades），都是很重要的步驟。這三家企業之間有很多交互關係，可以擴展美國運通發展新事業的可能性，並增加它在金融服務領域的競爭地位。然而，美國運通與雪爾生公司因為組織文化不同，造成許多發展交互關係的問題。追根究柢，問題出自美國運通傳統上就是個講求事業高度自主的企業。

為了達成交互關係，美國運通應用了大量的橫向工具。它的基調是「發展金融服務的合作策略」，而高層主管也隨時強調這個觀點。以下就是一段引自美國運通年度報告的文字：

「整個企業的未來，要看我們能否如一家人般工作的能力。在產品、服務、行銷與專業上，每個主要經營單位與其他經營單位彼此銜接，以滿足精緻型消費者的需求，增加他們的便利與滿意。去年的年報封面就以圖形描述了『一個企業』的

概念：美國運通的標誌是在四個既獨立又互動的事業中央，也是整個企業識別標誌的核心。」（見圖 11.1）

為了達成在金融市場地位的目標，美國運通與雪爾生聯合成立一個金融服務業委員會，發展出一套達成它在金融市場地位的整體計畫。雪爾生的名稱也被改為雪爾生／美國運通（Shearson／American Express），以強化整個企業的認同感。兩家企業的高層主管以互調方式派任。它們也成立一個協調小組，管理各經營單位的財務。主管會議中則不斷強調企業一體的概念。美國運通很清楚，雖然購併過來的企業都會有組織文化上的差異，因此不能把完全同質化當成最終目標，但是某些

圖11.1　美國運通標誌

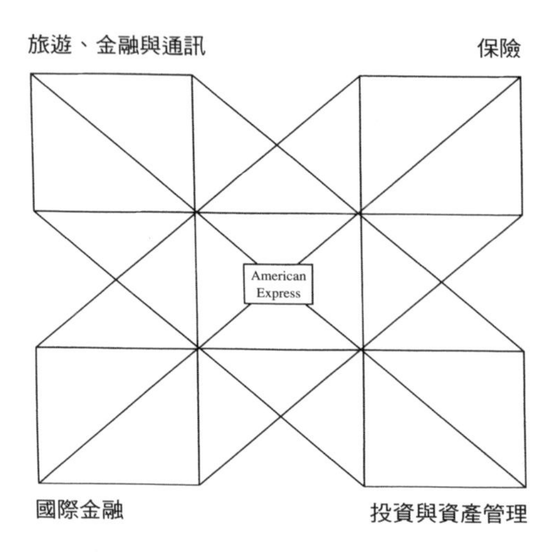

經營單位的組織文化融合仍然大有幫助。

要說美國運通已充分發揮它的潛在交互關係，尚為時過早。美國運通的經營單位主管有時會抱怨，似乎有永遠開不完的會議，經營單位間也持續存在文化與型態上的差異。但是，各種跡象顯示，美國運通已經達成許多交互關係。像它對客戶的交互銷售已經展開，經營單位之間也互相提供產品。它購併多角化投資人服務公司（Investor Diversified Services）、個人理財諮詢領域的愛科公司（Ayco Corporation），也對既有交互關係的延伸有幫助，並能創造新的交互關係。此外，交互關係一方面協助美國運通發展出新的購併案，同時也對購併案進行把關。美國運通一度擱置多角化投資人服務公司的購併行動，因為經過詳細分析之後，它發現彼此無法共用電腦系統。這個購併案最後能成功，是因為購併價格降至符合協調與妥協成本的程度。如果美國運通持續界定與達成交互關係，它要達成在金融服務業成為主導廠商的目標，將不太困難。

恩益禧是另一個建立相關經營單位交互關係的例子。恩益禧的競爭領域主要在半導體、電信、電腦與家用電器。透過客戶、技術、通路、採購與生產流程等多重交互關係，這四大領域緊密連結起來。恩益禧應用交互關係的效率很高，內部阻力也不大。不同經營單位能夠共用研發實驗室、業務人力、工廠、通路等價值活動。經營單位之間也聯手進行銷售、技術移轉、客戶／供應商關係與其他多項領域的活動。在這四大領域中，其實恩益禧都只有中等規模的實力，它能成功就是靠運用交互關係的能力。比它規模大的競爭對手，反而將注意焦點放在一、兩個特定事業領域。

恩益禧為何能達成交互關係呢？答案是它有一套使交互關係更容易進行的橫向組織。這套橫向組織是在縱向組織之上，使原本分權的經營單位在規劃、指揮、資源配置與獎勵辦法上，進行橫向管理。從結構上看來，恩益禧根據產品、市場、技術，將所有經營單位分成電子零組件、電信、電腦與家用電器等四大經營單位群。電腦、電信與電子零件經營單位群是以技術做分類，而家用電器經營單位群則是按市場來分類。根據這些大型經營單位群，如交換機與傳輸設備等相關產品，就被併在同一經營單位群之中，而彼此也有很強的交互關係。

恩益禧有四十四個遍布企業集團，持續進行的委員會，共同為形成跨經營單位群的交互關係而努力。其中最重要的是，負責界定電腦與通訊可能交互關係並加以應用的「電腦與通訊委員會」。恩益禧也對業務、配銷、製造、技術發展等方面的價值活動，採取部分集權管理。合作的經營單位共同發展出許多生產技術與軟體技術，並且共同使用。最後，該公司也設立許多臨時性委員會，目的在使不同經營單位的主管能夠協調工作。

恩益禧的「電腦與通訊」主題，使它能經常強化應用交互關係的需要。每個經營單位群都臣屬於恩益禧這個品牌之下。絕大多數的新經營單位也是由內部衍生。在經營單位群之間，主管採輪調制並且要經過企業集團層級的進階訓練（所有員工的聘雇也是由企業集團負責），恩益禧就是員工生涯規劃的全部。由於企業集團經常召開會議，經營單位主管也就更能與相關經營單位接觸。

前面提過，恩益禧的策略規劃流程還包括一個企業集團的規劃制度，讓各經營單位的策略規劃形成聯繫。它的獎勵辦法不僅要看財務表現，也要看經營單位對企業整體的貢獻。在恩益禧，內部客戶是經營單位最重要的對象，只有當外界能提供卓越的品質與誘人的價格時，經營單位才改為向外界採購。經過這一連串動作之後，恩益禧明顯發展出發掘與使用交互關係的組織文化。

日本企業與交互關係

成功達成交互關係的企業中不乏非日本企業，但日本企業大多具有以下的特質，因而更能夠有效地利用交互關係：

- ❑ 企業主軸超越一切的強烈信念。
- ❑ 由內部衍生出新經營單位。
- ❑ 比較不僵化的自主傳統。
- ❑ 更靈活、不依經營單位成果的獎懲。
- ❑ 價值活動集權化的意願。
- ❑ 應用委員會的傳統與更多主管間的人際接觸。
- ❑ 密集而持續的內部訓練。
- ❑ 由總公司進行聘雇與訓練事宜。

相較之下，歐美企業傾向於尊重經營單位自主權、或高度集權控制，日本的多角化企業則在平衡橫向與縱向組織的成果更佳。從很多方面來看，隨著交互關係的重要性與日俱增，日本廠商未來將構成西方廠商的重大挑戰。日本廠商的第一波競爭力來自廉價勞力，這種優勢又引發以品質與生產力形成的第二波競爭力。然而，隨著他們的創新能力日益增強，交互關係可能是日本廠商下一波競爭優勢的來源。

有趣的是，奇異、杜邦、IBM、寶僑家品等講究交互關係的美國企業，其實也具有前述那些特質。當交互關係對競爭優勢的重要性愈來愈大時，這些企業將是傳統上絕對分權、藉購併形成多角化的美國產業界的學習模範。

一個新的組織形式

支持橫向組織的各種原則，意味著多角化企業的新組織型態。過去，分權概念已經顛覆了多角化企業的傳統管理方式。許多企業能夠成功，正是因為它能順利將傳統組織過渡到分權型態。

多角化企業要迎戰當前的競爭，必須進行更多的組織變革。基於交互關係的重要性，新的企業組織型態愈來愈需要兼具縱、橫兩個面向。對多角化企業來說，分權仍是必要的，但是在分權架構之上，必須有一套達成重要交互關係的機制。在多角化企業中，橫向與縱向（分權）組織的平衡點是經常變動的，最理想的狀態是緊盯著所強調的活動而改變。話說回來，縱向與橫向平衡的重要性絕對是與日俱增。當經營單位有不同於姊妹經營單位的交互關係時，企業尋求的平衡點也要有所不同。

愈來愈多的情況顯示，多角化並不排斥交互關係。經營單位可以因分權而區分得更清楚，也可以因交互關係而獲得更多利益。有悠久分權傳統的惠普科技，正是一個積極平衡縱向與橫向管理的例子。近年來，在惠普科技，某些個人電腦與相關產品的設計製造單位正進行重組。因為這些獨立運作的經營單位，就是由於缺乏規模經濟與相關產品的協調動作，以致於無法抵擋IBM與蘋果電腦的攻擊。

新的企業組織型態是對僵化或窄化的自主權做修正，同時也要改變傳統對獎勵辦法與經營單位群及主管的看法。經營單位主管與其一味尋求自主、將委員會與其他的共同努力看成浪費時間；首先應該要修正「自掃門前雪」的觀念。對多角化企業而言，新的組織型態必須付出代價，這裡面包括更複雜的問題、更多的模糊性、更強的主觀性，並預期更多的衝突。然而，能夠在這個轉型中破繭而出的多角化企業，才能得到重大的競爭優勢。只要多角化企業走過這個轉型期，企業是否能因多角化而增加價值的爭議，將不辯自明。

| 第十二章 |

附屬產品與競爭優勢

大多數產業都受到附屬產品的某些影響。附屬產品指的是：「客戶採購主要產品時，連帶使用的產品。」附屬產品是一種跨產業的交互關係，因此對企業界定競爭範圍非常重要。

這一章重點在深入探討附屬產品，因為它們不只涉及企業的競爭範圍，還包含如何在特定產業中競爭的問題。

大多數產業都受到附屬產品的某些影響。附屬產品指的是：「客戶採購主要產品時，連帶使用的產品。」譬如電腦與電腦軟體的關係。附屬產品與替代品不同，因為當企業銷售其中一項產品時，同時也正促銷另一項產品。有時候，企業的產品線就是一系列附屬產品。它也可能搭配其他產業，形成附屬產業。

附屬產品是一種跨產業的交互關係，因此對企業界定競爭範圍非常重要。不同於前幾章討論產業之間的交互關係，這一章重點在深入探討附屬產品，因為它們不只涉及企業的競爭範圍，還有如何在特定產業中競爭的問題。

企業處理附屬產品的策略共有三種：

- 掌控所有的附屬產品：企業與其讓出一些附屬產品給其他廠商銷售，不如自行提供完整的系列產品（我們一應俱全）。
- 配套銷售：企業可以將區隔明顯、自成組合的附屬產品，以單一價格套裝銷售（恕不分售）。
- 交叉補貼：企業銷售某項產品時，附帶促銷另一項附屬產品（我們賣這項產品的目的是，打開另一項產品的市場）。

面對附屬產品時，企業必須先決定，自己一手包辦或由其他產業協力供應，因為這將攸關企業的競爭範圍。然後，企業必須決定如何在附屬產品市場競爭。一種選擇是配套銷售，這在產業界其實很普遍，只是大家通常不在意罷了。另一種作法則是交叉補貼，也就是附屬產品分開銷售，並依照附屬性機能訂定價格。只要產品之間有重要的附屬機能，企業就必須在這三種型態中做出選擇。

這三種作法在很多產業中都很常見，也對競爭優勢與產業結構造成不同程度的影響。但是，大家也常忽略執行這三種作法的陷阱。比方說，很多配套銷售是習以為常的產物；或無視交叉補貼的時機已逝，仍然維持原有作法，給予競爭者攻擊的機會，因為後者大可將競爭焦點放在用來進行補貼的產品上。

這一章將詳細說明企業需要什麼條件，才能從掌控所有附屬產品、配套銷售，以及交叉補貼三種作法中取得競爭優勢？而每種作法又各有那些風險？接下來我將介紹企業如何隨產業性質運用這三種作法。最後則是這三種策略可能遇到的陷阱。

掌控附屬產品

幾乎每個產業都有搭配使用附屬產品的情形。例如：電腦離不開套裝軟體與程式設計師；活動房屋需要常設的營地提供街道、電力供應，以及下水道設備。網球器材少不了網球場，飛機引擎則需要各種備用零件。

附屬產品必須一起使用，彼此的銷售業績往往休戚與共，同時也存在策略性關係。它們通常會影響彼此的市場形象，以及客戶對品質、價格的看法。這些效應對企業的差異化具有重大影響（見第四章）。另外，附屬產品之間的關係也會影響附屬產品的供應成本（見第三章）。

當產品必須與附屬產品一起使用時，一個重要的策略性課題是：企業對附屬產品應該掌控到何種程度？它應該大小通吃或讓出一部分給其他供應商？在某些產業中，經營全部的附屬產品會帶來重大競爭優勢，換成其他產業，可能適得其反，甚至還有自亂陣腳的風險。掌控所有附屬產品雖與配套銷售有關，兩者之間還是有明顯的區別。企業要從附屬產品獲益，並非只有配套銷售一途，分開銷售也可能有相同的效果。

以掌控附屬產品形成競爭優勢

企業可依本身的策略與產業結構，選擇不同的附屬產品策略以形成競爭優勢。這些是企業協調產品與附屬產品的價值鏈、與交互關係形成的競爭優勢：

改善客戶表現，進而加強差異化：附屬產品通常會影響主要產品的表現，並協助企業改善客戶的整體價值。正如碳粉匣關係到影印機的影印品質，設計完善的軟體也會增進一部個人電腦的效益。同樣地，賽車場的飲食攤位也明顯影響顧客的滿意程度。企業要從掌控附屬產業中得到好處，通常需要將產品配套銷售，並以此增進差異化。

當競爭對手只賣單一產品時，企業就可以從兼容並蓄的差異中獲得優勢。即使同業普遍發展某種附屬產品，沒有任何企業掌握獨到之處，但是整體產業結構可能因此而改善，結果還是對企業有利。

改善客戶對產品價值的認知：附屬產品常常影響客戶心中的產品形象或價值。比方說，簡陋或設計不良的活動房屋營地，會破壞客戶對活動房屋的印象。附屬產品在客戶心中引發的聯想，也導致它們互為彼此的訊號條件（見第四章）。因此，當企業掌控一種附屬產品時，即使不做配套銷售，仍然具有訊號上的競爭優勢。以柯達公司為例，它在底片市場的強勁地位，明顯區隔了它與不賣底片的相機廠商，但事實上，柯達是採取相機與底片分開銷售的作法。

從傳播價值訊號的作用來看，即使附屬產品無助於個別企業的競爭優勢，仍會對整個產業結構有利。以活動房屋產業為例，如果全體廠商致力於提供高品質營地，活動房屋的整體形象將有所改善，需求也會明顯提高，這就有利於整個產業的發展。其實，單靠一家廠商的努力，很難影響客戶對產品的印象，比較理想的情況是，多家廠商在整套附屬產品的產業中互相競爭。因此，企業應該鼓勵競爭對手一起進入附屬產品產業。

最有利的定價方式：客戶的採購決策往往不只衡量產品本身的價格，而是加上附屬產品價格之後的總成本。例如：顧客購買公寓或汽車時，絕不會只看售價，而是衡量每月支付費用的總額（包括本金與利息等費用）。同樣地，一般人也會以票價加停車費來評估看一場電影的成本。而且在比較產品與替代品時，附屬產品的成本差異也是一個重要項目（參見第八章）。

在這些情況下，附屬產品應該與主要產品聯合定價，並以獲取最大利潤為目標。不過，前提是企業必須能夠掌握附屬產品。比方說，電影院訂定停車場收費標準時，應該考慮降低停車費以吸引更多觀眾，使票房銷售更佳。我將在最後一節討論，何種時機最適合採用這種有計畫的交叉補貼。

企業要從聯合定價中得到好處，不一定要靠配套銷售，附屬產品的市場占有率也毋需與主要產品相當。即使企業在附屬產品的市場地位不如競爭對手，仍然可以用價格手段逼迫對手跟隨，進而影響該附屬產品的價格。例如電影院調低附設停車場的收費，就會迫使該地區其他停車場跟著降價。因此，企業只要能進入附屬產品市場，就有影響該產業發展的著力點，所需的市場地位也只要足以促動這股影響力就夠了。

降低行銷與業務成本：由於客戶對某一產品與其附屬產品的需求是相互關聯的，附屬產品也具有行銷上的經濟效益。因此，一項產品的廣告及相關行銷投資，常常會連帶刺激相關產品的需求，彼此也可能共用行銷或業務活動。同樣地，一項產品的既有展售點也會降低附屬產品的推銷成本。以電視遊樂器為例，主機的展售場地同時也能促銷遊戲卡匣。有時候，這類經濟效益會龐大到，企業必須掌控附屬產品，以達到足以讓行銷動作產生影響力的經費門檻。

當企業是少數兼營附屬產品的廠商之一時，可能帶來行銷上的成本優勢。即使多數同業也掌控多種附屬產品，整體產業仍是贏家，因為整個產業的行銷開支會普遍提高，對整體產品的需求也將超過對替代品的需求。此外，同業間普遍握有附屬產品，也有助於解決「搭便車」的問題。搭便車是指：有些企業利用其他廠商在附屬產品上的行銷投資，幫助銷售本身的產品。因此，企業兼營某種附屬產品的作法，即使很快就被對手仿效，仍對整個產業有利。

共用其他活動：掌控附屬產品不但有益於行銷與業務活動，還能夠增加價值鏈中許多活動的共用機會。比方說，企業可以用相同的後勤或訂單處理系統，進行產品與附屬產品的出貨作業。由於銷售對象的同質性高，共用其他價值活動的可能性也因而提高。第九章就討論過企業如何共用價值活動創造競爭優勢。

提高移動障礙：掌握附屬產品除了創造上述競爭優勢，還可能因附屬產品的進入障礙很高，而增加原有產業的進入／移動障礙。比方說，擁有銀行的房地產開發公司，持續競爭優勢的能力將會明顯提高，因為對大多數房地產業者而言，銀行業的進入障礙相當高。目前美國的房地產業者依法不得經營銀行，一旦限制解除，競爭態勢就會大不相同。

掌控附屬產品有兼容並蓄而不互斥的效益。例如：賽車場的飲食攤不僅影響客戶的滿意程度，售價還應該配合門票價格。根據顧客的特性，比較便宜的門票可能使更多顧客願意購買較貴的熱狗。如此一來，同時經營賽車場和飲食攤就有行銷上的經濟效益。企業因附屬產品形成的競爭優勢持續力，要看附屬產品的產業是否具有進入障礙而定。如果沒有進入障礙，競爭對手將能輕鬆、快速地具備相同競爭優勢。

企業也可能不必參與，只須經由聯盟（coalition）就取得掌控附屬產品的好處。比方說，企業可以和附屬產品供應商協議定價，或分攤行銷費用。這種作法的問題是，維持穩定持久的協議並不容易。另外，附屬產品的供應商既是獨立企業，就會希望搭便車，考慮價格與策略時，主要是自身的最大利潤，而非雙方共同獲利的觀點。不過，企業仍應留意透過聯盟獲得掌控附屬產品效益的機會。這種機會一旦出現，還是最划算的作法。有時候，投資對方的股票或其他準整合形式，也是解決協調困難的可行方式（關於準整合形式，參見《競爭策略》第十四章）。

掌控附屬產品的問題

企業評估掌控附屬產品的好處時，不能忽略潛在的問題。首先，附屬產品的產業結構可能缺乏吸引力，獲利能力也不如主要產品的產業。企業掌控它們雖然能提高主要產品的獲利能力，仍應比較此一投資與資金另作他用的效益。因為權衡利弊之後，掌控附屬產品未必是最有利的作法。

第二個問題是，附屬產品產業的管理模式可能不同於主要產品產業，企業如果欠缺相關條件，將很難在該產業中取得競爭優勢。因此，考慮掌控附屬產品的任何好處時，也必須衡量失敗或在競爭中屈居劣勢的風險。事實上，企業即使購併附屬產品的供應商、並維持它的獨立經營，並不意謂已具備進軍該產業競爭的條件，因為大多數的效益，來自於附屬產品間的密切協調。

掌控附屬產品與產業演進

「掌控附屬產品」本身的價值也會隨產業發展而變化。比方說：一個產業發展初期，產品品質還不穩定，許多廠商的經驗也不夠，特別需要利用附屬產品來改善產品品質或形象（參見《競爭策略》第十章）。在彩色電視機剛推出的頭幾年，美國無線電公司對售後服務單位的需求，就較獨立服務站熟悉彩色電視修護技術之後為高。一旦附屬產品的產業成熟，理想的作法是，退出或收割在該產業的市場地位。這時候，附屬產品的獨特性不再，也無助於企業整體差異性，反而是獨立經營的供應商表現愈來愈好。因此，當附屬產品市場已經出現實力強勁的供應商時，如果企業還不肯放手，對差異化只是有害無益。

附屬產品帶來的價格優勢也可能隨產業成熟而消失。在產業成長階段，由於供應商效率不高，附屬產品的價格通常偏高。此外，產品項目不完整，也可能造成供應商效率不彰與行銷投資不足。

產業發展狀態與掌控附屬產品需求並沒有絕對的關係，例如行銷成本與共用活動上的競爭優勢就會持續存在。一個同時擁有旅館、高爾夫球場、其他運動設施與交通運輸工具的渡假中心，就比只經營旅館的業者更具競爭優勢。此外，企業還必須定期檢討，掌控每一種附屬產品的獲利能力。有些附屬產品的利益比較長久、甚至會不斷增加，而另一批附屬產品卻需要在適當時機退出市場。

界定具有策略價值的附屬產品

既然附屬產品明顯影響產業結構與企業的競爭地位，企業就必須清楚了解，自己的產品有哪些附屬產品。附屬產品有時很難辨識，並以異於一般認知的型態出現。大多數產業的產品都擁有許多附屬產品，只是附屬的程度不等。表12.1就是某些與住宅有關的附屬產品。

很多產業就像住宅產業一樣，有大量潛在的附屬產品，

表12.1 與住宅相關的部分附屬產品

融資	割草機
房屋保險	草籽
房地產仲介	游泳池
家具	烤肉架
家電設備	燈泡
地毯	寵物
幼兒室	庭院水管

因此必須進一步分辨出具有策略價值的附屬產品。如美國家園（U.S. Home）等房屋營造商，如果全面進入表12.1的所有產業競爭，將毫無競爭優勢可言，但是它如果只選擇進入部分產業競爭，就有可能獲得某種競爭優勢。

有策略價值的附屬產品具有兩項特質：一、客戶會將它們聯想在一起，二、它們對彼此的競爭地位有明顯影響。企業產品與另一項附屬產品在客戶心目中的關聯性，可能就是競爭優勢所在。在客戶心中，附屬產品的形象，會因兩者的關聯性而以整體面貌出現，並以集體形式評估它們的效益或成本。這類關聯性也是進行共同行銷或銷售的基礎。

因此，附屬產品的策略性關係，主要取決於客戶的看法。企業可依客戶心中的關聯強度，列出主要產品與附屬產品的重要順序。比方說，客戶通常把房屋與貸款聯想在一起，卻很少將房屋與草皮種類放在一起考慮，後者之間其實是有關聯的。同樣地，看電影與停車費常被聯想在一起，而開車到電影院的成本卻很少被列進來。當客戶尚未意識到產品之間的關聯性，企業卻能成功地引導出這樣的聯想，就可以形成己方的競爭優勢。因此，企業要了解客戶對附屬產品的聯想模式，必須深入認識客戶的購買行為。

第二種檢驗附屬產品是否具有策略重要性的標準，是它對企業競爭優勢或產業結構的影響程度。附屬產品如果不能對總成本或差異性產生影響，就不值得經營。比方說，燈泡是檯燈的附屬產品，但是它對檯燈的差異性或行銷成本並無幫助。話說回來，當同業普遍掌控附屬產品時，受益的是整體產業結構，因此，企業經營附屬產品時，不能只看它能否帶來競爭優勢，還要看它對整體產業的作用。

配套銷售

原本分開銷售的產品或服務，改以套裝形式銷售時，這種作法就叫配套銷售。比方說，有很長一段時間，IBM與客戶交易時，電腦硬體、應用軟體與支援服務是一併討論的，而傳統上，廠商會以單一價格，將汽油抗爆劑與相關技術服務賣給客戶。由於廠商常不自覺地應用一些配套銷售形式，它應該仔細地檢查相似產業區段的關係，將所有可能區隔的產品與服務單獨列出，才能確定產品是否正以配套型式銷售。例如：交貨與售後服務可視為產品的一部分，也可以分開進行。類似的情形還包括：零售商同時提供免費停車服務，或航空公司免費供應餐點與行李運送作業。有些配套銷售形式因為由來已久，甚至大家都習以為常。

配套銷售意謂著，無論客戶需求是否有差別，都得接受企業以相同套裝形式銷售產品與服務。像汽油抗爆劑的客戶群中，其實不乏寧可犧牲某些服務換取較低價格的客戶，但是他們沒有選擇的餘地。當客戶所需的產品或服務組合不同，或對相關產品、服務的需求程度不同，他們對配套銷售的接受程度也會不同。在這些情況下，有些客戶是被動地接受企業的配套銷售。

因此，除非配套銷售提供的好處，能夠抵消某些客戶將配套視為次佳選擇的感受，配套並不是一種最理想的作法。配套銷售固然能創造競爭優勢，但是重要性是因產業、甚至產業區段的情況而定。另外，在某些產業進行配套銷售，可能引發重大風險。

配套銷售的競爭優勢

當企業價值鏈中某些活動能夠支援配套銷售時，共用這些活動的能力就是競爭優勢的來源。配套銷售的優勢可以歸納為下面幾類：

配套的經濟效益：這是指，廠商只提供一種標準產品配套的成本，遠低於按特定客戶需求提供不同的產品與服務組合。這種經濟價值來自於，企業所配套的產品能夠有效運用價值鏈中的交互關係，並將共用活動的價值發揮到極致。比方說：將一組套裝產品賣給不同客戶時，如果是由同一個業務人員負責、同一輛卡車運送、或由同一個技術人員負責檢修，必然形成降低成本的效果。結果也使得配套產品的價格低於各單品的價格總和。以海上石油鑽探服務為例，廠商如果能以同一員工同時負責兩種相關服務，就比個別服務且由專人負責更具有競爭力。分攤蒐集客戶資訊的成本，則是另一個使產品配套更經濟的原因。例如：顧問公司提供客戶某項服務時，如果能將它所獲得的客戶資訊運用在其他配套項目，該客戶將享受更低的成本和更好的服務。相較之下，不採取配套作法的公司，即使只提供單一服務，也必須作一次完整的調查。

配套產品也因生產的規模經濟增加，或學習曲線降低，產生降低成本的效果。企業提供相同的配套產品，因為所生產的單品數量一致，生產成本可能會降低。以消防車為例，在提高規模經濟與降低學習曲線上，廠商採取標準配備就比設計不同警笛或警鐘組合的消防車更具效益。企業提供統一的套裝產品，也會提高業務人員的生產力，因為他們節省了解釋產品如何搭配的時間與精力。最後，配套產品可以明顯降低管銷成本。企業對所有客戶提供相同的套裝產品，通常能降低文書作業、後勤安排等交易成本。有些案例也顯示，因標準化、規模或學習等經濟效益，客戶購買套裝產品反而比單項產品划算。

要從配套銷售的經濟效益獲得競爭優勢，前提是競爭對手無法聯手複製這種配套策略，或做不出抵消配套優勢的反制性動作。事實上，廠商之間協調聯手並不容易，這也使得合力反制幾乎不可能出現。

增加差異性：當競爭對手只銷售單一產品時，配套銷售就可以形成差異化。因為客戶一起使用、或一起採購整個套裝產品的各個單品，使得套裝產品的各單品在客戶價值鏈中形成鏈結關係，因而提升了配套對差異化的影響力。單項產品不僅因此喪失差異性，還必須在個別專業領域中，與最強的對手全力競爭。

以下是配套銷售提高差異性的途徑：

❑ 更多產品差異條件：比起只提供單項產品的對手，廠商配套銷售將有更多發展差異化的面向。例如，他更能保證整套產品的可靠性，或以單一定點提供完整售後服務。甚至，就算單品本身並不特別突出，仍可經由配套銷售形成產品或服務的獨特性。

- 高效能的介面。當附屬產品的介面尚未建立標準時，企業必須配套銷售。同一個企業依照客戶需求，將所有必須一起使用的單品配套銷售，有助於提高單品之間的相容性。然而，這種效果的先決條件是，介面技術很困難，單品之間的相容性也很低。
- 最適當的配套整體表現：即使套裝產品的各單品介面已經標準化，配套銷售仍可由各單品的設計、製造與服務，形成整個配套的最佳表現。由於銷售單品的競爭者不能沒有附屬產品搭配，又無法直接控制它們的功能設計，採取配套方式具有掌控全局的優勢。企業的優勢會來自於單品間相互依存關係形成的整體表現。
- 一站購足（one-stop shopping）：配套銷售會使客戶的採購更為簡便。企業提供套裝產品，等於保證其中各項單品的可靠性，減少客戶購買時的不安全感。由單一機構全權受理客戶抱怨或提供服務時，也能夠提高客戶價值。一個很好的例子是，貝爾公司在自由化政策下改組，各單位自行其事，結果反而造成用戶對服務權責不明的抱怨，這正說明了拆解配套機制，相對喪失以產品差異進行競爭的特色。

增加價差的機會：當客戶對各項單品的價格敏感度不同時，配套銷售有助於增加整體利潤。這種效果在「混合式」策略下尤其明顯，因為企業是以單一價格銷售整套產品，一旦分售，所有單品的價格總和將高於配套產品價格。相較之下，配套銷售明顯有助於整體營業額。

配套購買與分項購買的價格差異，是形成這種機制的關鍵。有時候，客戶即使不需要整套產品，只因整套購買的成本低於最想要的單項產品，他可能因此捨單品而選擇套裝產品。此外，企業採取混合式的配套策略時，它對堅持單買的客戶可以出高價，而對其他客戶銷售套裝產品。

配套銷售的價格優勢與客戶需求的分布情形有關。當客戶對各單項產品的價格敏感度有很大差異時，配套銷售最為有利。這種情況下，企業的價格策略就不受客戶所開價格的影響。

提高進入／移動的障礙：配套銷售的另一個優點是，它可以提高產業的進入／移動障礙。競爭對手遇上配套銷售廠商時，只發展專業功能是不夠的，因為對方是靠套裝產品中所有單品形成競爭優勢。

減輕產業內的競爭：產業內部都是配套銷售廠商時彼此的競爭，可能比同時存在配套銷售廠商與單品專業廠商時更為穩定。如果產業內的所有廠商，都以相同的配套組合、相同的配套價格競爭時，彼此比較容易形成相互依存的態度，削價競爭的動機也低於拆解配套、單品分開銷售的情形。

配套銷售的風險

配套銷售的風險取決於產業結構與企業策略，並視採取焦點策略的專業單品對手攻擊它潛在弱點的可能性而定。因為焦點化策略的一個原則是拆解配套，拿掉客戶較不需要的功能（參見第七章）。但是像IBM這種具有競爭優勢的廠商，也可能無視風險，持續配套策略。

客戶需求的多樣性：配套銷售的前提是，肯買套裝產品的客戶數量相當大。如果客戶需求差異很大，配套產品只能算是某個產業區段客戶的次佳選擇時，配套銷售反而不如焦點化競爭，因為後者能針對特定產業區段的需求，提供更專業的產品組合。比方說，當客戶要求的售後服務具有很大的差異時，採取焦點化策略的對手可能推出陽春產品，並取得起碼的市場占有率。人民航空就是很好的例子，它拆開傳統航空公司的服務項目，取消免費餐點以及免費行李運送等措施。這一招對重視票價、但不在乎機上服務的客戶，特別有吸引力。同樣地，折扣商店能成功打擊傳統零售商，主要是靠減少服務、不賒欠、沒有其他選擇、不做廣告等，來吸引特定客戶群。

客戶自行配套的能力：成功的配套銷售策略，必須找出滿足客戶需求的配套設計，並將產品預先組合後賣給客戶。如果客戶在技術、財務與管理等方面，有能力自行配套時，配套策略就會失靈。因為客戶可以採購陽春產品，再自行組裝，或採購部分產品，同時也自行生產其他配套產品或服務。

單品專業廠商發展配套中的單品並訂出更誘人的價格：當專業廠商針對配套中的部分單品，進行降低成本或提高差異化的生產動作時，配套銷售也會遭遇困難。第七章提過，廠商專業化與競爭優勢的關係。單品專業廠商可以因應配套產品中特定單品的生產或銷售而修改價值鏈，它也不需要過度負擔共用活動的協調或妥協成本。

專業廠商即使只著眼於配套中的單品，仍可能從產業交互關係形成優勢。比方說，當電子廠商面對製造整套電機系統的對手時，如果它專門生產該系統中的某個電子零組件，仍可能因為它可以與相關領域的姊妹經營單位，共用如研發、測試設備等價值活動，而形成成本優勢（參見第九章）。

聯盟配套銷售：當焦點化單品廠商聯合提供配套產品時，對配套廠商也是一種威脅。聯盟的形式很多，例如技術分享、聯合銷售或服務組織等都是。

配套銷售或單品銷售

企業該不該配套銷售，取決於配套風險與競爭優勢的利弊得失。配套策略的風險是，專業單品廠商常以配套產品為攻擊對象。如果配套的競爭優勢大，風險低，套裝策略必然成為這個產業的主流。配套銷售與單品銷售的策略是對立的，產業走向一旦明朗，最適策略就要迅速轉換。

許多產業中，配套策略與單品策略很難並存。一旦採取單品策略的廠商站穩腳步，馬上會形成配套廠商改弦更張的壓力。單品銷售會令客戶察覺，配套產品並未滿足他們真正的需求，他們可以在整套產品與單一產品間做選擇。

單品廠商攻擊配套銷售對手時，常從能滿足主要客戶，不需輔助性服務的陽春產品下手。另一種攻擊途徑則是，供應配套廠商效率較低或索價太高的周邊配備，如備用零件或服務等。第十五章將說明，企業進入新產業的一種方式是，將配套產品拆開來攻擊配套廠商。

領先採取單品路線的廠商一旦成功，往往引來更多廠商仿效跟進，提供配套內的其他單項產品。時間一久，客戶便能夠選擇更符合需求的產品組合。當某些單品廠商取得可觀的市場占有率時，原本支撐配套銷售的條件如規模經濟、降低競爭、形成障礙等，也將隨之崩潰。影響所及，原先採取配套策略的廠商也將被迫拆解配套。

不過，當客戶需求差異很大，部分客戶群特別重視套裝功能、或配套乃是產業主流時，配套策略與單品策略就有可能並存。比方說：產品配套形成的最佳整體表現，可能對某些客戶非常重要，因此，即使供應部分單品的廠商主導了許多產業區段，配套策略仍可以在前述客戶群中持久不衰。客戶愈內行，自行設計配套產品的傾向也愈明顯，配套產品仍會吸引較不專業的客戶群。以民航機為例，賽斯納公司（Cessna）所提供的配套服務就包括，飛機、維修、駕駛員、機庫、辦公場所與降落費，並且採按月收費。對希望委託業者全盤負責的客戶，這種作法就很有吸引力。企業要擁有獨特的競爭優勢，也可以嘗試混合策略，也就是同時提供整套產品與部分單品。這種作法可能不利於配套產品的銷售，但是如果配套帶來差異性或差價時，混合式也有其價值。

配套銷售與產業發展

配套銷售會帶來優勢或風險，往往與產業結構有關，最恰當的產品配套方式會隨產業發展而改變。由於產品配套的方式太多，產業發展過程中，配套銷售的吸引力將會隨之增加或減少至今尚無定論。大體而言，配套銷售會隨產業發展而走向單品分售。以商業保險為例，標準的配套產品已被如虧損預防諮商等分項服務取代。客戶可以根據需要，選擇涵蓋較廣或特定的保險服務。視訊產品就是由配套銷售到單品分售的例子。正如音響設備已被拆成許多單項產品，視訊系統也逐漸分成顯示器、揚聲器、遙控器、遊戲機等不同產品。另外在建築物監控系統、加油站、電腦以及醫院管理服務等產業，也出現從配套到拆開分售的趨勢。

長期而言，配套的競爭優勢或風險將隨產業演變而變化，並導致產品由套裝走向分售。改變配套的相關條件包括（參考第五章提到產業技術長期變遷的型態）：

客戶自行配套的能力增強：假以時日，客戶的學習能力加上技術擴散作用，自然會強化他們自行搭配產品的能力。當客戶具備處理產品相容性的專業能力，就不必完全依賴單一來源。這種情形更會因產業成長，客戶逆向整合的趨勢而強化。甚至，客戶一有能力自製部分單品，就不需要購買整套產品。

產品／技術標準化：隨著產業趨於成熟，產品標準逐漸形成，客戶不需要依賴配套產品，也能夠達到最佳的產品整體表現。產品標準化也會降低產業的進入障礙，並使客戶更容易搭配單品。在產業成熟、標準建立之後，原本介面不相容的困難也會隨時間遞減。而供應商的水準提高之後，不但有能力供應配套的部分單品，更引發配套產品進入拆開分售的過程。

套裝產品中各種產品的需求減少／改變：當產業成熟時，許多客戶對服務、應用工程與其他配套內容的需求，也開始減低。在產業發展初期，產品品質尚未穩定，產品功能也有待時間檢驗，購買使用的潛在風險也很高（參見第八章）。這些特質使得客戶選擇比較安全的配套銷售廠商。配套銷售也變成產業起飛的必要動作，光纖與汽車的電子點火裝置，都是明顯的例子。然而，當產業趨於成熟，客戶對服務與支援性活動或改為自行作業，或需求減低。此外，更多客戶出現，產業區段也更加分化，客戶需求則更多樣化。如此一來，客戶需要不同型態的配套產品，並開啟單品銷售廠商進入的空間。

產業規模抵消套裝產品的規模經濟：隨著產業發展成熟，產業規模的擴大會給予只生產某些單品的專業廠商存活空間。

這時候，客戶對部分單品的需求增加，超越生產規模門檻、與固定銷售成本。這也是第七章討論過，焦點化策略在新市場區段能夠有所作為的原因。

客戶的價格敏感度升高，形成必須拆開分售、降低成本的壓力：當客戶更在乎價格，自然會設法節省成本。可行途徑之一就是購買單項產品，再自行配套，或是只買套裝產品中自己需要的部分。即使產業內尚無單品專業廠商，客戶仍可能是發動配套產品拆開分售的源頭。

吸引單品專業對手加入戰局：配套廠商的成功，會引來其他競爭者染指的企圖。由於循原配套方式會遭遇較高的進入障礙，新進廠商自然傾向於分售策略（見第十五章）。前述各種理由也為它開啟成功的大門。

當產業發展時間愈長，客戶能力愈強，配套產品拆開分售的趨勢也愈明顯。這類客戶通常具有一定的技術實力，能自行搭配配套產品，客戶的議價能力也是迫使企業放棄配套的壓力，並因此降低專業單品廠商進入障礙的原因。例如某些知名汽車廠雖然在開始時採購全套的煞車或點火系統，隨著技術發展，這些系統化產品回歸到零件組合，並且由各專業供應商提供。這個過程中，供應單一產品的業者能順利存活，汽車廠商從旁協助是一個重要的原因。

當產業景氣下滑、競爭激烈時，也會觸發或加速套裝產品拆開分售。做困獸之鬥的競爭者為了增加業績，不惜拆開套裝產品，結果走上拆開分售的不歸路。商業保險就是最好的例子，當經濟不景氣時，渴望衝出業績的保險公司，紛紛走上產品拆開分售的路子。

率先打破配套銷售型態的，通常是後繼廠商或新進業者。後繼者走上拆開分售一途的理由是，他們必須破解相對於配套銷售對手的劣勢。唯一可能的希望，是改變遊戲規則以降低移動障礙。產業新面孔則積極找尋最新浮現的產業區段，或缺乏明確經濟價值的配套領域，甚至於在客戶需求的變動中，進行分開銷售。將產品分開銷售的產業新面孔，大多察覺到有些客戶並未得到最佳服務，因而脫離配套廠商自行創業。

儘管配套產品分開銷售的可能性，會隨著產業發展而增高，假如配套銷售的競爭優勢很顯著，而且尚無取代之道時，配套銷售仍可以持續進行。比方說，即使客戶需要的單品很齊全，但是基於保障或協助正確組裝，配套銷售的效益或成本利益仍會持續不墜。當產業龍頭控制了部分單品的專屬權，而客戶唯有整套採購才能使用該單品時，配套銷售也能夠持續下去。此外，產業龍頭也可能藉由控制配套產品的專屬介面，達到保護整套產品的效果。為此，龍頭廠商可以將產品介面設計得很複雜，以延遲單品專業競爭對手的進入速度。像IBM就是這方面的高手。有時候，保護配套銷售也是一種防禦性策略（參見第十四章）。

產業競爭方向一般是從配套銷售到拆開分售，但也可能反其道而行。例如技術變遷就可能導致產品功能或介面的配套處理。當生產流程改變，規模經濟也可能導致套裝產品出現。另外，原本禁止配套的法規也可能修改。不過，即使產業條件有利於配套銷售，拆開分售還是可能繼續發展。當供應商都走專業化路線，並且沒有任何企業能發展成套的產品時，客戶也可能被迫自行配套組裝。只要有一家廠商能創新配套方法，整個產業結構也可能因而改觀。

金融服務與醫療保健都是以配套策略取代分開銷售的例子。例如美林的現金管理服務（Cash Management Account, CMA）就以先進的資訊系統科技，重新組合股票經紀人、活期存款、信用卡，以及其他原本獨立運作的金融服務。在醫療保健行業中，也出現將個別服務配套經營的趨勢。不過，同屬醫療保健產業的居家護理、專業急診室與施行小手術的小醫院，卻是將醫院提供的系列服務拆開個別運作。這個例子也說明，產品配套的競爭優勢必須就所在的產業區段個別評估，不能一概而論。

配套銷售的策略運用

無論採取配套銷售或拆開分售策略，都必須先做前述分析，了解配套銷售的策略性作用。由於這兩種策略彼此對立，當廠商選擇時，必須反覆檢查兩者的利弊得失：

只對競爭優勢大過風險的產品進行配套銷售：當配套銷售具有前面提到的效益，而且大過風險時，它將是企業競爭優勢的重要來源。在這種情況下，如果製造廠商無視客戶對配套產品的需求，將給配套銷售的競爭者可乘之機。因此，企業選擇配套銷售或拆開分售之前，必須先仔細分析客戶價值鏈，並了解不同產業區段的差異。

避免不自覺的配套：很多企業會不自覺地進行產品配套。這種作法的危險在於，當單品專業廠商鎖定配套廠商的弱點並發動攻擊時，後者可能還渾然不覺。因此，配套銷售策略應該經過審慎研判，並確定配套的競爭優勢必然大於風險，而不是沒弄清楚即盲目決定。

未雨綢繆：產業發展時間一久，配套產品拆開銷售的可能性也會隨之增加，原本採取配套銷售的廠商必須提高警覺，留意配套的風險與競爭優勢的變化，以充分掌握產品拆開分售的可能性。配套廠商還必須清楚，客戶購買配套產品是為了節省成本，或是因專業能力不足。如果是後者，配套產品的組合不會一成不變。很多廠商因為堅持配套銷售策略，結果眼睜睜地看著己方市場不斷流失。

配套廠商可能是競爭對手重建產業結構的良機：當廠商不自覺地進行產品配套，或產業結構不斷發展時，配套產品常常是單品分售廠商打擊的弱點。而長期實施產品配套銷售的產業，也是考慮進入新產業廠商的理想目標。

交叉補貼

如果嚴格定義，附屬產品無論是一起使用或同時採購，都可以針對彼此關係的密切程度定價。這種作法會刻意以低利潤甚至低於成本的價格銷售某種產品（我稱之為基本產品），目的是促銷其他利潤較高的產品（我稱之為盈利產品）。

這種銷售方式在零售業通常被稱為「黃雀在後」（loss leadership）。它以成本價或低於成本的價格銷售某些產品，目的在吸引價格敏感度高的顧客，並希望顧客上門後連帶購買店裡其他利潤較高的商品。一般商店也會利用這種定價方式，建立廉價的形象。

在涉及附屬產品時常見的「剃刀與刀片」策略中，也會看到黃雀在後的定價模式。廠商以成本或低於成本的價格銷售剃刀，目的是後來顧客更換刀片時，購買更多、利潤較高的刀片。同樣的銷售策略也出現在相機、飛機引擎以及電梯等產品。它們的附屬產品包括耗材（如相機用底片）、非消耗性產品（如電子遊樂器的卡匣）、替換零件（如飛機引擎的零件）或服務（如電梯的維修）等。

另一種交叉補貼的方式是帶動（trade-up）策略。使用這種策略的廠商將顧客最先購買的產品價格壓低，顧客一旦使用該項產品後，接著勢必選購同一系列但利潤更高的產品。這類作法常見於輕航機、摩托車、影印機以及電腦等產業。

交叉補貼的有利條件

交叉補貼的目的，不外乎藉由折價出售基本產品以提高盈利產品的銷售量，進而增加整體利潤。這項策略要成功，必須具備下列條件：

基本產品的價格敏感度高：顧客有興趣的基本產品必須有折讓的空間，並能因此增加盈利產品的銷售量，才足以彌補基本產品的折扣損失，並使企業享有合理利潤。如果顧客並不在乎基本產品的價格，理想作法仍是讓基本產品與盈利產品的價格都能反應正常利潤。

盈利產品的價格敏感度低：顧客不在乎盈利產品的價位高低時，企業才能提高盈利產品的價格，並避免銷售量大幅滑落。否則，要以盈利產品的利潤彌補基本產品的折價損失，將會更加困難。至於盈利產品的價格敏感度，要依它所創造的客戶價值與替代威脅而定。

盈利產品與基本產品關係密切：盈利產品大多必須緊跟著基本產品銷售。唯有如此，顧客才不會光撿好處，只買低價位的基本產品。產品之間的密切關係其實不一定表現在配套銷售上。但是這種關係必須密切到，同時購買這兩類產品的客戶數量，足以平衡基本產品折價出售的損失。

基本產品與盈利產品間的關係來源，會因產業而異。在零售業，這層關係建立在購物成本上，客戶通常會在店裡順便選購其他商品，以減低購物成本。在帶動策略中，不同產品是靠品牌忠誠度與移轉成本聯繫。這也是剃刀與刀片策略中，顧客購買與剃刀相同廠牌刀片的原因。此外，顧客認定或確實的相容性也可能聯繫不同產品（如軟片、備用零件），譬如客戶大多相信，產品製造商是供應相關零件、保養或維修的最佳選擇（如電梯）。基本產品與盈利產品的關係也與盈利產品被替代的可能性有關。比方說，如果備用零件可以整修後再利用，則儀器設備與零件的銷售關係就會因而減弱。

進入盈利產品產業的障礙：除非基本產品與盈利產品之間有很強的關係，交叉補貼策略要成功，盈利產品必須具備很高的進入障礙。就像企業採用剃刀與刀片策略時，備用零件或耗材的仿製障礙特別重要。

交叉補貼的風險

交叉補貼的風險通常與彼此欠缺密切關係有關。如果基本產品與盈利產品的關係不強，兩者交叉補貼的結果，會使得低價的基本產品雖然好賣，但盈利產品卻幾乎賣不出去；而客戶需要盈利產品時反而都向競爭對手購買。這種情況可能以幾類形式出現：

顧客只挑便宜的買：客戶只選購基本產品，而不買盈利產品，真需要盈利產品時，則改向另一位不實施交叉補貼的供應商採購。

盈利產品有替代品：如果客戶可以不用或少用盈利產品，它對購買盈利產品的興趣就會減低，這也影響到交叉補貼的效果。比方說，備用零件可以修整後再利用，或消耗性零件的使用年限增長，都會產生這種影響。

客戶進行垂直整合：客戶雖然購買基本產品，但是透過內部整合自行生產盈利產品。例如自行處理基本產品所需的後續服務，或自行製造、整修零件。

專業的（採取焦點化策略）競爭對手：採取專業路線的競爭對手，會以較低的價格銷售盈利產品。譬如獨立服務公司針對特定品牌的儀器設備，專門提供相關服務，或仿製備用零件。它們通常鎖定產業龍頭的產品，提供比較單純的服務項目，或仿製最常更換的零件。設備製造商的零件與服務利潤因而減少，重心轉入較複雜的維修項目或低產量的零件供應。在船舶引擎產業中，沒有獲得授權的零件供應商就以蘇哲兄弟公司（Sulzer Brothers）為主要目標。產業中出現專業競爭對手的風險高低，要看基本產品與盈利產品之間的關係強度，以及進入盈利產品產業的障礙高度。

交叉補貼與產業演進

隨著產業趨於成熟，適合交叉補貼的情勢也將有所改變，如同配套銷售會隨時間而愈來愈不適用。交叉補貼吸引力減少的原因包括：

基本產品與盈利產品的關係減弱：當客戶愈來愈內行，對價格也更加敏感時，它向銷售基本產品廠商購買盈利產品的需求就會降低。當技術普及導致移轉成本降低，或與盈利產品相容的同類產品出現時，基本產品與盈利產品的關係也可能減弱。

進入盈利產品產業的障礙降低：當技術取得容易，差異性減弱時，進入盈利產品產業的障礙就會降低。結果將導致客戶逆向整合進入盈利產品產業。

盈利產品被替代的可能性提高：當產業趨於成熟，盈利產品的替代品也將陸續出現，像修整零件的新技術（如飛機引擎零件），或節省耗材的新方法（如重複使用的人工腎臟透析膜）等都是例證。

交叉補貼策略的運用

在相關條件具備的情況下，交叉補貼顯然可以改善企業表現。例如吉列（Gillette）、柯達和全錄等知名廠商，都成功運用過這種策略。但是，交叉補貼的有利條件不會永遠存在，仍要靠廠商費心維持。甚至，交叉補貼應該是有意識地進行，而非誤打誤撞的結果。

以下是交叉補貼的重要策略性作法：

創造進入盈利產品產業的障礙：為了使交叉補貼策略具有持續力，企業必須創造或強化進入盈利產品產業的障礙。比方說，它可能需要保護獨家的服務流程、零件生產技術以及耗材設計，以避免被仿冒。因此，積極進行專利註冊，為各種機型設計精緻的耗材，對客戶大力宣傳購買原廠盈利產品的重要性等，都是必要動作。很多企業因為不在意這些因素，就無法從交叉補貼策略中獲得優勢。

全錄公司是全力保護盈利產品的最佳例子。在影印機產業中，耗材是一項很重要的利潤來源，全錄不但提供各機型專用的碳粉匣，同時還大力宣傳，要確保最佳影印品質就得使用原廠的耗材。

強化基本產品與盈利產品間的關係：任何能強化基本產品與盈利產品關係的作法，都有利於交叉補貼策略。一種作法是，提高對手生產相容性產品的困難度。柯達公司採取的則是另一種戰術，它透過廣告，讓消費者相信柯達相紙是沖洗相片最理想的選擇，結果讓相機與相紙兩種產品緊密連結。

隨著產業發展，調整交叉補貼的作法：支撐交叉補貼的條件一旦改變，策略也要隨著調整。基本產品與盈利產品的相對利潤也應逐漸趨於一致。企業還可以利用更複雜的長期價格策略，將盈利產品低價賣給最容易移轉品牌的客戶，進而形成自己的優勢。必須注意的是，不能提供競爭對手保護傘，以免鼓勵他們進入盈利產品產業。

鼓勵更多廠商進入基本產品產業，以增加盈利產品的銷售量：當企業握有盈利產品的專利權時，它可以利用授權等方式鼓勵更多廠商進入基本產品產業，進而提高盈利產品的銷售量，這也是企業需要競爭對手的一個理由（參見第六章）。如柯達公司就以提供底片規格的作法，鼓勵更多廠商進入相機產業，而相機的銷售量反過來提高底片的銷售業績。

避免無意識地進行交叉補貼：交叉補貼應該是一種精心設計的策略性動作，而不是無視成本的決定。如果企業不了解不同市場區段的成本差異，就會無意識地進行交叉補貼。第三章介紹過策略成本分析方法，它就是交叉補貼策略成功的關鍵。如果企業無意識地交叉補貼，不但會讓競爭對手撿便宜，還會吸引更多競爭廠商加入。

附屬產品與競爭策略

每一種產業都有附屬產品。企業必須了解哪些附屬產品比較重要、它如何影響競爭優勢和整個產業結構？企業還必須決定生產哪些附屬產品、如何配套與定價？附屬產品的配套或分售會使產業結構發生根本變化。因此，企業的挑戰是，如何針對附屬產品擬定利己的策略，而非任憑它們成為對手獲得競爭優勢的來源。

第四部

攻擊策略與防禦策略

■如何因應不確定性？

■如何改善或維護競爭地位？

| 第十三章 |

產業情境模擬與不確定狀況下的競爭策略

面對不確定的未來時，企業應如何選擇競爭策略呢？

這一章將說明，如何建構「產業情境模擬」，以及如何運用它們制定可行的競爭策略。首先說明如何辨識不確定性的來源，並使它們在產業情境模擬中表現出應有的意義。接下來討論分析情境模擬的方法，以及如何找出對產業結構與競爭優勢最具價值的情境模擬。最後說明企業面對不確定時如何選擇最佳策略？如何將產業情境模擬放進企業的策略規劃流程？

面對未來的不確定性時，企業應如何選擇競爭策略呢？油田設備製造廠商就很苦惱，不知道探油活動的低迷狀態還要持續多久？有時快則一年就解脫，慢的話可能拖上十年也不一定。因為產業結構不是一個靜止的狀態，許多企業都面對高度不確定的產業結構變化。不確定的來源很多，有些是產業內部的問題，有些可能來自產業外部因素。許多觀察家都同意，過去十年來，由於原料價格浮動，金融和貨幣市場擺盪，加上法令管制解除，還有電子科技革命和國際競爭日益劇烈等因素，廠商面對的不確定性也大為增加。

企業有它處理不確定性的因應之道。有些企業在制定競爭策略時，不太重視「不確定性」。它的策略通常是建立在歷史會重演的假設、或是經理人自己的預測。經理人公開或私下預測未來的產業結構時，常受到傳統看法左右並產生偏差，從而誤判產業可能的不確定性。經理人常會忽略，或低估產業急遽、或不連續的變化。那些變化雖然看似不太可能，一旦出現卻會明顯影響到產業結構或企業的競爭優勢。

有些企業在針對不確定研擬對策時，會將突發事件的應變計畫放進策略規劃流程，並用來檢測它的主要策略。事實上，突發事件因應計畫很少見，能檢測的往往只是通貨膨脹率、石油價格等少數幾項不確定因素。它們也很少檢查產業結構的未來可能變化，或迫使經理人思考它們的作用。當不確定性太高時，企業大多選擇有彈性的策略，即便這麼做可能犧牲相關資源的成本，或傷害到競爭地位。

以情境模擬做為規劃工具

當企業界逐漸注意到，策略規劃必須納入不確定性時，少數廠商已將情境模擬（scenario）當作充分了解不確定性的策略工具。一套情境模擬是企業內部面對未來變化的一組共識。建構多元情境模擬的過程中，企業可以有系統地探討不確定性對選擇不同策略的可能影響。一九七三年，能源危機帶來高度不確定性時，正是企業重視情境模擬的開始。

情境模擬應用在策略規劃時，大多偏好總體經濟和宏觀政治因素，我稱之為宏觀情境模擬（macroscenarios）。這類方案會針對全球性或全國性的經濟、政治環境，提出不同觀點。它包含經濟成長率、通貨膨脹率、保護政策、法規限制、能源價格和利率等。最早以宏觀情境模擬規劃策略的廠商，主要在石油、天然資源、航太等產業，例如荷蘭皇家殼牌公司（Royal Dutch／Shell）等就是公認的創始者。對跨國石油廠商或天然資源企業而言，全球性的總體經濟和政治事件絕對有深遠的影響。此外，為了了解重大變數對旗下經營單位的影響，多角化企業也常在企業層級發展情境模擬。

撇開這些相關性，宏觀情境模擬因為太全面，反而不適合用在特定產業。一般人通常也不了解宏觀情境模擬對個別產業的作用。因為它所分析的是一組很廣泛、高度主觀的因素。另外，總體經濟和政治環境對基礎產業的影響較大，但是對一般產業的策略性影響並不多。而宏觀情境模擬常遺漏如技術變遷、對手行為等不確定因素，這些被忽略的因素卻是特定產業中，產業結構變化的主導因素。因此，很多經理人會質疑宏觀情境模擬的價值，並導致它無法在策略規劃中扮演重要角色。

產業情境模擬

企業選擇策略時，情境模擬是評估不確定性的有力工具，同時能避免企業對未來作出片面、危險的預測。當未來撲朔迷離時，更能顯出它的價值。情境模擬也會鼓勵經理人超脫傳統觀點，對未來作明確的假設。因為企業是在資訊充分的情況下，針對攸關競爭的不確定性作明智的選擇。

產業是競爭策略中，進行情境模擬的最適當單位。我稱之為產業情境模擬（industry scenarior）。它使企業將不確定性納入特定產業的策略中。產業情境模擬的焦點是產業本身。企業對總體經濟、政治、技術和其他不確定性的分析，也偏重在對競爭的實際影響。產業情境模擬也考慮到競爭者行為，因為競爭者是造成不確定的主要來源。

這一章將說明，如何建構產業情境模擬，以及如何運用它們制定可行的競爭策略。首先我要說明如何辨識不確定性的來源，並使它們在產業情境模擬中，表現出應有的意義。接下來，我將討論分析情境模擬的方法，以及找出對產業結構與競爭優勢最具價值的情境模擬。然後，我將說明企業面對不確定時，如何選擇最佳策略，還有如何將產業情境模擬放進企業的策略規劃流程。

建構產業情境模擬

產業情境模擬，是企業內部對產業結構未來發展的共識。它根據重大不確定因素形成一套合理假設，並應用在創造和持續競爭優勢的計畫中。產業情境模擬不是產業預測。它是對未來可能產業結構的描繪。一套審慎選擇的產業情境模擬，會反映出產業結構未來的可能狀態，因而攸關企業的競爭優勢。設計競爭策略不能只靠最可能的單一方案，而是一整套產業情境模擬。規劃的時間也必須配合重要投資決策的需要。

產業的未來存在許多不確定性。技術突破、新對手加入、利率浮動等，都是造成產業結構變化的重要因素。外部因素如總體經濟條件和政府政策也會影響產業結構。結構變化，策略勢必隨著調整，並帶來改變競爭地位的最佳機會。

第一章提到的五種競爭力，是建構產業情境模擬的基本概念。造成各股競爭力變化的不確定性也會影響到競爭，因此在建構情境模擬時就必須將之列入考慮。企業建構產業情境模擬，首先需要分析當前的產業結構，找出影響這個結構的所有不確定性。接著，再將這些不確定性納入一套包含各種可能的未來結構中。整個流程可參見圖 13.1。

圖 13.1 的流程其實過於簡化。建構產業情境模擬需要反覆地分析和研判。但是，決定哪一種不確定性最重要則相當困難，因此經常需要先分析過一些初步情境模擬之後，形成如圖 13.1 的回饋圈。

圖13.1 建構產業情境模擬的程序

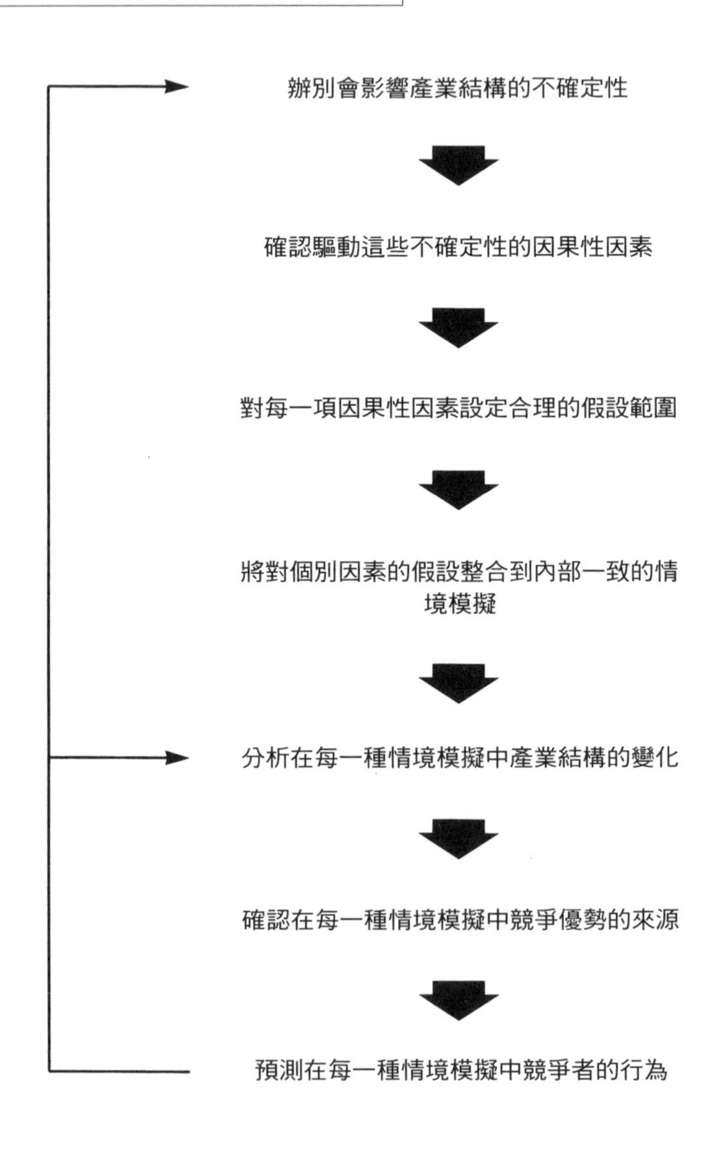

圖13.1的流程並未納入競爭者行為，而是等到產業結構和競爭優勢所需條件發展出來後再處理，然而，競爭者行為不但會影響產業結構，也常是不確定性的來源之一。儘管如此，如果不了解產業結構環境，幾乎不可能預測競爭者行為。因此，在產業情境模擬中，預期的競爭者行為具有修正產業結構的作用。不確定競爭者行為則可能導致重新建構新的產業情境模擬。

我以美國鏈鋸產業為例，說明如何建構產業情境模擬。我首先概述該產業的背景資料。在一九七〇年代以前，鏈鋸產業一直維持穩定且獲利良好的結構。七〇年代初期，有些跡象顯示這個產業即將出現重大的結構性轉變，例如針對家庭或休閒生活需要的小型鏈鋸，可能進入快速成長階段。假如預測成真，這個產業將出現重大的變化，並有好幾種可能的發展方向。

在此之前，鏈鋸主要是賣給伐木業、農場等專業用戶，以及將鏈鋸當作謀生工具的使用者。這類專業客戶使用鏈鋸非常頻繁，也在乎產品的耐用、舒適和穩定性。鏈鋸專賣店賣鏈鋸的同時，也提供售後服務與備用零件。專賣店展售的品牌並不多。供應商的生產方式則是以買來或自製的零件，組裝成大型、汽油動力的成品。相關的產品零件像鏈條、手柄、鏈輪等都採大量生產。更上游的零件供應商重視經濟規模並具有很強的議價實力。當時，電鋸雖有取代汽油動力鏈鋸的潛力，但還無法應用在大多數專業領域。

當時，這個產業的主要競爭廠商包括荷姆林特

〔Homelite，它是特克斯東（Textron）企業的子公司〕、麥克古龍區（McCulloch）、史提爾（Stihl），以及緊跟在後的羅布（Roper）、雷明頓（Remington）和畢爾德—波朗（Beaird-Poulan）。市場競爭的重點在於品質、功能、零售商網路，以及品牌知名度等。荷姆林特的市場占有率最高，麥克古龍區居次。這兩家都採取差異化策略。史提爾的競爭重點是高品質的產品區段，並與其他競爭者在品質、耐用性和服務上形成差異。

一九七三年時，一些重大不確定性隱約浮現。能源危機和自己動手做的風氣帶動新式鏈鋸的第一波需求。比起專業客戶，休閒使用客戶比較不內行，使用鏈鋸的頻率也比較低。他們也不一定在鏈鋸專賣店選購，行銷通路因而擴大到五金店、郵購產品展示場、百貨公司等其他賣點。這也激起新廠商加入的動機。此外，百工電器購併麥克古龍區，畢爾德—波朗則被艾默生電氣買下。這些動作又為競爭者注入前所未有的資源，解開他們資金不足的障礙。根據這些資訊，我將為鏈鋸產業建構一套產業情境模擬，並說明建構情境模擬的主要原則。

辨認產業的不確定性

產業情境模擬的核心技術，是找出攸關競爭的不確定性。不確定性的來源通常很難察覺，經理人也常囿於傳統觀點而不自覺，或掌握不了不連貫的變化。在辨認不確定性的過程中，分析者必須檢查產業結構的每一項元素，並將它們歸入經常性、可預見、不確定等三個類別。經常性元素是產業結構中不太可能改變的項目。可預見元素是結構中可能改變，但也能預期的領域。這些可預期趨勢的快慢，則受到產業情境模擬左右。如果產業分析做得很詳細，許多結構性變化都是可以預期的。不確定元素則是一些受變動影響，並且難以預測的結構元素。在這三類結構性變數中，經常性和可預見變數是每個情境模擬中，比較穩定的部分，而不確定性變數則是形成不同情境模擬的關鍵。

要決定每一項結構性元素到底屬於哪個類目，可將情勢已經明朗的趨勢，以及內部有共識或產業觀察家提到的任何重大變遷可能性列出。如果只列出部分變數，做起來固然比較方便，但不如從開始就檢查所有不確定因素，避免有所遺漏。分析者也不能忽略發生機率不大，卻可能有重大影響的不確定因素。接下來，分析者應該逐一檢查每一種趨勢或可能變化，以確定它是否會對產業結構造成重大影響，以及影響的可預測性有多高。經過這個程序之後，企業將得到一張參雜原因和結果的不確定性清單。

如果企業只考慮明顯的趨勢，就會忽略重要但不連貫的變化。這種作法建構的產業情境模擬只反映出傳統觀點，但無法提供未來產業結構中，競爭廠商需要的遠見。參考產業趨勢專家的觀點，則可避免遺漏不連續的變化。局外人也可能旁觀者清，提供擺脫傳統看法的另一套思路。

技術趨勢、政府政策改變、社會變遷、動態經濟條件等環境因素，會同時引發可預見和無法預測的產業變化。環境變化的重要性不在它本身，而在於它對產業結構的影響。表 13.1 就

表13.1 導致產業結構變化的演進力量

成長上的長期變化	採購項目和幣值成本的變化
所經營產業區段的變化	產品的創新
客戶的學習效應	行銷的創新
不確定性降低	製程的創新
專屬知識擴散	相關產業的結構變化
經驗累積	政府政策的變化
規模的擴張或縮小	進入者與退出者

列出可能帶動產業結構變化的因素（參見《競爭策略》第八章）。對於可能帶動變化的因素，分析者必須仔細逐項檢查，了解它對產業的影響。有時候，演變過程會循預期的方向發展，在另一些案例中，演變過程的速度和方向則不確定，並引發更多產業結構元素的不確定性。

由外部因素引發的產業變化往往最難預測。許多企業都是在措手不及的情況下，被迫隨微電腦的發展動作。新進廠商通常也較難預測，在對產業結構的影響方面，他們也比既有競爭者更高。

因此，某些產業的情境模擬應從產業內部著手，再補充外部的不確定因素。某些產業的妥當作法則是，先從宏觀情境模擬開始，再縮小到產業內部。宏觀情境模擬能提供前瞻的看法，並以較開放的觀點，分析總體經濟、政治、社會等外在變數的影響，看出外在環境的改變。還有一種找出不確定性的方法是，根據技術發展作預測。第五章提過，以一套有系統的觀察，逐一檢查價值活動內的各種技術，進而了解外界對技術發展的可能影響。有時候，這種作法也能找出企業內部技術人員忽略的變化。

建構情境模擬時，一個重要工作是，辨認出技術變革等明顯影響產業結構的重大突變因素。如果重大突變因素很可能出現，它就必須列為重要不確定性。假如一項突變因素出現的可能性不高，一旦發生卻會對產業結構產生根本影響時，應該另案處理。

表13.2是應用前述觀點，列出一九七三年鏈鋸產業結構中的不確定因素。這個產業除了供應商部分，其他幾股競爭力都明顯出現不確定性。由於每一項不確定因素都可以帶出好幾個情境模擬，結果將是一個很長的清單。因此，分析者應該篩選這些不確定性的來源，使情境模擬能真正切合策略需要。

自變的不確定因素與應變的不確定因素

要將不確定因素的清單轉換為情境模擬，首先必須將它們區隔為自變（independent）與應變（dependent）兩種類型。

- 自變的不確定因素：在產業結構中，獨立於其他因素的不確定因素就是自變不確定因素。它可能源自產業內部（如競爭者行為），或外在大環境（如石油價格）。
- 應變的不確定因素：這類因素主要隨自變因素的影響而改變。以鏈鋸產業為例，業者很難決定要不要打電視廣告，因為這部分必須視休閒型客戶的需求規模而定。專

表13.2 美國鏈鋸產業中，產業結構的不確定元素

進入障礙

是否會出現新的專利產品設計？

未來在生產上的規模經濟有多高？

未來在行銷上的規模經濟有多高？

運用每一種通路的困難度有多高？

安全法規如何改變？

客戶

休閒型使用者的需求是什麼？

專業使用者的需求是什麼？

代理商與非代理商的銷售比例如何？

在提供售後服務的代理商通路之外，私有品牌產品的重要程度如何？

直接銷售或透過經銷商？

客戶的價格敏感度有多高？

產業內的競爭

休閒型使用者的滲透曲線形態如何？

傳統競爭者有何動作？

新近被購併的競爭者有何動作？

國外廠商是否會受到美國鏈鋸產業吸引？

固定成本會有多高？

每個競爭者對鏈鋸產業的興趣有多大？

替代品

電鋸將侵蝕掉多少汽油動力鏈鋸的市場？

供應商

相對的穩定性

業客戶會從專業雜誌取得產品訊息，休閒型客戶則是靠電視廣告。

自變因素是情境模擬中的真正變數。它們是造成產業不確定的真正源頭，因而成為建構情境模擬的最佳基礎。一旦自變因素的假設形成，應變因素的問題也會隨之明朗。

許多產業的結構特質是由自變因素決定。如果產業特質之間有很密切的關係，自變和應變因素的差異就比較小。譬如說，產業集中度可以列為一種應變因素，因為它一般是由進入障礙的高低決定。話說回來，它也受到事先難以預料的購併或突然冒出強大競爭對手等自變因素影響。因此，建構情境模擬時，分析者必須評估所有會明顯影響不確定變數的因素，並將它們歸類為應變因素，或是真正的情境模擬變數（自變因素）。開始時，應變因素通常不明顯，做情境模擬分析時，可能需要重新分辨特定因素的屬性。

在一個產業中，分析者要將不確定因素分成情境模擬變數和應變數，首先必須辨識它們之間的因果因素。因果因素會決定每一種不確定因素的未來狀態。譬如說，休閒型客戶的需求量要看能源價格、家庭成長率、有壁爐的新住宅數量等因果因素。

一個變數的因果因素可能很多，也很難評估，因此不可能完全掌握。不過，分析者應該儘可能回溯它們的因果關係，直到情境模擬變數與應變數有所區隔為止。如此一來，每一種情境模擬變數的假設範圍就比較清楚。比方說，如果能源價格明顯左右休閒型客戶的需求程度，分析者必須先判斷能源價格的變動範圍，才可能了解需求程度的改變幅度。

表13.3是篩選表13.2後得到的不確定因素清單，這些鏈鋸產業的情境模擬變數，是按它們在產業結構中的重要順序列出。對鏈鋸產業而言，只要休閒型客戶的需求及銷售通路明朗化，很多不確定因素就能夠解決，因此該產業的情境模擬變數並不多。例如，當休閒型客戶的需求成長，使用者發生意外的事件也增加時，就該列入政府制定嚴格安全法規的可能性。如果對休閒型客戶的銷售量成長，電視廣告行銷的活動也將遽增。

表13.4是另外四個情境模擬變數的因果因素。一般而言，每個變數都受到好幾個因果因素影響。因果因素也反映出影響產業的內、外部力量。根據此表，我們可以明顯看出，有些因果因素會反映出產業結構或競爭對手行為的不同面向。例如一部分的休閒型客戶需求，可能取決於行銷活動的密度和競爭廠商的價格。由於休閒型客戶與專業客戶各有不同的通路，未來

表13.3　鏈鋸產業中的情境模擬變數

最重要的情境模擬變數

休閒型客戶的需求程度
休閒型客戶的滲透曲線形態
代理商與非代理商的銷售比例
私有品牌產品和不透過代理商的製造者品牌的相對銷售量

次要的情境模擬變數

專業客戶的需求
電鋸的滲透情形

表13.4 鏈鋸產業中，決定不確定變數的因果因素

情境模擬變數	因果因素
休閒型客戶的需求程度	外部
	社會趨勢
	能源成本
	燒材火爐與壁爐的裝置量
	家庭的數量
	銷售休閒用鏈鋸的通路
	內部
	競爭者的行銷活動
	競爭者的產品變化
休閒型客戶的滲透曲線型態*	外部
	經濟環境
	能源價格變化的形態
	社會趨勢的形態
	鏈鋸的更換率
	鏈鋸通路的策略
	內部
	競爭者的行銷活動
代理商與非代理商的銷售比例	外部
	通路的產品系列政策
	消費者購買鏈鋸的習性
	通路提供服務的能力
	休閒用鏈鋸的使用形態（決定更換行為、備用零件使用、服務需求）
	內部
	競爭者的通路政策
私有品牌產品和不透過代理商的製造者品牌的相對銷售量	外部
	通路的品牌政策
	通路的產品政策
	內部
	競爭者的通路政策
	競爭者的品牌政策

*滲透曲線代表擁有鏈鋸家庭的成長數量

通路走向又會受休閒型客戶需求的影響。情境模擬變數同時受到內、外部因素左右是很正常的，情境模擬分析也要能反映出這種相互依存的關係。

在產業情境模擬中，每個情境模擬變數的因果關係都帶有不確定性。情境模擬變數的假設會牽動應變數的影響。完成這個步驟之後，分析者再將產業結構中可預見和經常性元素放進情境模擬中，產業結構的未來面貌便大致成型。要注意的是，每個情境模擬中，趨勢的改變速度可能不相同。圖13.2是這個流程的說明。

要建構一個實用的產業情境模擬，分析者還需要找出產業結構中不同元素間互動的邏輯，並且將情境模擬變數從應變數與可預見因素中區隔出來。產業之間會彼此影響，形成更深層的效應，產業情境模擬還要能揭露這方面的變化。由於制定情境模擬的目的是為了規劃策略，了解各種產業結構元素的關聯性，就成為有效運用情境模擬的關鍵。

界定一套產業情境模擬

產業情境模擬的基礎是，一套對每一種情境模擬變數受因果因素影響的合理假設。圖13.2是這套假設的流程。它必須反映出企業內部對產業未來結構的一致觀點，企業接受的情境模擬變數假設範圍，就決定了一套適當的情境模擬。

情境模擬變數只有一個時，建構產業情境模擬就很簡單。以鏈鋸產業為例，假設只有休閒型客戶需求一項時，分析者可以依需求作各種合理的假設，形成的情境模擬也不多。然而，

圖13.2 未來產業結構的決定因素

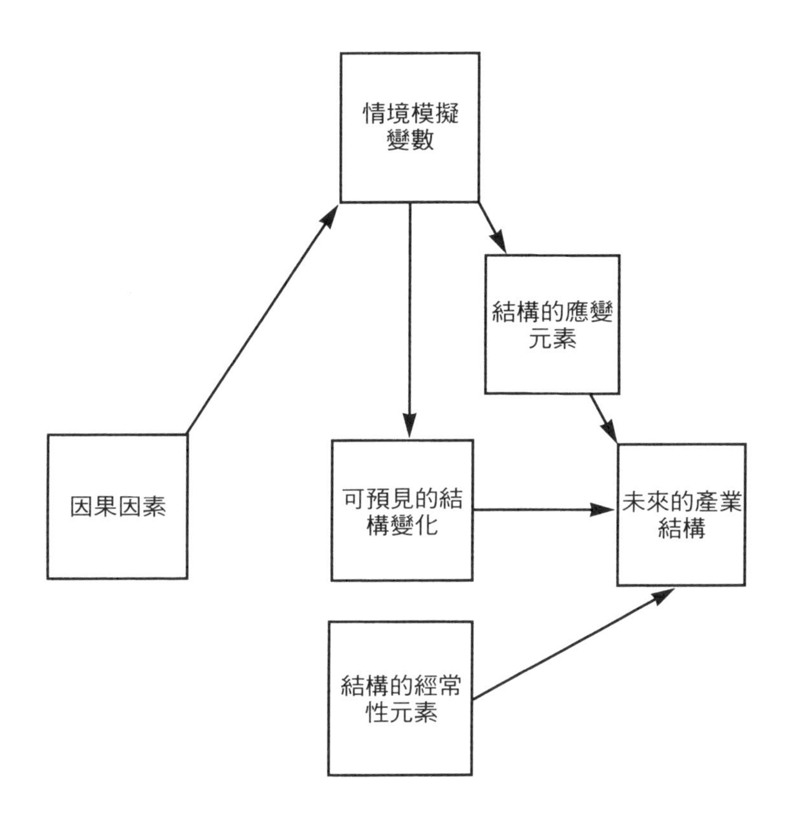

大多數產業的情境模擬變數通常不只一個。根據每個情境模擬變數作假設，將會形成大量的組合，情境模擬也隨之增加。以鏈鋸產業的四個情境模擬變數而言，合理的情境模擬可能多達數十個。

限制情境模擬數量的方法有兩種：減少情境模擬變數，以及減少每個情境模擬變數的假設數目。第一步是先確認，每個情境模擬變數確實屬於自變數，如此就能淘汰一些變數。另一種減少情境模擬變數的方法是，鎖定明顯影響產業結構的變數。因為，在眾多影響產業未來結構的因素中，能對競爭策略形成重大影響的其實有限。有些結構變數的影響要待分析情境模擬後才會明朗。而在鏈鋸產業中，四項情境模擬變數都很重要。

整編情境模擬變數之後，下一步是根據每個情境模擬變數提出不同假設。假設應該侷限在因果因素能夠形成差異的範圍內。情境模擬變數可以有連續性，也可以彼此分立。當一個情境模擬變數是獨立作用（如未來立法的可能性），假設的選擇比較清楚。當它具有連續性時（如休閒型客戶的需求程度），問題就在如何提出適當的假設。

為產業情境模擬提出假設時，必須考慮以下四個因素：必須限制不確定性的變化範圍、影響產業結構的規律性、經理人的信念以及實用性。情境模擬變數的假設不能超出合理的變化範圍，以便揭露產業結構可能出現的重大差異。由於情境模擬不是預言，因此不能忽略可能性極低的情況。當分析者面對很極端的變化時，更能增加他對產業結構可能方向的了解。以休閒型客戶需求為例，它的可能範圍很廣，自然使得鏈鋸產業發展方向變化萬千。然而，除非會嚴重左右產業結構的差異，否則不必優先考慮。如果產業情境模擬的假設基礎太不合理，它的可信度就會受到傷害。

情境模擬變數與不確定範圍確立之後，接著是決定這個範圍內，每一種變數的假設數目。檢驗過程中，如果情境模擬變數的變化，造成產業結構可預測的變動時，假設的數目通常不會太多。當情況相反時，假設的範圍就必須反映出主要的不連續性。以鏈鋸產業為例，當休閒用需求中度成長時，它對產業結構的可能影響非常複雜。中度需求只提高一兩項生產設備的效益，卻會引發好幾家廠商同時擴廠、產能過剩的可能性。有售後服務零售商的銷售比重，同樣會對產業結構產生曖昧的影響。當休閒用鏈鋸需求上揚時，代理商銷售的百分比可能快速滑落，不過休閒用客戶更換更大型鏈鋸並且需要售後服務時，代理商的銷售比重又將回升。當鏈鋸代理商的銷售比重不同時，情境模擬所設計的產業結構也不相同。

選擇情境模擬變數的第三個考慮是，資深經理人的信念。產業情境模擬中，不能缺少企業高層的共同信念。有了它，情境模擬建構過程的可信度也會提高。當產業情境模擬能反映出經理人的假設時，它也會揭露資深經理人對未來的各種看法，並檢查個別經理人所作假設的合理性。當答案是不合理時，經理人對未來的看法可能也會因而改變。這個考慮的另一個積極意義是，它能顯示多重情境模擬會比單一情境模擬更具準確性。

最後一項作情境模擬變數假設的考慮是，將情境模擬數目維持在能實際進行有效分析的範圍內。當數目在三、四個以上時，分析工作會很繁重，並可能忽略掉真正具有策略價值的項目。因此，勢必要酌量降低假設的數目。由於情境模擬數目可以在後來的分析中增加、淘汰或組合，這項考慮可以不必太嚴格。

表13.5是鏈鋸產業中，情境模擬變數的假設。除了休閒用需求程度以及零售與直接銷售間的比例外，每個變數只需要兩個假設，就能夠看出它們與產業結構的關係。在滲透曲線方面，主要分為平緩上升，或快速上竄而達到高峰。第二種滲透曲線會增加廠商過度投資的風險。私有品牌的銷售比重則會決定客戶的議價實力，以及像麥克古龍區、荷姆林特等高知名度品牌的相對地位。表13.5所列的每一種假設都可以被量化。

假設的一致性

情境模擬必須是一套對產業未來結構的合理看法。要確保情境模擬的合理性，一方面要區隔情境模擬變數與應變數，另

表13.5　鏈鋸產業情境模擬中的假設範圍

情境模擬變數		假設
休閒使用的單位需求程度	低	中
休閒型客戶的滲透曲線形態	穩定增加	迅速達到高峰
代理商與非代理商的銷售比例	代理商主導	非代理商較多
私有品牌與非代理商銷售製造者品牌的相對銷售量	製造者品牌較多	私有品牌較多

一方面，所有對情境模擬變數的假設必須合乎情理。

情境模擬變數會彼此影響，因此某些假設的組合會產生矛盾。這類的情境模擬就必須淘汰。圖13.3和圖13.4是鏈鋸產業的情形。圖13.3比較休閒使用需求程度和休閒使用滲透曲線的型態。除非休閒使用需求很高，滲透曲線要迅速達到高峰的可能性不大。因此，圖中有兩套假設組合缺乏一致性。圖13.4，是以需求程度和滲透曲線一致的四套假設組合與通路銷售比例作比較。這裡必須再一次剔除無法達到一致的假設組合。結果是，當休閒使用需求不大時，強調售後服務的代理商才可能主導通路。休閒使用需求在中度或大量時，非代理商通路才有較高的市場占有率。此外，只有當休閒使用需求達到頂點時，非

圖13.3 鏈鋸產業中休閒型客戶需求與滲透曲線的一致性

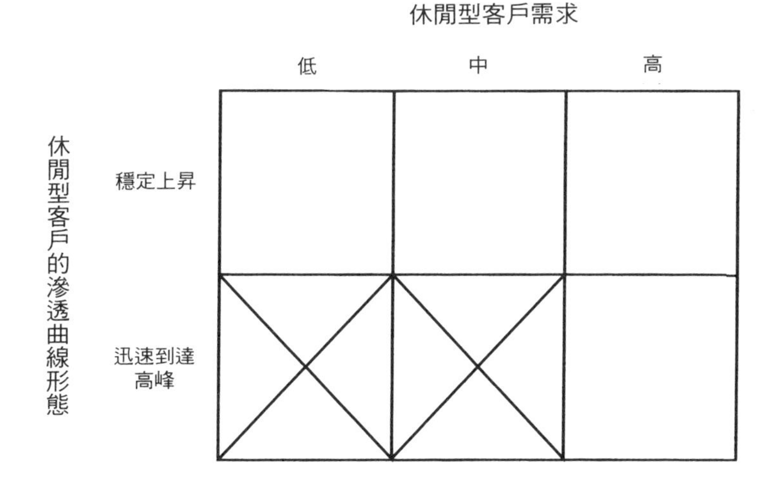

圖13.4　鏈鋸產業中需求與通路銷售比例的一致性

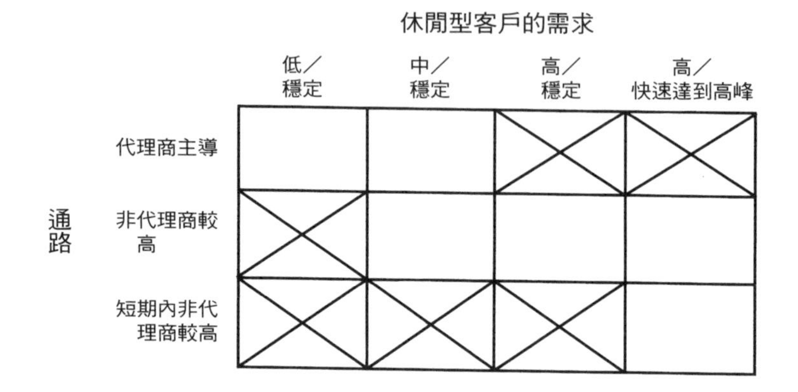

代理商通路的銷售量才會有短期變化。問題是，一旦非代理商通路的銷售比重增加，休閒需求又會滑落，更內行的休閒使用客戶會轉向代理商購買。第四個情境模擬變數，私有品牌和製造者品牌產品在非代理商通路的銷售比重，則不在圖13.4中。其中，私有品牌的高滲透力與代理商主導相互矛盾。

因此，圖13.5中，合理的情境模擬數目減低為十個。這十套假設組合也是進一步分析的對象。這個過程對建構產業情境模擬非常重要，因為未來的合理性，本身就是使用情境模擬的主要好處之一。

分析情境模擬

規劃情境模擬的下一步是，分析每個情境模擬的競爭意

圖13.5 鏈鋸產業中一致的情境模擬

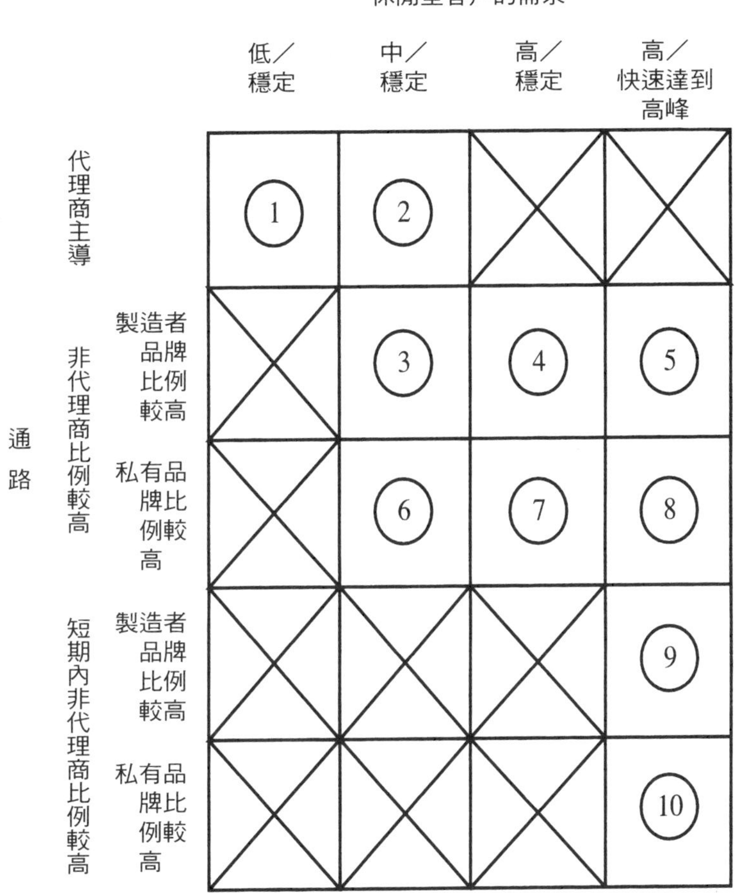

義。情境模擬分析涵蓋以下幾個問題：

- ❑ 辨認未來的產業的結構。
- ❑ 找出情境模擬對產業結構吸引力的影響。
- ❑ 找出情境模擬對競爭優勢來源的影響。

圖13.2的流程，有助於確定一個情境模擬與產業未來結構的關係。假設的情境模擬變數會決定產業結構中的應變數，再結合可預見與經常性結構因素之後，這個情境模擬就完成了。在不同的情境中結構變化的速度快慢也會不同。每個情境模擬會顯示出，如果情境模擬變數的假設成真，產業結構中五股競爭力的全貌。

產業結構未來有無吸引力關係到企業的獲利能力。產業結構如果改變，競爭優勢的來源也會改變。譬如說，在取得競爭優勢的條件上，休閒使用需求高、以混合式通路替代有售後服務代理商的情境模擬，就不同於低度休閒使用需求的情境模擬。前一個方案中，廠商的差異建立在更多廣告，更輕、更小型的鏈鋸設計，而非卓越的代理商、產品的耐用性等傳統來源。因此，分析每個產業情境模擬時，必須明確指出它對價值鏈中競爭優勢的真正意義。

產業情境模擬的差異出現在以下幾方面：

- ❑ 價值活動的相對重要性。
- ❑ 價值鏈的最適設計。

- ❑ 成本或獨特性驅動因素。
- ❑ 交互關係的重要性。
- ❑ 競爭優勢來源的持續力。
- ❑ 一般性策略的選擇。

表13.6是兩個鏈鋸產業情境模擬的分析。一號情境模擬導出一個類似當前產業的結構。七號情境模擬在產業結構和競爭優勢所需條件上，都與當前的產業狀況具有很大差異。

分析情境模擬的另一個重點是，確定特定情境模擬內容「何時」會明朗。有時候，情境模擬所設定的情況很快就成為事實。至於鏈鋸產業，休閒使用的需求程度，則至少需要一年才會明朗，達到頂點更需好幾年時間。企業必須選擇提早展開策略行動，或是等待更多的資訊。因此，企業必須先評估不確定性何時能夠確定，才能預測競爭對手行為並設計自己的策略。

將競爭對手行為納入情境模擬中

當企業主導市場，或是競爭對手的行為對產業結構影響有限時，情境模擬分析只需做到產業層次。問題是，在大多數產業中，競爭對手會影響產業結構，他們的策略也會左右企業的選擇和成功的可能性。因此，情境模擬分析必須包含競爭者。當競爭廠商實力強勁時，競爭者分析更是情境模擬分析中最重要的部分。

每一種情境模擬假設的未來產業結構，會對不同競爭廠商

表13.6　鏈鋸產業情境模擬的分析

	情境模擬1 休閒型客戶市場從未成型	情境模擬7 私有品牌主導
未來的產業結構	與目前相同	進入障礙朝向規模經濟與絕對成本優勢移動 通路的議價實力與價格敏感度提高 競爭壓力提高 電鋸成為主要產品系列
結構吸引力	高	領導廠商獲利率高，一般廠商獲利平平
競爭優勢來源	基本上不變	休閒型客戶市場的占有率 低成本產品設計 廣告的規模經濟 低勞工成本地區的自動化工廠 或 以在專業客戶市場的強大實力避開休閒型客戶市場的競爭

產生不同的影響。以增加休閒使用需求為例，它對已經生產休閒用產品、發展一般行銷通路的廠商有利，對於只服務專業客戶的競爭者則不利。競爭廠商則依自己的目標、假設、策略和能力，找出各種方法回應產業結構的變化。例如休閒型客戶市場成長時，畢爾德—波朗的回應很積極，這種反應源自它的母公司（艾默生電子）追逐快速成長的目標。競爭者的行為又會經由回饋圈，影響原本情境模擬中結構變化的速度和方向。以鏈鋸產業七號情境模擬為例，畢爾德—波朗和麥克古龍區雙雙在產能上積極投資，這勢必提高競爭的激烈程度。

要預測競爭廠商在不同情境模擬中的反應，分析者應該藉助競爭者分析工具。策略圖則是整合預測的有效工具（《競爭策略》第三、四章談到分析競爭者行為的方法。第七章則提到策略圖）。策略圖的軸心，代表情境模擬中具有持續力競爭優勢的重要來源。由於每一種情境模擬都意味著不同的未來產業結構，影響競爭者地位的最大變數也可能不同。比方說，在鏈鋸產業七號情境模擬中產業結構會趨向更激烈的價格競爭，生產規模就成為競爭優勢的重要來源。但是在一號情境模擬中，生產規模則無關緊要。

策略圖可以展現一個情境模擬中，所有競爭者的可能行為，也能夠分析競爭者之間的互動模式。比方說，當某個情境模擬預測所有競爭者都將朝同一方向行動時，我方可以修正本身的策略，以避免正面迎戰。

競爭者行為通常不易預測。在情境模擬中，如果有一個或多個重要競爭廠商的行為很難確定，而且會對競爭產生重大影響時，就有必要增加情境模擬變數。情境模擬也要依競爭者行為的可能差異，再分成兩個或更多的情境模擬。這項作法也適用於以不同資源和技術進入的新競爭者的不確定狀態。

表13.6的分析中，關於鏈鋸產業的競爭者部分表現在圖13.6上。在一號情境模擬中，主要疑點是休閒用市場仍未成形時，麥克古龍區和畢爾德—波朗是否會積極投資新產能和廣告。儘管產業走向混沌不明，但是就這兩家廠商的母公司來判斷，他們都有強烈的發展傾向。在七號情境模擬中，因為麥克古龍區與波朗的行動很明確，荷姆林特的策略就變成最大的不確定性。荷姆林特可能不計代價爭取整個休閒用市場，也可能待在既有產業區段，以犧牲市場占有率換取高利潤。它的母公司可能很在乎高利潤，但是荷姆林特選擇快速成長的可能性仍然存在。

要分析的情境模擬數目

由於情境模擬分析是一件複雜又費時的工作，因此應該以對選擇競爭策略的必要程度依序進行，不一定要建立完所有可能的情境模擬。一種可行的作法是，從最極端或區隔最清楚的情境模擬著手。南轅北轍的情境模擬反應截然不同的產業結構型態，因此有助於定出選擇策略的範圍。兩個極端相反的情境模擬因為對比強烈，也能刺激策略性思考。在圖13.6中，一號和七號情境模擬就是鏈鋸產業發展的兩個極端。

分析過極端的情境模擬之後，下一個分析對象是，中間地帶的其他情境模擬。最可能發生的情境模擬也不例外。這個

圖13.6 鏈鋸產業情境模擬中的競爭者行為

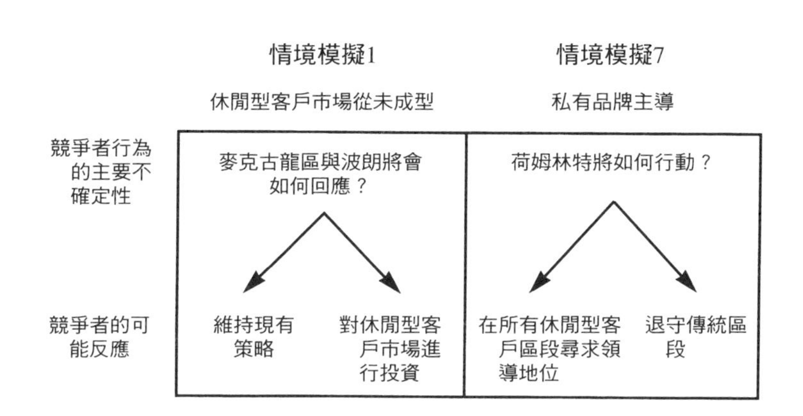

程序要持續到，了解情境模擬變數如何決定產業結構的未來為止。發生機率不高的重大突變，則列為特殊情境模擬，應該分析但不必太周密，因為它是做為選擇策略的參考。

圖13.7的九號情境模擬則是前兩個方案的折衷。它假設休閒用需求只是一時熱潮，私有品牌產品也不受歡迎，因此與一號、七號兩案又有很大的差別。九號情境模擬要問的是，企業如何才能在不削弱代理商關係，或犧牲重要競爭實力的情況下，掌握短期爆發的休閒用熱潮。比起前兩案，九號方案點出各種競爭優勢的關鍵要素和競爭者的可能行為。與其他情境模擬比較，這三個情境模擬最能夠代表不確定因素對競爭的影響。

圖13.7 鏈鋸產業中居中情境模擬的分析

情境模擬9
休閒用鏈鋸只是一時的熱潮

未來的產業結構	進入障礙改變，但不會到達「情境模擬7」狀況 通路銷售比例隨時間改變，客戶議價實力隨之變動 爆發性成長過後形成惡性競爭
結構性吸引力	長期看來適中
競爭優勢的來源	獲取休閒用鏈鋸市場短期利潤的產能 在專業客戶之中的品牌知名度 因應競爭的低成本地位 維持代理商的忠誠度 避免產能過剩 保持傳統實力
競爭者的行為	麥克古龍區與波朗的投資態度 積極 謹慎

設計情境模擬，目的是了解產業和競爭條件的可能變化方向。預測通常無法百分之百準確，情境模擬則是在一定範圍內、合理的預估結果。在產業諸多變化的可能性中，實際分析的情境模擬也只是其中少數幾種。然而，仔細篩選的情境模擬會呈現出擬定策略的範疇。情境模擬的作用就在於，溝通、教育和延伸經理人對未來的思考。

在情境模擬中加上或然率

每一種情境模擬真正發生的可能性都不相同。產業情境模擬也不可能納入所有可能性，它著重於產業結構的未來發展與因應策略。話說回來，擬定策略要看各種情境模擬未來真正出現的可能性。因此，分析者必須判定每一種情境模擬真正發生的相對可能性。如果選擇得當，被分析的情境模擬會代表這個產業最可能發生的情況。以鏈鋸產業為例，接近一號情境模擬的結果發生機率最小。接近七號、九號情境模擬結果的發生機率大致相等。

個人成見或傳統觀點，會影響情境模擬或然率的研判。因此，分析者必須針對因果因素，找出不含偏見的評估方法。當經理人研判或然率的差距很大，或與產業分析結果矛盾時，應該提出來公開討論，以達成共識。

產業情境模擬的特質

許多的特質使得情境模擬愈來愈重要。因為每個情境模擬都是在一套對未來的假設之下，針對產業結構、競爭者行為、競爭優勢來源的完整分析，這必須用上分析產業和競爭優勢的所有技術。情境模擬是界定、分析關鍵不確定性的基礎架構，本身並不是最終的目的。運用這一套架構了解不確定性如何影響產業結構的過程，重要性不遜於所建構的情境模擬。

成功的產業情境模擬分析需要判斷和妥協。建構情境模擬本身就是篩選影響策略抉擇之不確定因素的過程。要從產業結構的可能變化範圍中，選擇有限的情境模擬並進行分析，前提是找出最重要的實例並加以簡化。這個過程需要反覆進行，才能更清楚了解關鍵不確定因素與產業結構的關係。

最後，情境模擬的目的是確保企業內部對未來變化達成共識。分析者必須了解變數之間如何互動，並依據產業特質形成合理的假設。情境模擬可以協助企業掌握不確定的趨勢，進而引出合理的未來假設與策略選擇。因此，情境模擬要鎖定產業趨勢，以及競爭者行為間彼此互動或強化的途徑。它的目的在降低企業因應某一項不確定因素所採取的行動，卻因為另一項不確定因素而削弱企業競爭地位的可能性。

產業情境模擬與競爭策略

一套產業情境模擬成型並完成分析之後，下一步是以它們形成企業的競爭策略。情境模擬本身並沒有價值。很多企業卻在將情境模擬轉為策略時躊躇不前。它們大費周章地建構情境模擬，卻疏於確定其用處。相關文獻也很少討論如何利用情境模擬擬定策略。

不同的情境模擬之下各有不同的最佳策略。因為每個情境模擬中的產業結構、主要競爭者行為和競爭優勢所需條件都不一樣。圖13.8呈現的就是這種情況。鏈鋸產業中，根據不同情境模擬，領導廠商的因應策略會有很大的差異。

因為企業並不知道哪個情境模擬會成為事實，選擇策略時，必須衡量本身的資源和當時地位，找出因應不確定性的最佳策略。一般作法是不管哪個情境模擬可能發生，只選擇一個「穩健」、「確實可行」的策略。這絕非唯一的選擇，企業也可能冒著結果不同於預期的風險，針對某個情境模擬預作準備。反過來說，如果企業實力雄厚，它也可以選擇一套能同時因應所有情境模擬的策略，一旦趨勢明朗再投入主要資源與力量。譬如說，由於混合式通路的前景不明確，鏈鋸大廠也許會在所有可能的通路上加強自己的地位。

針對特定情境模擬制定策略的風險很高，一應俱全的策略則代價太大。有時候，因應不同方案的策略又會自相矛盾。像鏈鋸業者發展其他通路時，會有因而疏遠代理商的高度風險，至於同時討好代理商和直銷通路又很困難。在這種情況下，面面俱到的作法可能導致企業缺乏競爭優勢，品牌形象模糊，組織結構散亂，終於「進退不得」(參見第一章)。不同情境模擬需要不同策略的情形，常使企業陷於嚴重的兩難局面。以鏈鋸產業為例，企業要同時因應三個情境模擬，勢必無法發揮最大效益。因此，選擇策略前，廠商必須先解決一些輕重權衡的難題。當企業面臨這類難題時，如何找出影響抉擇的關鍵因素，也是情境模擬最重要的功能之一。

圖13.8 鏈鋸產業中各種情境模擬之下的競爭策略

	情境模擬1		情境模擬7		情境模擬9
	休閒型客戶市場從未成形		私有品牌主導		休閒用鏈鋸只是一時熱潮
最佳策略	保持原來路線 發出避免競爭者犯錯的訊號	←→ 對領導廠商而言策略完全不一致	積極尋求成本領導 儘早進入新通路 重視直接銷售 追隨者必須選擇焦點化策略或撤資 率先行動的優勢使得時機更為重要	←→ 策略大多不一致	不要對休閒型客戶區段過度反應 避免疏遠代理商或損害在專業客戶中的聲譽 接收被競爭者疏遠的代理商 降低成本，以防範投資於休閒型客戶區段廠商所引發的價格戰

根據情境模擬定策略

當企業面對幾個合理但策略上互相矛盾的情境模擬時，有五種作法可以選擇。這些作法也可能（但非絕對）依序或合併使用。

對可能性最高的情境模擬孤注一擲：在這個原則下，企業根據最可能發生的某一個情境模擬（或一定範圍內的某幾個情境模擬）設計策略，並承擔結果不如預期的風險。以鏈鋸產業為例，廠商可能在前三個方案中，挑一個他認為最可能的方案全力一搏。

很多企業常不自覺地選擇最可能的情境模擬全力一搏。經理人就常根據個人對未來的假設來制定策略。但是未經過公開說明的情境模擬，也可能根本是建立在無知的基礎上，並且可能無法通過內部共識的考驗。後者又對企業在前景不確定時具有舉足輕重的力量。

企業該不該孤注一擲，要看該情境模擬發生的機率有多高；如果是其他情境模擬成為事實，結果差異又有多大；以及企業當時地位、資源與執行最可能因應策略的落差有多大。這種作法的風險是，當發生的是其他情境模擬所假設的情況，既定策略也不適用時，企業很難半途改弦易轍。

對「最佳」的情境模擬全力以赴：根據這種作法，企業選擇對企業最有利，讓它能以既有條件形成最持久競爭優勢的情境模擬。這個作法是要尋求發揮企業最大潛能並形成最佳表現，因此將策略扣緊對企業最有利的未來產業結構。它的風險一如前項，萬一最佳情境模擬並未成真，策略本身就不適用。

兩面下注：在所有可能發生的情境模擬中，找一個結果能夠滿足各種情境模擬（至少是某些認為極有可能成真的情境模擬）的策略。這種作法會導出一套穩健的策略。它的概念類似博奕理論（Game theory）中「極大中的極小」（minimax），玩家選擇能使損失由最大降至最低的策略。以鏈鋸產業為例，兩面下注的作法是，廠商的生產線要能供應各種不同鏈鋸，或在維持代理商的同時，另創品牌跨入非代理商通路。

一般說來，兩面下注會使策略本身只是任何情境模擬的次佳選擇。這方面的犧牲則由減少風險的優點來彌補。另外，與選擇特定情境模擬全力一搏的作法相比，兩面下注的成本比較高（或回收比較低），因為企業因應的不是單一競爭情況，而是好幾種可能的處境。

保留彈性：另一個作法是，選擇狀況明朗前預留彈性的策略。這是另一種穩健經營的方法，但是必須妥善界定「穩健」的定義。這種作法下，特定策略只是延後投資。當不確定性減輕，企業馬上根據己方資源和技能，引用最適合情境模擬的策略。以鏈鋸產業為例，保留彈性的作法可以是，企業繼續維持專業使用區段的策略，初期向其他廠商採購休閒用鏈鋸產品。

第五章討論過，敢投入、敢承諾的廠商通常具有領先行動的優勢，而保留彈性的企業則在信譽、專屬學習曲線、掌握最佳零售通路能力等領先優勢上吃虧。在鏈鋸產業中，第一個進入新通路的廠商可以選擇最佳的客戶對象。而保留彈性則在犧牲搶先進入優勢的同時，也減少其中的風險。保留彈性和兩面下注的差別在於，企業只是延後投入的時間，而非以單一策略通吃所有的可能情況。愈早判定哪個情境模擬設定的情況會發生，企業為保留彈性所付出的成本就愈低。

主動影響：最後一種作法是，以本身資源誘導出最期待的狀態。企業莫不希望最有利的情境模擬能夠成真。為此，它必須影響與情境模擬變數有關的因果因素。以鏈鋸產業為例，燒柴壁爐的數量是休閒用需求的因果因素，因此企業可以與燒柴壁爐製造商合作，或在廣告鏈鋸時也強調燒柴壁爐的價值，影響市場上的壁爐需求量。其他如技術變化、通路政策、政府法規以及許多不確定性的來源，也都是企業可以主動影響的領域。當企業有機會提高情境模擬成真的可能性時，它應該比較主動影響的可能性與所需的成本，並與能夠取得的競爭優勢作比較。

策略的組合與銜接

企業可能需要組合或銜接使用不同策略。比方說，對最可能或最佳情境模擬全力以赴的方法，可以和主動影響的方法合併使用。同樣地，在邏輯上，保留彈性的目的是為了對最可能的方案放手一搏。企業也可能先選擇兩面下注，再視情況，就產業的未來可能結構全力以赴。這麼做的成本比先保留彈性再全力一搏更高。

企業也可以在某些價值活動中全力以赴，其他活動則採兩面下注或保持彈性的作法。以鏈鋸產業為例，企業如果要針對高度休閒用需求全力以赴，它就應該在製造與技術活動上著力，例如添購低成本的新設備，設計幾套廉價、輕巧的產品等。在此同時，它也降低生產方面的垂直整合，以減少資本投資並將風險轉嫁給供應商，達到兩面下注的效果。它也可以在行銷和業務活動上投下大量經費，以便維持與代理商的關係，並保留在專業市場的地位，達到兩面下注的效果。

企業還可以選擇其他低風險的作法。它可以搶先投入可放可收的行動（如廣告），但延後不能回頭的投資（如建廠）。但是，猶豫不決或兩面下注的作法，會傷害企業的競爭優勢，也可能造成員工、股市分析師與外界觀察家的困惑。

根據方案選擇策略

任何因應產業結構變動的作法，都具有潛在的利益、成本和風險。企業選擇作法時，要考慮的最重要因素包括：

搶先行動的優勢：搶先行動能夠建立的優勢強弱（參見第五章），明顯影響到全力以赴與延後投入兩種作法的吸引力。當搶先行動廠商得到明顯的競爭優勢時，保留彈性的優勢就被排擠掉。在鏈鋸產業中，發展新通路可能有搶先行動優勢，因為許多大盤商並未銷售多樣化的鏈鋸產品。

最初的競爭地位：情境模擬適不適合，也要看廠商當時的競爭實力。以最符合企業競爭地位的情境模擬來擬定策略，會比以最可能發生的情境模擬更為有效。考慮企業表現上的差別將可以減少對不當情境模擬全力一搏的風險。

所需成本或資源：兩面下注或主動影響比就特定方案全力以赴，需要更多資源，成本也可能更高。保留彈性則介於兩者之間。

風險：每一種作法的風險都受到以下因素影響：

- 資源投入的時機：一般說來，早期投入的風險高於後來跟進。保留彈性的風險最低，兩面下注則是以不同方式來降低風險。延遲投入需要延遲多久？要看搶先行動的優勢和從計畫到執行的前置時間而定。
- 既定策略與不同情境模擬之間的落差：風險反映的是，當「未預期」情況發生時，既定策略的偏離程度。兩面下注的作法就是以較高成本或較差地位為代價，將這種風險降至最低。策略與新局勢之間的落差，基本上是由各個情境模擬中，產業結構和競爭優勢來源的差異程度而定。
- 比較情境模擬的或然率：企業選擇策略取決於情境模擬之間的相對或然率。兩面下注有助於減少任何一個情境模擬落空的風險，主動影響則是嘗試提高所期待情境模擬的或然率，進而降低風險。和兩面下注的作法相比，對最可能的情境模擬放手一搏，風險相對比較高，而風險最高的作法則是僅對最有利的情境模擬全力以赴。

- 不確定性消失後，改變策略所需的成本：執行一項策略，企業需要在設計生產線、行銷通路、廣告策略、設備等方面作投資，而風險就取決於企業被這個既定策略束縛的程度，或所需投入資源的收放程度。資源的收放程度會隨產業、策略而異。保留彈性則是轉換策略時成本最低的作法。

競爭對手的可能選擇：企業處理不確定性時，必須考慮競爭對手已作、或可能作的選擇。競爭對手的動作可能封殺某些策略的效益，也可能開啟其他策略的空間。當企業判斷正確、全力一搏時，對手如果採取兩面下注或保留彈性，將會付出更大的代價。

處理不確定性最好的辦法是，明確選擇一個或多個因應方式，而非根據慣性、或含糊不明的情境模擬。要衡量選擇策略的相關因素，應該先認清每個情境模擬的交互依存關係。處理不確定性的最大挑戰在於，找出有創意的方法，將保留彈性或兩面下注的成本降到最低，並將對最有利情境模擬全力以赴的優勢發揮到最高。企業如果能了解每個方案中，價值鏈中的各個活動對競爭優勢的貢獻，自然能找出好的方法。

情境模擬變數與市場情報

情境模擬變數決定哪個情境模擬會成為事實。因此，情境模擬變數是產業結構變化路徑的主要指標，由於變數的表現，渾沌的情況可能很快明朗，或長期墜入五里霧中。蒐集市場情報時，重點應該放在情境模擬變數和它們的因果因素。當情境模擬變數改變時，也就是產業結構變化的警訊。比方說，當企業採取保留彈性策略時，它應該嚴密監控情境模擬變數的狀態，好決定何時該投入資源。

在各類市場情報中，最具戰略價值的是，情境模擬變數未來狀態的早期情報。企業愈早確定一個特定情境模擬將會出現，愈能夠儘早發動取得優勢的策略。因此，企業應該著眼於情境模擬變數情報的投資，而非其他的變化。

就算已完成產業情境模擬，與情境模擬變數有關的重要情報仍很重要。情境模擬變數會左右產業結構的變化，了解它們能夠提升整套情境模擬的品質，也能夠調整舊的情境模擬變數為可預見因素。在鏈鋸產業中，家庭組成、擁有壁爐的住宅數量和其他因果因素的重要數據，將會縮小對休閒用鏈鋸需求的假設範圍。

情境模擬和規劃流程

企業制定策略時，必然有個參考架構，只是這個架構可能不明顯而已。明確具體的情境模擬會顯示出策略規劃過程中的不確定性，這樣的策略才能充分回應競爭中明顯的不確定性問題。當經理人認清情境模擬並沒有什麼新奇、神祕時，抗拒心態就會大大減低。因為情境模擬本身並非預言，它應該是結合經理團隊有系統地思考未來，以及修正不合理假設的工具。

企業設計情境模擬時，主角最好是經營單位主管，企業內其他單位主管或外界人士則扮演指導與建議的角色。這將使實際設計競爭策略的人更了解不確定性的影響，所完成的產業情境模擬也能和經營單位緊密相關。當產業結構、競爭對手，以及價值鏈的基本分析完成後，情境模擬應該放進規劃流程，開始策略的建構作業。這裡面，最重要的是對情境模擬功能的了解。如果企業缺乏基本規劃能力時，最好不要貿然將情境模擬引進規劃體系中。情境模擬的最大用途在指引企業如何選擇策略，而非確認某個策略是否正確。

經營單位的產業情境模擬不必每年設計，而是當產業出現明顯不確定性時才需要進行。不定期建構情境模擬的風險是，經理人可能忽略所在產業的關鍵不確定性因素。因為情境模擬本身有助於推動企業蒐集產業結構的可能變化，情境模擬應該多久建構一次，取決於高層主管對客觀環境的自信心，以及經營單位經理人的洞察力。

運用產業情境模擬時，管理階層必須認清不確定性，並有一致認同的發展方向。情境模擬會凸顯產業中可能的不確定性，但是唯有組織內部廣泛認同，一致投入所選擇的策略，策略執行才可能成功。這也意味著，經營單位的經理團隊建構情境模擬時，所選擇的策略仍需要在組織內部作廣泛溝通。因為處理這種不確定性和模糊性，要靠整個組織的力量。

企業的角色

經營單位雖然是建構情境模擬的主角，其他部門主管或企業高層的規劃小組，也有他們的角色。

提供宏觀情境模擬：企業層級的規劃小組可以提供環境分析等宏觀情境模擬，這部分是建構產業情境模擬不可少的條件。假如經營單位一手包辦產業情境模擬，可能跳不出本身處境的侷限性，宏觀情境模擬則能伸展視野，跳脫傳統的思考。

預測技術發展：如第五章建議的，企業層級的規劃小組可以針對核心技術、或跨產業的重大技術，進行預測研究。由於技術本身就是不確定性的主要來源之一，這些研究會協助經營單位主管，更進一步認識技術的可能影響層面。

訓練與挑戰：企業層級的規劃小組在運用情境模擬的技術訓練和指導上，應該扮演重要的角色。建構產業情境模擬是個很複雜的工作，有經驗比較容易做，這種經驗應該在企業內分享流傳。

除了訓練的功能之外，企業層級的規劃小組還可以在界定情境模擬變數、確定重要變數、客觀分析或然率、研判適當作法等方面，提供「局外人」的觀點，並就如何主動影響，讓情境模擬成真方面提出建議。透過這些方式，讓企業、營運群或事業部經理人共同參與經營單位情境模擬的建構工作，將產生正面效果。

企業風險分析：高層經理人分析過每個經營單位的情境模擬之後，將看到一些會廣泛影響一個多角化企業的情境模擬變數，並且評估這些變數對整個企業的影響。假如某個變數非常重要，企業可能需要調整某些經營單位的策略；如果變數本身會廣泛影響到許多經營單位，企業還應該對它大量投資，進而影響它的表現。這種分析企業風險的基礎，來自於經營單位對不確定性的充分評估。許多廠商慣於運用由上而下的企業風險分析，其實是以局外人的看法在指導局內人。這種作法對個別經營單位的風險評估，往往偏重整體性，並且過度簡化。

產業情境模擬與創造力

策略性規劃大多是以單一角度思考未來，並由主其事的經理人費心揣摩而成。問題是，很少經理人能預見競爭環境的變化，並提出有創意的因應方式。產業情境模擬，就是一套明確界定關鍵不確定因素（產業變數），專門診斷競爭中不確定性影響的系統化工具。它的目的在延伸對未來的思考，開拓可能的選擇範圍，並提供一套幫助內部對未來達成一致看法的機制。企業一旦完成產業情境模擬，就可以選擇策略（如主動影響、兩面下注、保留彈性）來減輕不確定性，或對仍有風險的未來全力一搏。產業情境模擬也能顯示出企業對未來的錯誤預測，以及進行預測必要的情報。因此，產業情境模擬是企業改善策略規劃創造能力的基本工具。它不保證創意，但能顯著提高這種可能性。

這項工具並非形成策略或策略本身的充分條件。事實上，情境模擬所提供的，是企業在不確定條件下制定策略的架構。唯有組合產業結構、競爭者行為、競爭優勢等概念工具與策略工具，情境模擬才能成為策略專家的重要武器。

| 第十四章 |

防禦策略

所有企業都可能受到攻擊。攻擊者可以分成兩類：產業的新進廠商和企圖重新定位的廠商。我稱這兩類競爭者為挑戰者。

這一章描述防禦策略的原則，首先敘述防禦策略應當如何發展，防禦戰術有哪些重要特質，以及使用這些防禦戰術的範圍。接下來說明企業如何依產業性質找出最有效的防禦戰術。最後討論某些與其大量投資防禦策略，不如考慮撤資的特殊情況。

所有企業都可能受到攻擊。攻擊者可以分成兩類——產業的新進廠商和企圖重新定位的廠商。我稱這兩類競爭者為挑戰者。要對抗挑戰者，最佳的防禦是能完善執行的攻擊策略，當企業持續投資改善成本地位和差異性，形成競爭優勢時，它很難被擊敗。然而，即使企業有勇猛的進攻策略，防禦策略還是很重要。當挑戰者必須依照被挑戰者的競爭方式發動攻擊，它就不容易成功。

防禦策略的重點是，降低被攻擊的可能性，將攻擊引導至比較不具威脅的方面，或降低攻擊的強度。防禦策略也可以使企業的競爭優勢更能夠持續。同時防禦策略也需要投資——企業必須先放棄一些近利，以提高持續力。最成功的競爭策略正是進可攻退可守的策略。

這一章描述防禦策略的原則。防禦策略的目標在於影響對手決策流程，降低挑戰者攻擊企業地位的意願。這要靠減少對手挑戰企業的誘因、或提高對手的進入和移動障礙，使挑戰更困難。挑戰者的攻擊會隨時間和它本身的狀況而改變，過程中不同階段也有不同的防禦步驟。我將敘述防禦策略應當如何發展，防禦戰術有哪些重要特質，以及使用這些防禦戰術的範圍。接下來，我將說明企業如何依產業性質找出最有效的防禦戰術。將這些考量組合起來，一個完整的防禦策略也就出現了。最後我將討論，當某些情況出現時，企業與其大量投資防禦策略，不如考慮撤資。

進入或重新定位的流程

企業必須敏銳地了解競爭對手對它的看法，以及挑戰者在各種改善地位方式上的獲利程度，進而形成一套防禦策略。企業首先要理解，新進者或既有對手的攻擊是一個連續的決定，行動也分時間和階段進行。規劃防禦策略必須針對整個攻擊行動，而非解決其中一個動作。因為在不同階段，挑戰者的意志堅決程度和投資，都會有所差別，最適當的防禦策略會因階段不同而改變。

「進入」或「重新定位」的流程包含四個階段。我先討論新進入者的部分，然後再說明這套流程如何應用在企圖重新定位的既有競爭對手身上。

前置階段：這是廠商進入一個產業前的階段。在這段時期，潛在新進入者會以整個產業做為它的目標。這個時期的投資，一般侷限在市場調查、產品和流程技術開發，以及和有意投資的銀行家接觸等動作。因為進入者的意圖還不確定，這個階段也最難偵測。許多可能的進入者經過前置階段的評估後，就打消它進入這個產業的念頭。

進軍階段：在這個時期，新進者會以實際投資穩固自己的基礎。這個階段的動作包括，持續的產品和製程技術開發、市場測試、全國性的新產品展示、組織銷售部隊、建廠等。新進入者希望在這個階段結束前，就能夠在產業中取得一定的地位。這段期間的長度，取決於建立最初地位所需要的活動週期，如訂貨至交貨的時間，短則數月，長則數年。在飯店等服務性行業，這個階段可能只有短短幾個月，天然資源產業則可能需要五年或更長的時間。

延續階段：進入者在這個階段中，開始將最初的進軍策略轉為長程目標策略。新進入者不一定會有這個階段，很多產業則需要延續策略。雖然企業一開始可能沒有延續策略，但是最初的成功常會引發延續動作（請參考《競爭策略》第十六章）。寶僑家品（進入消費性紙製品產業）就是個很好的例子。當寶僑家品買下地區性、缺乏品牌知名度的喬敏紙業公司之後，便以打開全國市場、改善產品、大量投資廣告等方式重新定位它的策略。在延續階段，新進入者可能採取增加新產品、垂直整合或擴大市場的地理涵蓋面等行動。這些方面的持續投資，遠超過要獲得一席之地的基本投資。

後期階段：當新進入者策略完全奏效，就開始進入後期階段。這個階段，新進入者會將投資轉到維持或防禦它在產業內的地位上面。

既有競爭者重新定位的過程，和新進入者的四個階段完全相同。對手會先考慮重新定位，然後在新的定位上投資，最後達到所尋求的新定位，或是功敗垂成。已具規模的對手也可能以連續步驟重新定位。因此，很難由重新定位的最初動作，判斷挑戰者的最終目標。

對防禦策略而言，新進入者或重新定位過程的四個階段各有各的重要性。首先，在各階段，挑戰者執行策略的決心可能並不相同。一般說來，如果能達到某種程度的成功，挑戰者的決心會隨過程進展而增強。每一家企業在進入新產業或重新定位的策略上，最初的決心強度也取決於管理團隊對展開行動時最初地位的一致看法，以及其他可能機會的吸引力。然而，一旦形成決策，投下資源，隨著時間拉長與策略奏效，決心的強度也會提高。制定防禦策略必須了解挑戰者的決心強度，因為後者關係到阻止、或限制挑戰者目標的困難度。

在過程進行中，企業退出或縮減規模的難度也會逐步增高（參見第六章）。當挑戰者面對不易退出或縮小規模的障礙時，企業要驅逐它，或是迫使它縮小目標規模的困難度也隨之提高。當挑戰者在專業化資金、長期合約、與姊妹經營單位間的橫向策略，以及在產品或製程技術上投資時，退出和縮減規模的障礙也會增加。在某些產業中，就連基本的一席之地都意味著創造明顯的退出障礙。另一些產業中，挑戰者可能直到後期階段才有退出障礙的風險（延後風險是導致進入者發展延續策略的重要動機）。從這些現象來看，防禦策略的本質，就在於了解挑戰者退出或縮減規模障礙，以及它們如何隨時間而改變等特質。

挑戰者的決心和退出障礙愈高，防禦也愈困難。由於挑戰者的決心和退出障礙通常出現在承諾投資的階段，並且隨時間增強，企業採取防禦動作的時機就很重要。企業如果在挑戰者作決定之前，展開防禦動作，勢必對挑戰者內部的決策流程蒙上一層陰影。有一種情況是，企業會以建立超額產能來嚇阻可能新進者，因為對手一旦進入就會引發價格戰爭。但是新進入者一旦進入，繼續防堵可能是無意義的，換句話說，將超額產能當作主要的威脅手段，效果並不大。這種看法的問題在於，挑戰者開始進入時，不意味著它決心繼續投下資源，否則它就該被視為既有廠商，因此，當進入或後續階段出現價格戰，並導致新進入者在最終目標和成本之間無法平衡時，它可能因此結束進入動作，或轉到企圖心較低的目標上。這種結果常見於電視遊樂器、半導體等多項產業。企業的進入障礙也和潛在對手的假設有關，因此，使潛在對手缺乏完整資訊是有必要的。企業可以從界定價值鏈中必要投資的成本或風險，預測挑戰者行動的關鍵時刻。因此，防禦策略的一個重要原則是，在退出障礙提高前就要展開防禦行動。

挑戰者一旦展開進入產業或重新定位的過程，就會持續學習。它最初的假設也會隨實戰經驗而被驗證。這些經驗也會回過頭來改變它對未來的假設，並根據初期狀況修正原有策略。這些都是防禦廠商改變挑戰者資訊和假設的重要機會。處於防禦地位的廠商通常比挑戰者更了解所處產業的狀況，也比對方更能夠預測攻擊策略的效果。這使得企業能夠影響挑戰者的策略方向，並將可能造成的負面傷害降至最低。

防禦企業也必須防止挑戰者決心站穩腳步。基於進入新領域的風險和不確定性，挑戰一方的經理人對初期的成敗徵兆特別敏感。有經驗的防禦廠商會設法阻撓挑戰者達成初期目標，並改變產業內的競爭模式，使挑戰者懷疑進軍這個產業或重新定位的最初假設是否正確。

挑戰者一旦展開進入產業或重新定位的過程，它的意圖也趨於明朗。這對防禦策略也有很重要的意義。挑戰者未行動之前，防禦廠商只能觀察，辨認可能進入的廠商或可能展開攻勢的對手。一旦對手有動作，它的身分就明朗化。防禦廠商縱使一時看不出對方的策略和長程目標，隨著過程發展，也都將逐漸浮現。要看清楚挑戰者的最終目標，通常要等到它進入明顯投資的延續階段。

企業不可能對任何可想見的或潛在的對手，以及各種可能的競爭型態都做出防禦。因此，挑戰者未現身之前，企業的防禦通常是一般性的。這種型態的防禦要奏效，必須付出龐大的成本。挑戰者一旦登場，企業即可針對特定威脅設計防禦策略。這也歸結出一個重要的原則：要預測哪些廠商有可能成為挑戰者，以及它們可能發動攻擊的合理途徑，企業的付出將非常龐大。但是當它將防禦投資在最迫切需要的領域時，防禦的經濟效益將大幅提升。

防禦戰術

防禦策略的目的在影響挑戰者對預期回收的計算，進而認為攻擊行動缺乏吸引力，或改採對防禦廠商威脅較低的策略。企業必須投資於防禦戰術，才能夠達到這些效果。絕大多數的防禦戰術必須付出高成本，並且需要犧牲短期利益以換取長期穩定持續的地位。然而，除非肯投下驚人的成本，沒有企業能完全杜絕被攻擊的威脅。因此，處在防禦地位的廠商必須投資，將被攻擊的威脅減少到可接受的程度，並使被攻擊的風險和防禦成本接近平衡。

防禦策略是由下面三種戰術構成：

- ❑ 提高產業的結構性障礙。
- ❑ 增加對方被報復的可能。
- ❑ 降低攻擊的誘因。

與防禦廠商比較，產業的結構性進入／移動障礙比較不利於挑戰廠商（參見第一章），並且會傷害挑戰者的預期回收利潤。例如：通用食品的麥斯威爾咖啡，享有行銷上的規模經濟優勢，任何挑戰者在達到最大市場占有率之前，都必須忍受行銷成本高於麥斯威爾咖啡的痛苦。這種成本較高的事實會減少挑戰者挑戰通用食品時的預期利潤，並導致挑戰行動的可能性降低。

第二類防禦戰術，是增加挑戰者行動後被報復的威脅。防禦廠商的報復性反擊會減少挑戰者的收益，或提高它的成本，相對不利於它預期的獲利能力。防禦廠商無論是提高結構性障礙或增加報復性反擊，目的都在打擊挑戰者的成本或獨特性，並削弱它的相對地位。

第三類防禦戰術是降低吸引挑戰者攻擊的誘因。提高障礙或實施反擊的目的在壓制挑戰者的預期獲利，降低誘因卻需要企業自己降低利益。比方說，當企業主動降價或改由相關經營單位掖注利潤時，挑戰者會發現，即使攻擊成功也沒有多少好處。

這三類防禦戰術都可以在挑戰者出現前和行動時採用。不過，一旦對方展開行動，企業要考慮的將不止於敵我地位，還得考慮相關舉動對其他挑戰者的嚇阻或鼓勵作用。防禦戰術的投資不該也不能與傳統的短期獲利目標作比較。後者會模糊防禦戰術的目的。阻止挑戰者發展的動作固然會降低企業的短期獲利，但將確保它的長期獲利能力。

提高結構性障礙

第一章曾摘要說明產業的進入和移動障礙型態。防禦廠商可以影響每一種障礙型態。某些產業中，基本的廣告開銷、業務實力、工廠產能和其他價值活動的程度（排除防禦的考慮），就足以形成高度障礙，這也就成為這個產業的附屬品。當產業的一般活動已經足以形成非常高的障礙時，企業可以不須在建立障礙方面進一步投資。然而，長期來看，投資建構高於自然障礙的屏障可能更為有利。

利用價值鏈中提高競爭優勢的攻勢行動，也會提高產業結構的障礙，這一章只談如何由防禦性動作提高障礙。所謂提高產業結構性障礙的防禦戰術，也就是封殺挑戰者的合理攻擊途徑。以下是其中最重要的部分：

將產品或產業地位的空隙補全：當企業率先補齊產品系列、或占據挑戰者將合理應用的相關重點市場時，產業障礙也會被提高。這些動作會迫使挑戰者正面迎戰防禦廠商，而不是設法在一個沒有抵抗的領域建立橋頭堡，或以溢價方式抵消它比較高的成本。要補齊空隙，有下面幾種方式：

- ❑ 擴大產品系列以搶下可能的產品利基：精工錶買下寶時（Pulsar）這個品牌，目的在封殺來自星辰錶（Citizen）和天美時等低價位錶的攻擊。
- ❑ 推出符合產品特色的品牌，或將品牌定位在挑戰者可能使用或正在使用的領域，這些封鎖型或戰鬥型品牌會提高產業障礙，但不會傷及主要品牌的定位。
- ❑ 以次要產品系列或次要行銷活動，預先封鎖其他的市場機會。
- ❑ 以與挑戰者產品相近，但價格更低的防禦型產品，打擊挑戰者產品系列的延伸（參見第七章）。
- ❑ 在不傷及企業本身的情況下，鼓勵良性競爭對手填補產品線空隙（參見第六章）。

防禦型產品和行銷活動的獲利能力，不應該和企業的主力事業相提並論，它們的價格必須反映防禦價值。但是，這些有防禦價值的產品和行銷活動並不需要大量的投資。填補空隙的產品本身就會產生障礙。因為一旦挑戰者的威脅出現，這些防禦動作就將展開。因此，企業提高產業障礙的同時，挑戰者就會感受更多被報復的可能。

封鎖挑戰者可能取得的通路：當企業能夠增加挑戰者接近配銷通路的困難度時，也創造出重要的產業結構障礙。防禦策略不單要照顧企業本身的通路，也要封鎖其他可能通路，尤其是取代性通路或可供挑戰者進軍既有通路的可能跳板。比方說，挑戰者通常會利用銷售私有品牌產品的通路，擴張銷售量並增加通路經驗。

封殺通路的戰術包含下列幾點：

- ❑ 與通路業者簽署排他協定。
- ❑ 填補產品系列空隙，提供通路完整的產品陣容，競爭者會因此更難站穩腳步。
- ❑ 擴充產品系列，使相關產品的規格和型式更齊全，並造成通路的貨架或倉庫沒有容納其他產品的空間。
- ❑ 依需要合併或打散產品系列，以降低被挑戰者攻擊的可能性（參見第十二章）。
- ❑ 主動打折，或根據通路總採購量進行折扣，打消新供應商嘗試的念頭。
- ❑ 配合產品，提供有吸引力的售後服務，使通路業者加速放棄這方面的人力和設備投資。
- ❑ 向銷售私有品牌商品的通路供貨，搶下相關通路，使挑戰者失去藉此拓展銷售量的機會。

提高客戶的移轉成本：企業可藉由提高客戶移轉成本，抬高產業障礙。第四、第八章介紹過提高移轉成本的方法。適用於防禦策略的包括：

- ❑ 對客戶的產品操作或維修人員提供免費或低成本的訓練；或對向企業直接採購的客戶提供建立客戶資料檔案等專業服務。約翰曼菲爾企業（Johns Manville）就是以客戶訓練，來提高營造商採購建築材料的移轉成本。
- ❑ 與客戶共同進行產品開發，或提供客戶應用工程方面的協助，使己方產品整合到客戶的產品與製程中。
- ❑ 企業和客戶的電腦連線，直接進行查詢或訂貨，或由己方電腦系統處理客戶的資料庫。
- ❑ 在客戶的經營地點儲存客戶所需的器材或設備。以機油產業為例，龍頭廠商大多在加油站或修車廠設有大型機油儲油槽。

提高挑戰者產品的試用成本：當挑戰者的產品要獲得客戶試用機會的成本很高時，它也面臨很艱難的產業障礙。要提高這類障礙，企業需要了解客戶最先採購哪些產品，哪些是早期試用型客戶，以及會採購挑戰者產品的客戶類型。封鎖競爭廠商產品試用的途徑包含：

- ❑ 對可能先被採購的產品，進行選擇性降價。
- ❑ 對傾向試用的客戶，發出大量折價券和樣品。

- ❑ 透過折扣交易使客戶庫存增加，延長它們的批貨時間和合約時間。這些作法都會阻礙挑戰者取得訂單的機會。
- ❑ 宣布或透露新產品或即將降價的資訊，導致客戶延後採購決策。

防禦性地增加規模經濟：當企業的規模經濟擴大時，產業障礙也隨著增加。一般說來，企業可以在廣告和技術發展等方面建立規模門檻。比方說，當企業大幅提高技術開發經費，加速新產品的開發，挑戰者在技術發展上的投資程度就會跟著增加。對銷售量小的挑戰者而言，這是很難過的情況。企業發展規模經濟時，也可以從最具有競爭力的價值活動著手，而非純技術領域（參見第三章）。通常也就是在擁有成本優勢的領域裡，進行差異化策略（參見第四章）。

通常以下幾種方法，都可以增加規模門檻的防禦價值：

- ❑ 增加廣告支出。
- ❑ 增加支出以加快技術變化的速度。
- ❑ 縮短需要固定開發成本產品的生命週期。
- ❑ 增加銷售人員或擴大服務範圍。

防禦性地提高資本需求：當企業提高某項產品所需的資本時，挑戰者的氣焰會被遏阻。許多防禦戰術都有增加對手挑戰時所須資金的效果，下面是一些對資本條件特別有影響的防禦措施：

- ❑ 提高對代理商或客戶的貸款額度。
- ❑ 延長保固期限或放寬收益政策。
- ❑ 縮減產品或備用零件的交貨時間，這意味增加庫存量或更大的產能需求。

防堵可供選擇的技術：如果企業能預先防堵挑戰者可能使用的不同技術，等於封殺了對方進攻的途徑。防止對手取得技術的戰術有：

- ❑ 將產品或製程的所有相關技術申請專利。影印機產業發展初期，全錄公司就很有效地執行過這一個方法。
- ❑ 透過購買技術授權、經營採用相關技術的實驗工廠、與專精於其他類型技術的企業結盟、生產運用其他技術的產品等方式，維持企業在其他相關技術方面的參與。這些戰術會使挑戰者了解，它的對手必要時，照樣有辦法得到不同的技術。
- ❑ 授權或鼓勵良性競爭對手使用相關技術（參見第六章）。
- ❑ 透過訊息打壓其他相關技術的價值。

在保護專屬技能方面投資：當企業能保護產品、製程或其他價值鏈活動的專屬技能時，對手的障礙也相對提高。企業通常缺乏制度化措施來限制本身技能的擴散。根據第五章的分析，下面是這類措施應該包含的項目：

- ❑ 嚴格限制重要設備和人員與外界接觸。
- ❑ 內部自行製造或修改生產設備。
- ❑ 對關鍵零組件進行垂直整合，避免供應商掌握己方技能。米其林輪胎就很重視這個作法。
- ❑ 透過人力資源政策使人員流動率降到最低，並預防情報外洩。
- ❑ 積極申請專利。
- ❑ 和侵權者打官司。這類官司獲勝機會不大，卻可能延後挑戰者的投資，直到不確定性被解決釐清為止。

約束供應商：如果企業能阻止或限制挑戰者取得最好的原料、勞工或其他採購項目時，對方的障礙也會提高。以下是一些代表性作法：

- ❑ 和最好的供應商簽訂排他性合約。
- ❑ 逆向整合，部分、或全面掌握供應商所有權的方式，控制資源供應。
- ❑ 買下關鍵產地（礦產、森林等，即使超過本身需求），防止它們落入競爭廠商手中。
- ❑ 鼓勵供應商配合己方需要設計價值鏈，相對提高供應商服務其他競爭者的移轉成本。
- ❑ 藉著簽署長期採購合約，約束供應商的產能。根據報導，可口可樂在高果糖玉米糖漿（糖的低價替代品）方面，就應用這個策略。

提高對手的採購項目成本。當企業提高對手的採購項目成本時，它也創造出更高的障礙。要達到這個效果，機會大多繫於競爭者（或可能的競爭者）在成本結構上的差異，因此，當某個採購項目價格改變時，競爭者遭受的衝擊將高於己方。下面是一些常用的戰術：

- ❑ 避免供應商同時也和競爭者或可能的競爭者往來，提高這些供應商的成本，並避免競爭者經由它們獲得企業部分規模經濟。
- ❑ 假如競爭者的原料和勞動成本比重很高，企業就哄抬它們的價格。大型啤酒公司就常用這套戰術對付較小、缺乏自動化設備的競爭廠商。

防禦性地發展交互關係：企業利用交互關係，可以降低成本或提高差異性，這也是競爭者難及之處（參見第九章）。對手如果積極發展企業做不到的交互關係時，則形成明顯的威脅並必須加以防禦。可行作法是企業也發展特定交互關係，如進入一些新事業，以提高本身的防守條件。

鼓勵政府以政策提高產業障礙：在產品、工廠安全、產品測試、污染控制等領域，政府政策也可以做為主要的結構性障礙。這類政策通常會增加規模經濟、資金需求和其他可能的障礙。企業可以採取下列方式改變政府政策，並使其有利於本身的防禦地位：

- ❑ 鼓勵嚴格的安全和污染防治標準。
- ❑ 利用法律程序挑戰對手的產品和作法。
- ❑ 支持更周延的產品測試。
- ❑ 透過對貿易融資或其他有利的貿易政策的遊說，與外國廠商競爭。

組成聯盟以提高障礙，或乾脆和挑戰者合作：前面提過許多企業和其他業者組成聯盟，形成障礙的作法。譬如防堵其他相關技術或填補產品系列空隙等。同時，企業和可能成為挑戰者的對手結盟，也不失為一種化危機為轉機的方法。

增加對手可能被報復的威脅感

企業的第二類防禦戰術是，以行動增加挑戰者被報復的感覺。報復性威脅涉及對方意識到被反擊的可能性，以及可能後果的嚴重性。防禦廠商有很多傳達報復訊息的方法。比方說，道氏化工企業（Dow Chemical）多年前就發展出超過鎂市場需求的產能，展現它捍衛市場占有率的決心。假如道氏化工一再維持有限產能，挑戰者就可能受市場誘惑而入侵。

企業可以利用一些戰術增加可預見的反擊能力，以顯示捍衛本身地位毫不退讓的雄心，進而形成必須反擊別無選擇的條件，或是反擊所需的資源。挑戰者被報復的威脅與企業的行為息息相關。企業反擊的聲譽是建立在它過去的表現，尤其是過去它回應挑戰者的方式上面。因此，企業要小心經營它在既有和可能對手心中的形象。下面是一些企業增加它反擊印象的重要方法（參考《競爭策略》第五章）：

決心防禦的訊息：當企業一再發出捍衛本身地位意願的訊號時，對手們被報復的感受也會增強：

- ❑ 由經理人宣布防衛產業市場占有率的意願。
- ❑ 企業集團宣布旗下某個經營單位對企業整體的重要性。
- ❑ 宣布發展超過市場需求產能的想法。

這些訊息要經過公開說明、財經報刊、中盤商和客戶等各種可能管道，持續對外發布，以產生最大的防禦效果。

初期障礙的訊號：大多數能有效提高結構性障礙的戰術，也需要企業作明顯的投資。有時候，透過發布市場訊號或局部投資也能收到相同效果。企業拋出計劃行動或個案投資的市場訊號，可以顯示它在未來加強反擊的意圖。比方說，企業可藉著宣布或透露新一代產品、一個戰鬥氣息濃厚的品牌或新的製程技術等訊息，提高挑戰者一旦行動就可能引發正面衝突的風險意識。這類市場訊號可以使挑戰者暫時按兵不動，靜待情勢明朗。IBM就經常提前公布它的新一代產品。

圍魏救趙：企業可在挑戰者擁有優勢的其他國家或其他產業出擊，在該事業保持阻隔或防禦地位，形成一定程度的報復力量（參見第九章）。阻礙對手旗下主力事業的資金流通或獲利能力，不失為一特定有效的報復方式。

這套作法要有效，前提是企業在這些國家或產業中的規模，小於本身的主力產業，因此殺價和其他報復性戰術的成本相對比較低。圍魏救趙的風險比直接報復低，因為直接報復往往會波及良性競爭對手。

言出必行：當企業決心打出與競爭者相同的價格，甚至更低價格，或提供與競爭者相同的優惠（「我們不會輕易放棄」），它也提高了對手被報復的意識。當企業公開叫陣，尤其是劍及履及一兩回之後，通常會制止挑戰者藉折扣戰爭取市場的企圖。當然，在挑戰者眼中，企業必須真能以行動支持它的聲明。

提高退出或喪失市場的損失：企業任何增加經濟需求，維護市場地位的動作（如提高它縮減規模的障礙），都是展現它報復嚴重性的有力說明：

- ❑ 建構超過需求的產能。
- ❑ 與供應商簽訂大量零組件的長期合約。
- ❑ 增加垂直整合。
- ❑ 投資專業化設備。
- ❑ 公開固定成本的契約關係。
- ❑ 企業內部各經營單位發展交互關係，顯示整體企業在這個產業成功的決心。

企業提高喪失市場占有率或退出的損失時，本身必然也面對懲罰的風險。這種置死地而後生的作法是以提高成本和風險，換取更持續提升的地位。

累積報復資源：當企業準備進行反擊，並有必要資源搭配時，報復的威力就會提高。企業顯示反擊能力的方式如下：

- ❑ 維持超額或彈性使用的準備金（視為一種「戰爭準備金」）。
- ❑ 宣布新產品或新型號，但是備而不用。

鼓勵良性競爭對手：許多產業中，良性競爭對手常位於迎戰挑戰者的第一線，增加企業報復的威脅性（參見第六章）。適當的競爭廠商，也會將對手的攻擊引導到它們的方向。

殺雞儆猴：企業的報復形象，來自於它對威脅不大的競爭者的態度，以及面對有威脅的挑戰者的回應。在防禦上的價值通常是對某些沒有威脅的挑戰者開刀，證明自己面對真正挑戰者時絕不手軟。企業對某個挑戰者作激烈回擊，也會讓其他挑戰者心生警惕。

建立防禦聯盟：企業和其他廠商結盟，會使它反擊威脅的可能性增加。比方說，聯盟可以提供企業原本不具備的封鎖地位或反擊資源。

很多反擊對手的方法，也會增加企業的經營風險。事實上，就是因為這些戰術會提高企業風險，才能使競爭者產生重要警惕。因此，如果企業希望藉此改善本身地位的持續力，就要有投資的心理準備。

面對攻擊時的反擊

目前為止，本章討論的都是企業如何增加挑戰者被反擊的心理威脅，並避免它發動攻擊。一旦進入正式攻防階段，尤其是挑戰者急切需要評估初期戰果之際，企業的動作更加舉足輕重。一般說來，挑戰者很在乎初步成果，並會依此觀望長期走向。因此，防禦廠商即使無法長期抗戰，反擊本身仍有改變挑戰者期望的價值。要限制對手的進攻，快、準、狠的反擊是必要的。

一旦挑戰者展開攻勢，企業已知挑戰者的身分和某些策略時，還有其他可能的還擊戰術。

瓦解被測試的市場或初步市場：企業可以運用很多動作瓦解新產品市場，並使新產品的初步結果訊息紊亂。寶僑家品就常與競爭者在新產品測試市場纏鬥，導致挑戰者無法確定本身的進展，或對未來產生比較悲觀的態度。典型的瓦解戰術包括：

❑ 推出大量但不規律的廣告、折價券或樣品贈送活動。
❑ 低成本的服務、保證或低價活動。

跳蛙戰術：挑戰者攻擊期間，企業如果能夠推出新產品或新製程，將使挑戰者氣焰受挫。假如挑戰者先前已投下可觀的資源，卻因此被迫作更多投資以免遭到淘汰時，這個戰術的效果會更加明顯。

打官司：訴訟會提高挑戰者進一步投資的成本與風險，也將延緩它的進展。反擊的訴訟包括：

- 專利權訴訟，導致挑戰者的產品或製程前景不明確。
- 反壟斷訴訟，對付挑戰者任何積極動作的猛烈戰術。
- 關於挑戰者宣稱產品功能的爭議型訴訟。

降低被攻擊的誘因

第三類防禦戰術是，降低被攻擊的誘因。一般說來，引發挑戰者攻擊的主要誘因是利潤。挑戰者期待的利潤取決於防禦廠商的利潤目標，以及可能的挑戰者對未來市場條件的假設。

降低利潤目標：企業的營業利潤是它地位吸引力的明顯指標。因此，防禦策略的核心是，決定最能持久的價格和利潤。許多企業都是因為太貪心而招來攻擊。要降低被攻擊的誘因，企業可以有限度地選擇放棄眼前利潤。這意味降低價格、提高折扣等措施。

企業必須在結構性進入／移動障礙、反擊的威脅和獲利能力上取得平衡。在產業層級，這種平衡反映在防止進入的價格上（參考《競爭策略》第一章）。當企業獲利率非常高時，即使進入障礙高，反擊威脅強烈，挑戰者仍會企圖一試。油田服務業和製藥業因為是高獲利產業，儘管既有廠商拚命構築進入障礙，反擊入侵者，仍有大批挑戰者前仆後繼大量投資。例如TRW進軍油田服務業，寶僑家品進入製藥業。許多新進入者只眼紅這個產業的高獲利率，但忽略與低估了進入成本。同樣地，在許多產業，週期性的短期高獲利率常被誤認為常態。因此，當挑戰者侵蝕既有廠商的地位時，太貪心的結果會導致公開或不公開的收割策略。

駕馭競爭對手的假設：挑戰者可能因為著眼產業的未來，導致它攻擊既有廠商。當挑戰者相信這個產業有爆炸性成長的潛力時，即使進入障礙很高，它們仍會不惜一試。第六章討論過如何左右競爭對手的假設。如果企業不能強迫潛在競爭者擱置它們對產業的假設，防禦策略應該著重在使對方的假設切合實際。以下是一些可能的作法：

- 公開產業內部實際成長的預測。
- 藉公共論壇討論解釋產業事務。
- 贊助能質疑對手不實際假設的中立性研究。

防禦策略可以看成是對挑戰者之假設的廣泛影響，包含影響對方對報復和障礙高度的假設。這個工作的重點在於，影響競爭者對產業未來條件的假設。

評估防禦戰術

前面的各種防禦戰術各有不同的特質和適用性。企業研判過可能面對的挑戰者之後，必須決定哪一種戰術最有效。以下就是一些評估防禦戰術的方法：

對客戶的價值：企業應該選擇能增加客戶價值的防禦戰術（參見第四章）。許多防禦戰術涉及在廣告、品牌或對特定產品進行降價等方面的投資。除非客戶認為這麼做有價值，否則不見得有任何防禦效果。例如，當增加廣告無法增加客戶認知或忠誠度時，大量的廣告開銷並沒有防禦上的價值，因為挑戰者根本不須回應。換個角度看，假如客戶很在意信用貸款，企業也提供更多貸款措施，將迫使挑戰者花更多錢，才能攻擊己方的地位。

會提升企業差異性的防禦戰術，同時也將增加它在競爭地位的持續力。回應防禦戰術的客戶沒有義務負擔它的所有成本，因此企業只要做到，使挑戰者處於不利處境即可。比方說，增加廣告的防禦價值不能只看它是否使業績增加，還要看挑戰者是否因此花更多錢以攻擊自己的地位。

成本的不對稱：企業選擇的防禦戰術，要能使潛在挑戰者處在成本相對最不利的地位。防禦戰術的有效性，取決於企業實施特定戰術的成本和挑戰者的承受成本之間不對稱的程度。

比方說，擁有大量市場占有率的企業在全國性電視網上增加廣告時，規模較小的挑戰者被迫投下更大比例的開銷作回應，因為全國性電視網廣告的規模經濟受到全國性市場占有率影響。又如開發新產品有一定的固定成本，從挑戰者開發成本固定，規模卻較小的觀點來看，企業推出新一代產品，也將造成挑戰者更大的成本壓力。反過來說，降價對己方的損失可能大過打擊挑戰者的效果。當企業以這種方式防禦時，通常得不償失。

成本不對稱來自企業和挑戰者在規模、經驗、地點或交互關係等成本驅動因素的差別。企業選擇的防禦戰術要使挑戰者成本提高的幅度大於自己——通常是某些企業具有成本優勢的差異化因素（參見第四章）。某些產業中，大幅提高廣告開銷會讓挑戰者陷入困境，但在其他產業中，增加銷售部門規模才能夠形成相同效應。第三章對成本特性的分析就是界定這些不對稱性的起點。

在防禦戰術中，成本不對稱性的作用與它能否對準挑戰者的可能攻擊路徑、對象正確與否、或只是一般性作法有關。橫跨領域的戰術（如對一系列產品進行降價），成本通常高於鎖定特定目標的作法。比方說：針對新客戶初次採購產品的降價成本，就明顯低於所有產品同時降價。好的防禦策略是針對最有威脅的目標作投資。

成本不對稱性的防禦戰術也要針對特定挑戰者。針對新開張的業者，企業增加己方全國性廣告的作法可能奏效，如果對手是大規模而且成功的消費性產品廠商時，同樣的作法卻毫無效果。防禦戰術中的成本不對稱性是相對、而非絕對。

效果的持續力：企業要選擇有持續效果的防禦戰術。防禦戰術是一種需要一再投資才能維持應有價值的機制。例如，企業增加廣告宣傳，效果可能不止於當時，但仍需持續投資才能維持這個障礙。反過來說，企業投資新產品製程，障礙功能的衰退速度就比較慢。同樣地，企業在阻撓挑戰者接觸供應商的投資，可能所費不高但障礙持續力卻很強。如果企業不能創造持續的障礙，或公認的長期回擊姿態時，只作小量的防禦投資或乾脆不作投資也許更合理。企業應該投資於降低對手進入產業的誘因，否則最好儘早收割現有成果。

訊息明確：企業該選擇挑戰者能察覺並理解其中意涵的防禦戰術。對手不同，察覺訊息的能力也不同，對產業經濟的了解程度也不同；因此企業發出去的訊息可能被忽略，有些戰術的意義也會被誤解。一般說來，涉及價格、貸款、廣告、銷售業務和新產品的戰術比較明顯易見，但涉及間接訊號（如宣布擴充產能）、改變製程、提高退出／縮小規模障礙的戰術，比較不容易被察覺。

一個防禦戰術被察覺和了解的可能性，不但和戰術本身有關，還涉及可能的挑戰者。當競爭對手的成本概念不強，它就很難了解針對成本地位的防禦戰術影響力。另外，挑戰者對產業和目標廠商的假設，也會影響它們對目標廠商行為的解釋。

信用：企業的防禦戰術要有公信力。挑戰者不同，重視對方防禦戰術的程度也會不同。因此，構築障礙的防禦戰術要奏效，必然是挑戰者也認為它是一項長期或永久的動作。同樣地，企業反擊威脅的信用，建立在它具備執行報復的資源，以及明白展現的決心。

對競爭對手所設目標的影響：企業選擇的防禦戰術，必須能在可能挑戰者的特定目標上產生可評估的影響力。由於每個挑戰者的目標可能不同，防禦戰術的效果也不是一成不變。例如，能有效對付經營權結構相似對手的防禦戰術，面對公營企業可能威力盡失。同樣地，每個挑戰者對最初損失和短期利潤的看法也不同。有時候，經理人會抱怨他們處於「非理性」的攻擊風暴中。換個角度看，這些看似非理性的攻擊，其實是挑戰者不同目標之下的產物。防禦戰術因此要能反映出挑戰者的目標，而不是企業本身的目標。

其他結構性效果：企業的防禦戰術，要能夠對產業結構的相關因素產生正面或中性的影響，並避免對產業結構造成永久性傷害。和降價造成客戶長期價格敏感度提高相比，推出新產品能夠提高移轉成本並鼓勵替代，因此是比較理想的防禦戰術。有時候，企業公開增強報復性威脅，會對產業內競爭壓力帶來意外的附加效果。如果同業選擇跟進，升高的退出障礙就會增加它們之間火拚的風險。龍頭廠商特別會用防禦性動作左右產業結構。

防禦戰術也可能波及良性競爭對手。當企業增加廣告開支或降低價格時，良性競爭對手的競爭地位也會相對轉弱，並抵消第六章提到它們做為有利角色的功能。高明廠商的防禦動作會針對挑戰者，而避免波及良性競爭對手。設計防禦策略不能一廂情願，絕對要注意到它在產業結構上的附帶效果。

同業的同步與跟進：當同業模仿企業的防禦戰術時，對新進廠商的防禦效果最大。當同業同步行動，意味著潛在新進入者無法藉攻擊產業內其他廠商，突破防禦性投資所建立的障礙。然而，小廠可能在防禦投資上力有未逮，要搭龍頭廠商防禦戰術的便車。在新進者威脅大於同業操戈的產業中，企業激勵同業在某項防禦動作上同步努力，將產生策略性優勢。

防禦策略

攻擊策略會增加企業的競爭優勢，而清楚的防禦策略將使這些競爭優勢更為持久。最理想的防禦策略是嚇阻——避免挑戰者展開行動、或偏離目標減少威脅性。另一種防禦型態是回應——挑戰者行動之後的相對反應。回應要能降低挑戰者展開行動後的企圖，或使它自行放棄。無論嚇阻或回應，基本上都在改變挑戰者對一項行動吸引力的評估。

嚇阻

企業實施嚇阻的成本比正面迎戰來得低。但是，除非企業了解威脅的本質，否則很難嚇阻挑戰者。關於嚇阻，在軍事上，若不知敵人從何而來，火力如何，將會付出極高的代價。

這個道理也適用於競爭策略。企業必須決定潛在挑戰者中誰最具危險性，還有它們可能的行動方式。能做到這一點，它才能組織最適當的防禦戰術。第十三章討論的情境模擬，就是評估這些可能性的有效工具。

以下是執行嚇阻的重要步驟：

一、充分了解現有的產業障礙：企業必須充分了解目前擁有的進入和移動障礙，這些障礙的來源以及可能的轉變型態。它的屏障是否來自規模經濟？這些屏障又出自價值鏈的哪個部分？取得通路是否困難？形成困難度的條件又有哪些？哪些價值活動能形成差異性？企業有多少成本地位和差異化資源的持續力（參見第三、四章）？

現有的障礙高度會決定企業受威脅的程度。當現有障礙頹傾，企業仍想維持獲利的話，就需要重建障礙或找出替代的新方法。現有障礙也左右挑戰者使用的策略，以及防禦戰術最有效的領域。假如企業的屏障是取得通路的難度，挑戰者就可能另創新通路，而非循現有通路挑戰。反過來說，當企業缺少規模或其他能持續的成本障礙，就很容易變成小廠、間接成本低的挑戰者攻擊的對象，因為光是己方認為回收有限、不值得投資的領域就足以滿足它們。挑戰者通常會找出繞過現有障礙，或使障礙失效的方法（參見第十五章）。

如果企業要有效運用障礙，就必須精確地認識每個障礙的特定成因。以建材業為例，企業要認清它的規模經濟主要來自地區性規模，這是因為受到昂貴的運輸成本、生產經濟效益、銷售業務能力，以及地區差異性形成產品價值等方面的影響。假如建材廠商自滿於現有規模的障礙，忽略形成規模障礙的特定因素，它的防禦戰術有可能是錯誤的。

二、隨時留意可能的挑戰者：無論是潛在的產業新面孔，或是準備轉換定位的現有競爭對手，企業都應該事先留意，做好準備。防禦投資的核心是掌握最可能的挑戰者。障礙的高低、反擊的效應都和挑戰者有關，而不是一成不變。以機油產品為例，嘉實多（Castrol）等廠商最可能碰到的挑戰者，應該來自石油業。以石油大廠的資源而言，機油業者嚇阻小廠的規模和資金等障礙，根本起不了作用。

要判斷誰是最可能的挑戰者，企業需要思考下面三個問題：

現有對手中，誰對自己的現況最不滿意？最可能的挑戰者經常是最不滿現況的對手。始終無法達成目標的競爭廠商最傾向於重新定位。企業評估競爭廠商的假設、策略和產能，就會發現對方是否可能重新定位並威脅到自己。良性競爭對手與惡性競爭對手不同的地方在於，它們重新定位時比較不會威脅到企業本身（參見第六章）。競爭廠商被其他公司購併後，它的目標經常會改變，並成為未來的挑戰者。以啤酒業為例，對寶獅公司（Anhenser Busch，百威啤酒的生產者）而言，菲利浦．莫里斯買下美樂啤酒，就是發動積極挑戰的前兆。

誰最可能進入這個產業？判斷產業內哪些廠商會重新定位，並非易事，更困難的是掌握可能進入這個產業的新面孔。一個可行方式是，找出那些只要合理擴張現有活動，就會進入這個產業的廠商。一般說來，最可能進入的廠商不外下面幾種類型：

- 其他地區的地區性競爭廠商。
- 目前尚未在本國營運的外國同業。
- 以這個產業做為正向或逆向整合的廠商。
- 進入這個產業能夠形成有形或無形交互關係，或創造阻隔（blocking）地位的廠商（參見第九章）。

地區性廠商通常會往其他地區或全國性市場發展。食品產業就有這種趨勢。類似聯合食品和漢斯企業等主要大廠，都是在購併其他地區廠商後進軍全國市場。當產業全球化時，外國廠商進軍國內市場也很普遍——最近的例子是，美國治療心律不整藥品市場中，普強公司（UpJohn）遭到英國布特公司（Boot Company）攻擊。

根據第九章的說明，事業之間形成交互關係的形式有很多種，也是企業在產業中多角化的合理路徑。企業應追溯這些能導致進軍某個產業的可能交互關係，界定出合理的新面孔。比方說，柯達公司具有化學和光學的專業技術、松下企業擁有辦公室自動化產品策略，它們進軍影印機產業是很自然的擴張。

界定可能進入者的最大挑戰是，不能掉入傳統思考的陷阱。許多企業因為看得太窄、只注意地區性廠商或衍生新公司等傳統資源形成的新對手，相對忽略外國同業或相關的多角化企業。最可能進入的廠商名單也應該隨產業發展而隨時調整（參見《競爭策略》第八、十六章）。

生產替代品的競爭者是否存在？對某些產業而言，替代品可能是最具威脅性的競爭對手；也應該是防禦策略的重點之一。本書第八章曾經分析如何辨別替代品，以及如何因應替代品的競爭。

三、預測最可能的攻擊路線。形成嚇阻策略的第三步是，預測可能的攻擊路線。企業必須判定所在位置最容易被攻擊的方式，以便將防禦投資放在本身最弱的領域。每個管理團隊都應該自問：「如果我是競爭廠商，我將如何攻擊這家企業？」

影響挑戰者攻擊途徑的因素包括，進入和移動障礙，以及這些障礙可能的變化。以芥末產業為例，葛瑞布彭公司驟然增加廣告開支並以差異化策略攻擊法蘭西公司（French），顯示當法蘭西擁有規模優勢，挑戰者的合理攻擊形式就不該是正面價格戰。同樣道理也說明，儘管SCM擁有通路和品牌忠誠度的優勢，但是在可攜帶式打字機方面，它並非結合電子技術生產私有品牌的寶第工業的對手。當美國大廠將小型曳引機市場的數量優勢讓給日本業者時，美國農業機械廠商在這個領域的脆弱性就高於大型曳引機。

潛在挑戰者的產能、策略和假設，也會反映出最可能的攻擊途徑。在啤酒產業中，美樂啤酒強調大量廣告和市場區隔。這種作法與母公司的內在交互關係有關。德州儀器在個人電腦領域極不順遂的降價戰爭，也與它在半導體產業的一貫作法有關。潛在進入者要挑戰現有廠商，通常會買下一家這個產業的二級廠商，企業應該牢記這種可能性。以卡車產業為例，賓士汽車買下這個產業的第六大廠佛萊特林勒（Freightlines），富豪汽車（Volve）買下第七大廠懷特汽車（White Motor）的卡車事業部，還有雷諾汽車（Renault）與馬克公司（Mack）結盟，都是同樣的道理。

四、所選擇的防禦戰術要能夠封鎖可能的攻擊路徑。嚇阻要有效，必須能夠封鎖挑戰者的可能攻擊路線。所以企業選擇防禦策略時，必須選擇在提高產業結構性障礙、或增加反擊威脅上成本效益最高的防禦戰術。恰當的防禦戰術組合因企業而異，這也是最關鍵的要求。比方說，如果對手以私有品牌產品進攻是企業的最大弱點，它就需要投資於某種專業的私有品牌產品，並展現出在價格上較勁的架勢。此外，選擇防禦戰術必須鎖定最可能的挑戰者，並反映出可能挑戰者的真正目標。

五、營造企業剽悍防禦的形象。企業除了要作防禦投資，還要明確傳達它防禦本身利益的意圖。它除了要持續傳送防禦決心的訊息，更需要謹慎塑造形象。在各種公開言論和市場行動上，企業應該預作衡量，了解它們會傳送出何種訊息。理想中，企業應該塑造出類似寶僑家品的形象。調查顯示，無論消費性產品或非消費性產品領域，絕大多數經理團隊都同意，寶僑家品在保護本身市場上的決心是毋庸置疑的。寶僑家品能贏得這樣的形象，來自它長期在言詞和行動上的表現，絕非誤打誤撞的結果。

六、設定合理的獲利目標。企業的防禦策略要能夠有效執行，前提是它的獲利目標要合理。企業的獲利目標必須反映它所擁有的障礙，以及可以由防禦投資創造的障礙。一般說來，降低眼前獲利目標會帶來更長久的獲利能力。

回應

一旦嚇阻失效，挑戰者依然發動攻擊時，企業就要迅速決定如何還擊。嚇阻戰術不可能將被攻擊的可能性降到零。要做到那種程度代價太高，而且也無法預測出每種可能的挑戰動作。因此，防禦策略很重要的部分就是，在適當時機有效回應對手的攻擊。

企業的反擊有效與否，取決於它能否改變挑戰者的期望。前面提過的各種防禦戰術都可以針對特定挑戰者的目標、假設和能力，形成反擊效果。例如，通用食品的麥斯威爾咖啡對寶僑家品發動嚴厲有效的防禦，自然導致寶僑家品重新考慮它在咖啡產業的目標。通用食品展現決心、捍衛現有地位的方式，不外大幅降價、廣告投資和品牌戰等作法。猛烈的防禦也意味著寶僑家品勢必被迫接受它在咖啡產業的低投資回收。

以下是一些重要的回應原則：

回應時間愈早愈好：挑戰者一旦達到初期目標並增加投資之後，它的退出障礙和繼續的決心，也會相對提高。因此，企業對敵人攻擊的回應愈早愈好。很多時候，企業即使所處地位使它無法全面回應對手攻擊，它仍需要適時行動以遲滯挑戰者的預期戰果。即使只是增加廣告等小幅動作，仍可能收到防止對手達成最初目標的部分效果。

儘早了解挑戰者的確實行動以便進行防禦投資：當競爭對手進入產業或調整定位時，企業就予以還擊，將使它獲得及早掌握挑戰者確實行動的重要優勢。這一點可以從下面的活動中輕鬆取得：

- 定期和原料供應商、設備供應商、工程公司聯繫，了解它們的訂單和興趣的變化。
- 與廣告媒體密切聯繫，偵查對手預購廣告的數量。
- 監視對方出席商展的情形。
- 定期與這個產業最富冒險性格的客戶聯絡，它們可能是新競爭者最先接觸的對象，也是最可能尋找其他供應商的客戶群。
- 注意科技研討會、研究所等挖掘技術人才場所的動靜。

根據挑戰者的攻擊理由作反擊：企業要了解挑戰者為什麼攻擊？它的目標為何？以及它的長期策略型態？反擊鋌而走險的對手、或是在母公司成長壓力下發動攻擊的對手，企業的回應方式不能一概而論。有效的反擊要能擾亂對手的時程，並且迫使對手修正目標，因此，企業應該評估對手的目標和時間表。有效的反擊也要能確認挑戰者的每一步動作與它長期策略的關係。

使挑戰者轉變方向或使它停止：企業反擊的理由之一是，假使無法完全制止對手的攻擊，至少使它的威脅降低。要挑戰者改變重點目標或修正策略方向，比讓它放棄行動容易。因此，企業選擇對策時，應該同時考慮使挑戰者以威脅較小的方式實現或部分實現它的目標，並依此做出回應。

認真看待每個挑戰者：沒有哪個挑戰者是可以掉以輕心的。企業必須分析每個挑戰者的能力和動機。再弱的挑戰者，還是有打亂產業結構或傷害良性競爭廠商的潛力。更重要的，企業對比較不具威脅的挑戰者的因應程度，落在更有威脅的挑戰者的眼中，絕對有其作用。企業也要注意避免反應過度。反擊成本是很高的，它應該用在真實而非想像的威脅上。

將反擊變成增強本身地位的方法：一般說來，企業反擊時，不僅能阻撓競爭對手，還有增強自己地位的效果。像飲料和啤酒產業的案例顯示，一場旗鼓相當的商戰中，受創較深的常是其他較弱的廠商，而非挑起戰端的主要競爭對手。更重要的是，當競爭廠商在某個產業區段發動攻擊時，往往也暴露它在其他領域的弱點，反而給防禦廠商長驅直入的契機。

對價格戰的回應

在挑戰者的攻擊方式中，削價競爭最難回應，原因是它會快速反應在獲利能力上，而且有價格一旦下跌就不易回升的風險。因此，企業在回應削價競爭時要特別小心。企業在考慮如何回應削價競爭時，必須注意下列問題：

競爭者削價的理由：挑戰者削價競爭，可能是因為它不了解要付出的成本，認為削價後仍有合理的回收。最不利的是，競爭對手因為成本明顯低於對方，所以敢削價競爭。因此，企業面對削價競爭時的適當反應，要隨對手狀況而定。當對手削價競爭時，企業必須迅速且正確地研判它的理由。

參與纏鬥的意願：競爭廠商削價競爭，多半是假設防禦廠商希望維持既有利潤，因此不會有激烈的反應。假如企業要遏止價格戰，有必要儘早而猛烈的反擊。這種反擊不一定是跟著降價，但是必須迫使對方放棄原本的動作。企業必須說服降價的對手，這種糊塗的動機是無法得逞。

局部反擊：面對降價攻勢時，企業可針對特別容易動搖的部分客戶群，或是差異化較低的產品作回應，而非全面降價。局部回應會降低降價的成本。

攻其必救：降價硝煙升起時，企業以價格或其他動作迅速攻擊挑戰者的主要客戶或產品，可能會迫使對方停止原先的行動。同樣地，假如企業以對其他產業進行阻隔的方式迎擊，價格戰也可能隨之中止。這種作法有效是因為降價廠商將發現，它的損失遠大於預期斬獲。

以間接方式降價：有時候，企業可以透過免費服務、對輔助設備打折、或其他比較容易重回價格戰之前狀態的方式，有效回應降價的對手。同樣地，間接的快速降價比較容易局部化，對手也比較不易模仿。如果企業無法進行間接降價動作，優待或其他特別折扣還是比直接降價容易回到原點。

創造或使用「犧牲打」產品：有時候，戰鬥品牌或陽春型產品（如不附帶免費服務），會比主要產品系列的降價更有效。企業可以用較低的價格供應客戶特定產品，同時提醒客戶它們是主力產品下的次級品。

防禦或撤退

在許多產業中，防禦投資會帶來很高的回收，不過，防禦投資應該講求最大效益，而非絕對效益。有些產業可能不適合進行防禦性投資，或只能作暫時性遲滯對手攻勢的動作。對於缺乏絕對優勢地位的企業，這一點尤其重要。遇到這類產業，最佳的防禦策略就是「見好就收」。這意味著企業維持現金進帳愈多愈好，也承認新進入者或重新定位的競爭廠商必然會侵蝕它的現有地位。當企業執行這套作法時，可能還要鼓勵新進廠商衝大市場以便坐收漁利。

以下是企業與其一戰，不如撤資的某些狀況：

- 當產業的進入和退出障礙很低，或愈來愈低時。
- 要創造進入和退出障礙的機會不大。
- 潛在新進入者或既有競爭者擁有更強大的資源。
- 競爭廠商只追求短期投資回收目標，或具有其他惡性競爭對手的特質。

防禦的陷阱

處於防禦地位的企業，也有許多要避開的陷阱。許多龍頭廠商看似地位穩固卻被扳倒，問題就出在防禦策略錯誤。防禦的最大陷阱就是只顧眼前近利，未注意近利與防禦投資相衝突的事實。許多企業因為看重短期獲利，忽略防禦策略降低風險的功能，以致內部決策流程反對防禦性投資。形成這種錯誤觀念的原因是，防禦策略通常不容易評估，因為成功的防禦意味著西線無戰事。

防禦策略的第二個陷阱是自滿。企業很少主動偵察可能的挑戰者，或認真思考挑戰者出現的可能性。在這種情況下，企業才會連簡單、低成本的防禦動作都不做。進一步看，企業會因自滿而忽略客戶需求，一味賺取無法持久的利潤，引誘挑戰者加入競爭。下一章分析贏得競爭地位的原則時，將看到更多防禦策略的陷阱。

| 第十五章 |

攻擊產業龍頭

企業應該在何時攻擊產業龍頭？大多數產業龍頭重視所在的產業，並擁有反擊挑戰者或打長期戰爭的資源。因此，當企業挑戰龍頭廠商時，它面對的是一個奇妙又冒險的任務。

本章將整合全書要點，建立一個標示龍頭廠商弱點的架構，並發展出成功攻擊龍頭廠商的策略。本章將列出一些非常嚴格的條件，唯有符合這些條件，挑戰者才能成功地攻擊龍頭廠商。其次描述挑戰者對抗龍頭廠商的策略，範圍從企圖改變競爭基礎到利用產業龍頭的僵化弱點，同時也描述能凸顯龍頭廠商弱點的產業和企業特質。最後討論一些攻擊龍頭廠商的共同陷阱。

企業應該在何時攻擊產業龍頭？產業龍頭的市場占有率和獲利率往往招來新進入者，或同業的重新定位動作。然而，龍頭廠商擁有如聲譽、規模經濟、累積經驗，以及最理想的供應商或通路等優勢，並藉此自我防禦。大多數產業龍頭重視所在的產業，並擁有反擊挑戰者或打長期戰爭的資源。因此，當企業挑戰龍頭廠商爭取市場地位時，它面對的是一個奇妙又冒險的任務。

龍頭廠商也有它的弱點。在運動鞋領域，耐吉（Nike）取代愛迪達（Adidas）。在冷凍餐點方面，司徒福壓倒班奎特（Banquet）和史雲生（Swanson）。每個產業的成功策略雖然各有不同，道理其實一樣。挑戰者努力避免招來全面反擊，同時也在尋找抵消龍頭廠商競爭優勢的方法。有時候，產業結構變化會導致龍頭廠商出現弱點，緊隨其後的廠商或潛在挑戰者只要充分了解產業結構，都有取代龍頭稱雄的機會。

本章將整合全書要點，建立一個標示龍頭廠商弱點的架構，並發展出成功攻擊龍頭廠商的策略。我將從挑戰者的觀點出發（可能是這個產業的成員或是企圖進入的新面孔）。本章將列出一些非常嚴格的條件，唯有符合這些條件，挑戰者才能成功地攻擊龍頭廠商。其次，我將描述挑戰者對抗龍頭廠商的策略，範圍從企圖改變競爭基礎到利用產業龍頭的僵化弱點。我也將描述能凸顯龍頭廠商弱點的產業和企業特質。最後則討論一些攻擊龍頭廠商的共同陷阱。

本書的每一章都提出一些攻擊策略，但是要成功地挑戰龍頭廠商，困難在於如何組合這些攻擊策略。本章的架構雖然在攻擊龍頭廠商，這個原則也可以用在對抗對手的攻擊策略。更重要的是，龍頭廠商可以使用相同的概念了解自己的弱點所在，以發展出更有效率的防禦策略。

攻擊龍頭廠商的條件

攻擊策略的基本原則是，無論挑戰者的資源或實力多強，都應該避免以模仿策略進行攻擊。在地位上，龍頭廠商擁有根深柢固的優勢，並且遠勝過挑戰者，它也會盡一切可能猛烈還擊。這會使得挑戰者在龍頭廠商落敗前就彈盡援絕。

在咖啡產業中，寶僑家品向通用食品的麥斯威爾咖啡挑戰，就犯了這個大忌。與麥斯威爾咖啡相比，寶僑家品的佛吉斯咖啡（Folger）並無特殊之處。它在生產、行銷上的價值鏈更與通用食品大同小異。麥斯威爾咖啡以多項防禦戰術猛烈反擊，還有龐大的市場占有率與成本優勢地位。佛吉斯咖啡只能蠶食一些聊勝於無的小廠地盤，但是距離可接受的獲利程度尚有一段距離。反過來說，麥斯威爾咖啡成功遏阻佛吉斯咖啡搶攻市場的同時，仍舊維持它的獲利能力。

另一個違反這項原則而失敗的例子，是可口可樂在挑戰龍頭大廠不成後，終於將旗下的酒譜公司（Wine Spectrum）賣給西葛蘭公司（Seagrams）。當可口可樂在葡萄酒市場擊退二流廠商時，它與蓋洛的交鋒則明顯處於劣勢（參見第三章），並缺乏產品和行銷上的創新作法。蓋洛頑強地抗拒可口可樂，也意味著後者一直無法在葡萄酒市場中獲得合理利潤。 IBM在影印機產業的情況也差不多。它挑戰全錄和柯達的中、高印量影印機時，根本缺乏差異化或成本優勢。

要成功打擊龍頭廠商，挑戰者需要具備以下三個基本條件：

某一種持續的競爭優勢：不論是成本或差異性，挑戰者必須擁有比龍頭廠商更明確和持續的競爭優勢。當優勢來自低成本時，企業可以靠降價挑戰龍頭廠商並爭奪地盤，或在標準價格中得到較高的利潤，進而再投資行銷或技術發展工作。這些動作都將增加挑戰者的市場占有率。此外，企業如果能形成差異性，它在對抗龍頭廠商時，將能以最佳價位銷售並（或）將行銷成本降到最低、或爭取到客戶的試用機會。挑戰者的優勢無論是哪一種，還要兼具持續力，這方面請參考第三、四章。在龍頭廠商如法炮製之前，持續力將保證挑戰者有足夠的時間縮短它們之間的市場落差。

其他相關活動的相近性：挑戰者要能局部或全面地瓦解龍頭廠商在相關活動的既有優勢。當挑戰者應用差異化策略時，必須能抵消一部分龍頭廠商因規模形成的成本優勢，率先行動優勢，或其他因素帶來的成本優勢。除非挑戰者能拉近彼此間的成本，否則龍頭廠商將以成本優勢抵消（或超越）挑戰者的差異性。依此類推，當挑戰者以成本優勢為攻擊基礎，它還必須具備客戶可以接受的價值。否則，龍頭廠商仍會以溢價形成的充沛利潤猛烈反擊。

某些能延遲龍頭廠商報復的作法：挑戰者要有一些減緩龍頭廠商反擊的能力。挑戰者選擇的策略，必須使龍頭廠商無意或執行困難而不能立刻反擊。不論挑戰者具有何種競爭優勢，假如缺少延遲對方報復的動作，它的攻擊只會引發龍頭廠商壓倒性地還擊。一個充滿決心、資源充沛而且陣地堅固的龍頭廠商，往往以攻擊報復手段，迫使挑戰者承受不經濟的成本。

這三項攻擊條件源自於第一章的競爭優勢原則。當挑戰者的能力符合這三個條件時，成功增加市場占有率的機會也會提高。寶僑家品的佛吉斯咖啡、可口可樂的酒譜和IBM的影印機，都是因為缺少這三個條件而徒勞無功的經驗。

這三個條件的難易程度，要看龍頭廠商的策略和攻擊性。當龍頭廠商不上不下，沒有特別的競爭優勢時，挑戰者可以很輕鬆地在成本或差異性中找到自己的競爭優勢。它只要認清龍頭廠商的弱點，選擇一套策略即可；反過來說，攻擊對象是一個積極追求成本地位或差異化的龍頭廠商時，挑戰者就必須找出像發展新的價值鏈等重大的策略性創新，才可能挑戰成功。

玉米溼碾磨產業的戰爭，就表現出挑戰者具備這三項條件的挑戰效果。卡吉爾（Cargill）和ADM（Archer-Daniel-Midland）成功地卯上老字號產業龍頭，如CPC國際公司，史大利公司（A.E. Staley）和標準牌（Standard Brands）等。進軍這個產業時，卡吉爾和ADM擁有新製程科技形成的一貫作業工廠。開始時，它們有限度地經營少數產品，把自己定位在大量生產的項目，並透過精簡的銷售業務降低人事成本。這些選擇使它們比傳統廠商更具有明顯的成本優勢。儘管龍頭廠商努力加強差異化，卡吉爾和ADM也在相關領域進行差異化。由於這類產品屬於消費品，一般客戶並不在意上游的服務價值。此外，老字號大廠因為有所顧忌，因此停滯了它們的報復行動。這些因素包括害怕打亂產業平衡，產業本身的傳統競爭方式又是所謂的「君子之爭」。此外，第一大廠如CPC和標準牌正著手多角化經營，轉移了它們對玉米溼碾磨產業的資源和關注。

玉米碾磨產業是挑戰者齊備三項條件的例子，當挑戰者只擁有部分條件，就需要靠實力抵消缺少其他條件的不利之處。人民航空和西南航空成功進入「陽春型」空運產業，就是挑戰者靠兩項條件，抵消掉缺少第三項不利衝擊的案例。第三章提到陽春型客機應用不同的價值鏈，因而比傳統客機更具成本優勢。同時，由於空運服務的差異不大，乘客大多認為陽春型航空公司和傳統航空公司的服務差別不大。當傳統航空公司捍衛市場占有率時，陽春型客運業者也面對反擊的重大威脅。問題是，傳統客運業者擔心削價競爭會增加成本，並有損品質形象，因此遲遲未加報復，直到陽春型客運業者的威脅與日俱增，傳統業者最後還是發動反擊。重要的是，在報復來臨前的安全期間，陽春型客運業者已經形成明顯的成本優勢，並使傳統業者的反擊成本大增。如此一來，許多傳統客運業者根本不敢將票價壓到和陽春型客機相同的程度。

另一個挑戰者應用部分領域優勢抵消龍頭廠商持久實力的例子是，聯邦快遞對抗愛默瑞空運公司，並成功進入該產業。聯邦快遞以自己的飛機及位於曼菲斯的集散中心，形成獨特的送件系統，使它很快就在小包郵件隔夜送達的市場上形成差異性。這部分在第四章有很詳細的說明。在聯邦快遞達到與龍頭廠商相同的成本或更大優勢之前，從價值鏈對規模的敏感程度來看，開始時，它的成本地位高於愛默瑞公司。不利的成本表現加上沈重的債務，使聯邦快遞在創業初期非常脆弱。問題是，愛默瑞公司一開始沒有將聯邦快遞當一回事，直到對手衝出足夠的市場並建立相近的成本地位時，它才展開報復。這個例子顯示，龍頭廠商反擊太慢，會給挑戰者時間（和資源），以克服成本或差異性的不利之處。第十四章的迅速反擊原則說明了，龍頭廠商防禦時，反擊決心的重要性。

攻擊龍頭廠商的途徑

挑戰者要成功攻擊龍頭廠商，通常需要具備洞察適當策略的能力。它要找出一個抵消龍頭廠商既有優勢的不同策略，認清或製造一些抗拒報復的障礙。產業不同，對抗龍頭廠商的適當策略也不同，以下是三種比較可能的途徑：

- ❑ 重新設計：挑戰者可以對價值鏈的部分活動進行創新，或重新設計整個價值鏈。
- ❑ 重新定義：挑戰者重新定義本身和龍頭廠商的競爭範圍。
- ❑ 砸錢：挑戰者以超過形成競爭優勢的資源，或更大的意願進行投資，取得市場地位。

這三種攻擊途徑都會改變產業的競爭型態，抵消龍頭大廠的優勢，並使挑戰者獲得成本或差異性方面的優勢。它們彼此並不互斥，也可以循序使用。例如重新定義競爭範圍需要搭配價值鏈的重新設計。挑戰者挑戰龍頭廠商時，假如同時使用這些途徑，成功的機會也將增加。這三種途徑顯示在圖 15.1。

根據圖 15.1，攻擊的途徑可以從彼此的價值鏈設計與競爭範圍思考。挑戰者可以使用與龍頭廠商相同的價值鏈，或部分活動重新設計，或全面更新設計的價值鏈。同時，挑戰者可在相同範圍的活動競爭，或擴大或縮小競爭範圍。第二章介紹過，範圍包含產業內的區段大小、整合程度、地理和產業範圍，或以協調策略跨產業競爭。

重新設計，是挑戰者在相同的競爭範圍內，重新設計價值

圖15.1　攻擊產業龍頭的途徑

競爭範疇 ＼ 價值鏈的設計	與產業龍頭相同	新活動	新價值鏈
與產業龍頭相同	砸錢	重新設計	重新設計
與產業龍頭不同	重新定義	重新設計與定義	重新設計與定義

活動，或形成一個全然不同的新價值鏈。重新定義則是挑戰者與龍頭廠商的價值鏈相同，但是在不同範圍競爭。重新設計和重新定義會組合出新的價值鏈與不同的範圍。砸錢則沒有組合出新的價值鏈，也沒有重新定義範圍，只是需要挑戰者以更多的投資導引出競爭優勢。

重新設計

當挑戰者與龍頭廠商在相同範圍的活動中競爭時，重新設計會使挑戰者以不同的方式競爭。它會以不同方式進行某個價值活動或重新設計整個價值鏈，以便降低成本或提高差異性。假如重新設計價值鏈是攻擊領導廠商的基礎時，新的設計必須能持續地防止別人模仿。這種持續力源自第三、四章所描述的率先行動優勢及其他來源。

我們反覆討論過由重新設計形成競爭優勢的方法，價值鏈的任何活動都可以重新設計。第三、四章也詳細說明過，如何以重新設計價值鏈形成成本優勢或差異性。以葡萄酒業為例，第三章提到蓋洛與競爭對手相比，是以重新設計採購、調配、裝瓶、運輸和行銷等價值活動，達到明顯的成本優勢。同樣地，第四章的冷凍調理食品例子中，司徒福透過重新設計行銷、技術發展、採購和代理商關係，完成並持續它的差異性。

挑戰者重新設計的價值活動愈多，競爭優勢的持續力就愈強。如同前面提到陽春型航空公司和愛荷華牛肉公司的例子，重新設計整個價值鏈，經常是挑戰者對抗龍頭廠商最有力的優勢源頭，因為龍頭廠商通常對傳統產業價值鏈投注較高的心力。

以下是一些以重新設計成功打擊龍頭廠商的方法：

改變產品：挑戰者可藉由改變產品來攻擊領導廠商。

更卓越的產品造型或功能：企業對客戶價值鏈愈了解，它的產品對客戶的貢獻也愈高（參見第四章）。寶僑家品的喬敏衛生紙比舒潔的產品更軟、更吸水，使寶僑家品成為這一行的龍頭廠商。同樣地，古柏威遜（Cooper Vision）和巴尼—韓得／海多克（Barnes-Hind／Hydrocurvew，魏佛龍的子企業）攻擊博士倫的武器，是可配戴時間更長的軟性隱型眼鏡。

低成本的產品設計：第三章提過產品設計如何影響企業的相對成本地位。佳能的NP200型影印機使用滾筒投影技術，使它的零件比競爭對手更少。成本較低的設計明顯改善佳能在小型平版影印機的地位。

改變出貨後勤和服務：挑戰者可以從改變產品支援、售後服務、訂單處理流程或有形的配銷等事項，對龍頭廠商進行攻擊。

更有效的後勤體系：第三章介紹過，後勤體系也有改善相對成本地位的機會。如聯邦快遞的作法，重新設計價值活動有時能明顯改善相對成本地位。

對售後服務支援活動作更多呼應：第四章介紹過，企業如何找出對客戶最有價值的服務。挑戰者如果能重新設計價值鏈，使它有更佳的客戶查詢、文書行政等表現，也能創造出差異性。以維特可公司為例，這家康百遜工程公司（Combustion Engineering）的子公司，主力是銷售近海石油鑽探設備，但也透過提供卓越的訓練材料和支援其他售後服務，使客戶熟悉複雜的海底鑽探作業，從而獲得明顯的競爭地位。

改善訂單處理流程：第四章討論過，企業如何界定、評估改善交貨系統效率的可能，並以此創造差異性。這些加強動作包括控制客戶庫存量等，類似動作其實就承接了客戶價值鏈的部分活動。譬如說，數家大宗物資批發商就是以提供連線訂貨、負責零售商的庫存管理並建立差異性。以馬克森公司（Mckesson）為例，它是以下午三點配銷藥品的訂單處理系統，持續改善本身的競爭地位。這套系統使藥劑師能直接訂貨並獲得很有用的資訊。

改變行銷：許多產業中，挑戰者可能因創新行銷面的價值活動，發動對龍頭廠商的攻勢。下面是一些最普遍的創新活動。

- 增加產業中的行銷開支。挑戰者可以逐步升高行銷開支，攻擊龍頭廠商。以芥末、冷凍調理食品、冷凍馬鈴薯等產業為例，葛瑞布彭公司、司徒福公司和奧爾艾達

（Ore-Ida）很明顯在持續增加傳統廣告的開銷比重。加強行銷開支能使企業發出更強的價值訊號，獲得更高的品牌知名度、並爭取更佳的價格。

- 新的定位。挑戰者可以採取重新定位產品的方法攻擊領導廠商。第四章討論過，司徒福將它的冷凍調理食品定位為美食級產品，也是它取得優勢地位的關鍵因素之一。
- 銷售組織型態創新：有時候，企業應用不同型態的業務員或新的銷售組織，也可以成功動搖龍頭廠商的基礎。皇冠瓶塞能夠成功對抗美國製罐和大陸製罐，原因之一是它應用專業技術能力強的業務員，對客戶銷售完整的鐵鋁罐、瓶蓋和包裝機設備。

改變作業：許多企業成功打擊龍頭廠商的基礎，來自於它改變了價值活動的作業方式，因而降低成本或提高差異性。如第三章提到，愛荷華牛肉公司率先引用全新的肉品包裝價值鏈。卡吉勒與ADM使用一貫作業工廠打入玉米濕式碾磨產業，而奧爾艾達則採用一套改良式生產流程，提高產品品質，並在冷凍馬鈴薯產品上獲得成功。有時候，改變製程的全新科技問世，或是基礎技術的改變，都會使一套舊的製程技術重現生機（參見第五章）。

重新設計下游：企業使用龍頭廠商忽略的通路、或是集中力量搶占新通路，都是它打擊龍頭廠商的可行途徑。以下是一些下游通路創新的例子：

- ❑ 率先開發新的通路：一九五〇年代，天美時以平價商店和量販店做為手錶的通路，使它無視寶路華（Bulova）和瑞士錶廠在舊通路上的優勢，搖身變為手錶產業的龍頭。以往的龍頭廠商則是以珠寶店為主要通路。
- ❑ 先占萌芽中的通路。理察遜—魏克（Richardson-Vick）率先在超級市場銷售它的護膚產品歐蕾乳液（Oil of Olay）。對這類型產品而言，超級市場是個剛出現的通路。理察遜—魏克因此獲得率先行動的實質優勢，並使歐蕾乳液成為龍頭品牌。
- ❑ 直接銷售：日本拉鍊廠商YKK藉著繞過大宗批發商，向成衣業者直銷，成功接手太龍（Talon）在市場上的地位。

要成功打擊龍頭廠商，挑戰者的價值鏈創新動作通常不只一項。司徒福的成功，組合了好幾種明顯的行銷創新，以及產品改良動作。卡吉勒和ADM則是把製程變化和產品項目、行銷活動的變化結合起來。天美時的成功則是包含一個新的通路和低成本製造技術，以及前所未有的電視廣告攻勢。如第三、四章顯示，能持續的競爭優勢通常源自於多重來源。

產業發生結構性變化通常也會創造重新設計價值鏈的機會。天美時攻擊瑞士錶廠，靠的是剛問世的電視和大型銷售通路，再加上二次大戰時改善的製造技術。此外，國民所得增加，消費者視手錶為日用品的態度也有推波助瀾的效果。然而，在許多產業中，重新設計的關鍵在於重新思考那些已有的價值活動，而非一味利用外在環境的改變。畢竟，重新設計價值鏈是項創造性動作，一成不變或依循舊規是很難達成的。本書有關產業分析、價值鏈分析、技術分析、產業對策方案等概念，都有助於找出重新設計的機會。

重新定義

第二類攻擊龍頭廠商的途徑是，重新定義競爭範圍。拉大競爭範圍有助於產生交互關係或進行整合，但是縮小競爭幅度會使特定價值鏈吻合特定目標。第二、七、九和十二章都指出，企業的競爭優勢與它的活動範圍有密切的關係。挑戰者改變競爭範圍的方法有四種，它們分別代表四種不同的範疇。這四種重新定義的模式彼此間並不互斥。

- 以產業的某一部分為競爭重點：企業可將競爭範圍縮小到一個產業區段，而非拉長戰線。
- 整合或分散：對企業內部的活動範圍進行緊縮或擴大的調整。
- 重新定義地理範圍：將競爭範圍從地區、國家拉到國際，反之亦然。
- 橫向策略：將競爭範圍由一個產業拉到相關產業。

焦點

第七章提過各種成功對抗龍頭廠商的焦點化策略：

- ❑ 焦點客戶：如拉昆達連鎖汽車旅館將客戶定位在擔任中階主管的商務旅客，並創造一個新的低成本價值鏈，以滿足他們的特定需求。
- ❑ 焦點產品：為了對抗全錄公司，佳能、理光和賽敏全力發展小型平面影印機。
- ❑ 焦點通路：鏈鋸產業中，史提爾公司藉著提供零售商服務功能，成功地打開要求服務的客戶群市場，並以此對抗荷姆林特和麥克古龍區等大廠。

焦點化策略的優勢在於，龍頭廠商如果不修正本身策略，將很難進行反擊。這種作法也會遲滯龍頭廠商的反擊，直到挑戰者在產業中得到安全的立足點為止。此外，攻擊龍頭廠商的焦點化策略也可以當成延續策略的一部分（參考《競爭策略》第十六章）。在延續策略中，挑戰者先以焦點方式攻擊龍頭廠商，一段時間後再擴大打擊範圍，進行跨領域的競爭。在電視機和機車等產業，日本業者就是使用這種策略。他們開始時只賣低價位產品，再逐步擴展產品範圍。慢跑鞋產業中，耐吉也是使用這個方法對抗愛迪達，它首先著力於最高價位的產品並取得知名度，然後以此為據點擴張到一般跑鞋產品領域。延續策略的成功要靠產業區段的交互關係，使企業在一個產業區段的競爭優勢延伸到其他區段（參見第七章）。延續策略的附帶優勢是，它不會刺激龍頭廠商在過程初期就發動反擊。

整合或分散

整合或分散，也是挑戰者成功攻擊龍頭廠商的方式。有時候，逆向或正向整合會降低成本或提高差異性（參見《競爭策略》第十四章）。以葡萄酒產業為例，蓋洛整合製瓶業形成它的成本優勢。瑞士最大的食品零售商米格羅斯（Migros）因為朝包裝領域逆向整合，快速取得在這個產業的優勢。環境變化時，企業也可能以分散方式取得競爭優勢，對抗整合過的龍頭廠商。

重新定義地理範圍

有時候，挑戰者要打擊在某一國或少數幾國領先的對手，可以用地區性或全球性策略（請參考《競爭策略》第十三章）。挑戰者透過地理上的交互關係，可以擴大市場的地理範圍，獲得成本或差異化優勢。一個以整合或協調好幾個國家價值活動的全球策略，將帶來生產或產品開發的規模經濟，形成對全球性客戶更好的服務，以及其他優勢。像汽車、機車、堆高機、電視機，以及醫療設備等產業，全球化是挑戰者成功的重要原因。豐田汽車（Toyota）和日產汽車（Nissan）對抗通用汽車即是一例。

但是，假如產業屬於跨國本土化類型時，各國的差異性意味著領導廠商的全球化策略反而適得其反，因為它必須因應各國國情制定特定策略。嘉實多就是靠著因地制宜方式取得汽車機油領域的成功。即使在一個全球化的產業中，縱使全球化策略適用於許多產業區段，仍可能有特定區段是以國家為中心制定策略。遇到這兩種情況時，非全球化可能是挑戰者攻擊龍頭廠商的途徑。

許多產業中，企業也可能集中力量在一個國家的特定城市或地區，以成功挑戰全國性或全球性競爭對手。反過來說，當競爭對手是當地廠商時，企業的競爭優勢則來自全國性的經營。在報業領域中，甘奈特（Gannett）的《今日美國報》（*USA Today*）就是應用這種作法。

橫向策略

挑戰者可以應用經營單位之間的交互關係，做為另一種擴張競爭範圍的方法。如第九、十章討論到的，企業可因相關產業在活動上的交互關係，形成競爭優勢。挑戰者如果運用包含相關產業的橫向策略，可能會成功地攻擊侷限在比較小或不同產業範圍的龍頭廠商。以個人電腦產業為例，IBM應用旗下各經營單位的交互關係，壓倒如蘋果電腦（Apple）、坦迪電腦（Tandy）等早期領先者。交互關係也能夠成為任何產業市場占有率的替代方式，並抵消龍頭廠商的競爭優勢。

第十二章提過，附屬產品有很特別的交互關係形式。在某些產業中，將產品配套銷售能夠創造競爭優勢，但是在另一批產業中，拆散產品的配套組合可能更有效。美林證券的現金管理服務是一種包含多種個別金融服務的套裝產品，它使美林在迎戰其他目標廣泛的金融服務公司時，斬獲豐碩。

多重的重新定義

重新定義的形式有四種，彼此也並不互斥。以松下在消費電子產品領域的作法為例，挑戰者可以發展它的全球化策略，同時也追求經營單位之間的交互關係。松下的作法是以共同製造、共用銷售通路和共用其他價值活動等方式，發展許多消費電子產品。它也整合並協調全球性策略。這套作法徹底壓倒以單一國家、單一產品為主的競爭對手。

挑戰者也可以縮小特定層面的作業規模，但在另一層面上加強擴張。它可以在全球化競爭（地理上的範圍）的同時，也針對特定產業區間（產業內的範圍）攻擊龍頭廠商。另一種結合擴張與縱深等不同範圍的案例是，企業可以在一個產業中採取焦點化策略，而同時在相關產業中利用交互關係進行擴張。由於每一種重新定義都會累積它的競爭優勢，同時應用好幾套方法重新定義競爭範圍，已被證實是形成競爭優勢的有力來源。

圖15.2顯示競爭範圍的各種層面。它們可供挑戰者檢查每種範圍的可能情況，以了解是否適合用來攻擊龍頭廠商。當龍頭廠商的競爭範圍被確認之後，挑戰者接著要檢查其他重新定義的作法（縮小或擴張，或是兩者同時發動），是否能為自己創造明顯的競爭優勢。這個圖代表一九七〇年代汽車產業的型態。通用汽車應用涵括各種車型的多目標策略進行競爭。它雖然同時在美國和國際市場競爭，但策略重心是各國的市場，全

圖15.2 產業龍頭與挑戰者策略的各種可能範疇

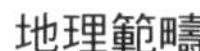

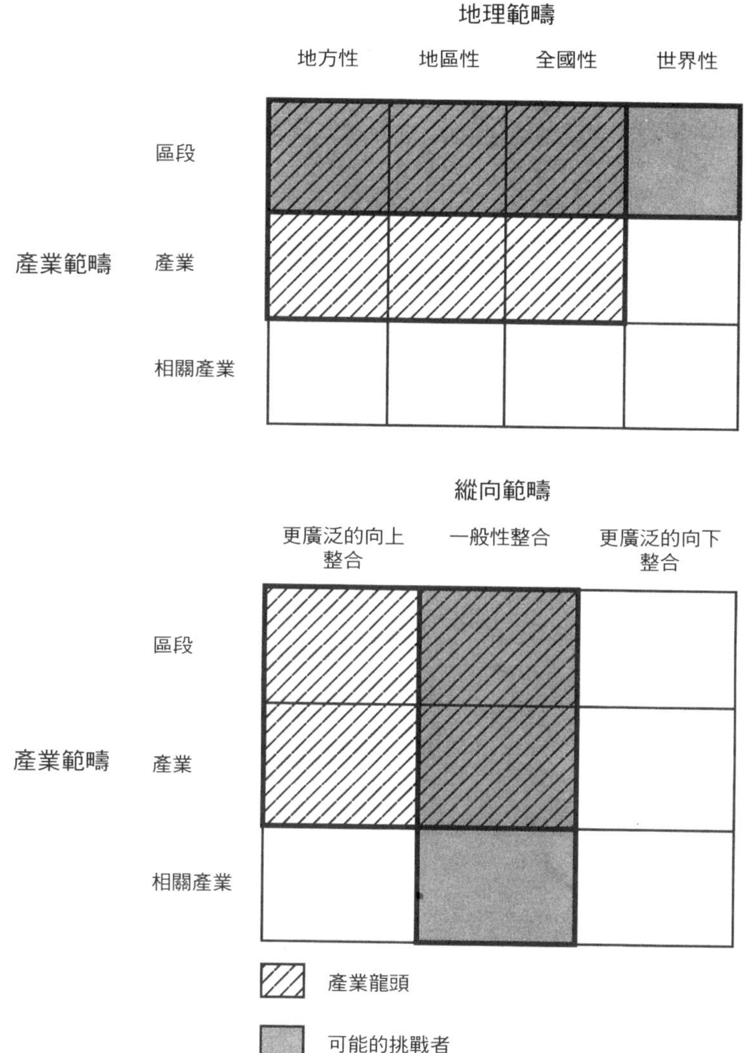

球性的協調作業相當少。豐田汽車和日產汽車則以小型車為重點，並使用協調過的全球化策略。它們在製程上就比通用汽車更具競爭優勢。

圖15.3則是美國報業的競爭型態。這個產業的傳統競爭策略是，同一報系之下，不同城市的報紙各自針對單一都市提供廣泛的新聞，而許多城市的報紙在價值鏈上是相同的組合。《華爾街日報》（*The Wall Street Journal*），還有範圍不如它的《紐約時報》（*The New York Times*），則採用針對市場中特定產業區段為主的全國性策略。《華爾街日報》近年來也著手進行局部性的全球化策略，發行歐洲和亞洲版。另外，《今日美國報》則以全國性廣告為訴求對象，嘗試成為廣泛報導各個領域新聞

圖15.3 報業的可能範疇

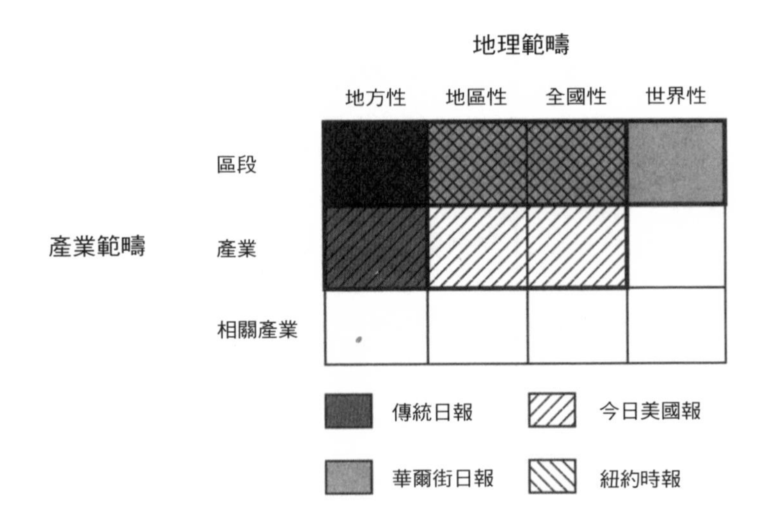

的全國性報紙。《今日美國報》和《華爾街日報》的策略能夠實現，是與現代化通訊、電腦文書處理和印刷技術密切相關。因此，重新界定範圍是報業取得競爭地位的重要條件。

前面那些重新定義的例子都指出，重新定義和重新設計經常會結合在一起。如果《華爾街日報》沒有將自己的價值鏈調整到全國性和後來的全球性策略中，就不可能成功。因此，攻擊龍頭廠商時，企業必須將重新定義和重新設計看成互補的作法。

砸錢

在企業攻擊龍頭廠商的途徑中，最後、風險也最高的一招是，既不重新設計也不重新定義，單純以資本取勝。砸錢就是以投資換取市場占有率、累積營業量，或透過低價位、大量廣告形成品牌知名度等。挑戰者以充沛的投資，尋求足夠的市場占有率和產品銷售數量，或是品牌知名度，以便在成本地位或差異化上取得領先。應用這種策略時，挑戰者和龍頭廠商的作法並無不同，只是靠資源或更強烈的投資意願壓倒龍頭廠商罷了。

這種作法雖然能抵消龍頭廠商的優勢，但是成本很高，也很容易失敗。龍頭廠商只要發揮成本或差異化方面的優勢，通常具有足夠的財力資源反制這套策略。龍頭廠商防禦既有地位的決心和投資意願通常不會低於挑戰者。石油廠商進軍化工產業和肥料業的例子，充分顯示出砸錢策略的風險性。石油業者雖然擁有充沛的財力資源，但缺乏重新設計或重新定義形成的競爭優勢，混戰後普遍留下黯淡的經營表現。砸錢策略要成功，關鍵在挑戰者有卓越的財力資源，或是龍頭廠商已無繼續投資的意願。財力充沛的龍頭廠商也可能自滿、或整合困難度較高、或在發展上有其他優先順序、或內部有調度現金的壓力等弱點。因此，當龍頭廠商缺乏資金或產業規模不大時，砸錢策略最能奏效。在這些產業中，龍頭廠商雖然擁有競爭優勢，卻缺乏相關資源來有效遏阻挑戰者的氣勢。

砸錢策略雖然是最不利於挑戰者的一種策略，但是任何重新設計或重新定義的策略，不能沒有強烈的投資意願。以製罐產業為例，當美國製罐和大陸製罐兩家廠商忙於採擷成果時，皇冠瓶塞公司大舉投資，加速了它以更現代化設備取得成本優勢的過程。

結盟攻擊龍頭廠商

為了攻擊龍頭廠商，挑戰者可能需要組織聯盟，以取得必要的資源、技術、市場或其他實力。成為聯盟的一員不保證成功，卻是企業達到重新設計、重新定義或砸錢的一種方式。在攻擊龍頭廠商的成功案例中，各種型態的結盟也扮演重要的角色。以下是兩種最主要的聯盟形式：

- 購併：企業可以買下另一家或多家廠商，或使自己成為被購併的對象。
- 結盟：在不購併的情況下，企業也可以透過技術授權、合作投資、供應協定等聯合其他廠商力量的方式結盟。

企業要在一個新的相關產業中建立橋頭堡、或在既有產業的新區段中增強本身地位、或進行更大幅度的整合、或增加新的地理區的份量，購併是一個可行的方式。IVECO因為購併多家歐洲卡車製造商，因此成為更具實力的競爭廠商。在重新設計或砸錢策略中，購併也扮演重要角色。它能結合兩個企業組織的資源和技能，使重新設計和砸錢策略變為可行。

結盟也是企業重新設計、重新定義或砸錢時，增加本身技能和資源的方式。譬如說，日本的電視機廠商發展彩色電視機產品和創新製程，始於它們向美國無線電公司購買相關技術。同樣地，一群陷於艱苦掙扎中的國營航空公司，因為合組空中巴士公司，搖身一變成為世界級的競爭者。結盟通常會隨企業擴張本身活動範圍而來，以活塞產業為例，WKM只在美國本土進行銷售，對其他國家地區則以技術授權方式擴張。

在打擊龍頭廠商時，結盟還有更微妙的作用。第五章就提過，挑戰者有時會與幾個龍頭廠商結盟，以此展開對某個龍頭廠商的攻勢。龍頭廠商技術授權其他業者，或在行銷或製程上合作投資，都將使挑戰者摸清龍頭廠商的實力所在，進而形成超越的可能性。一些日本廠商就是由產業中的外國龍頭廠商技術授權，再加以改善，壯大了自己的實力。

但是，購併和結盟有利也有弊。購併的整合難度很高，結盟夥伴間的協調也有很多問題。以影印機產業為例，全錄公司合作投資蘭克全錄（Rank Xerox），再由它形成富士全錄，過程中由於問題不斷，反而讓佳能公司從中得利。佳能的競爭優勢，部分來自它在全球化上有更佳的協調性。

遲滯龍頭廠商報復的動作

挑戰者要成功，還得找出或創造遲滯龍頭廠商報復的障礙。這些障礙或能抵消龍頭廠商的既有優勢，或降低自己的攻擊成本。下面是挑戰者防止龍頭廠商報復的可行作法（參見《競爭策略》第三章）。

投鼠忌器：當挑戰者的策略能使龍頭廠商投鼠忌器時，就能阻止對方報復的能力。龍頭廠商會投鼠忌器，原因是如果它要回應或追上挑戰者，可能必須打破自己的既有策略。比方說，當龍頭廠商以客戶服務建立競爭優勢時，如果挑戰者的攻擊策略使得客戶服務不再重要，龍頭廠商可能被迫維持既定策略而忍受市場占有率的損失。另一個案例就是BlC推出低價、用過即棄的原子筆，造成吉利公司的書寫工具事業部投鼠忌器。該事業部長期發展強調品質的Papermate品牌形象。如果它要回應對方的攻城掠地，必將損及本身的形象。最後它終於被動地推出全新的Write Brother品牌來對抗BIC。

交互關係可能會造成成本僵化（參見第九章），龍頭廠商與母公司其他經營單位的交互關係，都會是挑戰者投鼠忌器策略的焦點所在。龍頭廠商會因為顧及交互關係，而很難找出反擊挑戰者，但又不傷到姊妹經營單位的方法。如第十二章提到，當龍頭廠商採用配套產品策略時，挑戰者可以投鼠忌器策略回應。龍頭廠商可能為了避免打破本身產品組合，只好容忍挑戰者取得有限的市場，結果導致整個產業中配套銷售型態的崩潰。

龍頭廠商必須付出更高的報復成本：當龍頭廠商必須付出較高成本回應挑戰者時，它也會克制自己的報復行動。龍頭廠商的市場占有率高時，它通常不願意進行跨領域的全面降價，或增加保固年限等高成本的報復行動。假如龍頭廠商的器材、設備或勞工合約過時，或不理想時，它的回應成本也會很高。第十四章就談過如何評估防禦戰術所需成本。

財務優先順序的差異性：當龍頭廠商的財務優先順序不同於挑戰者時，它可能不理會挑戰者的攻擊。例如強調短期獲利的龍頭廠商就不會打持久戰，並可能將市場占有率拱手讓給有心長期經營的挑戰者。同樣地，如果報復行動需要大量再投資，喜歡快速現金週轉的龍頭廠商也可能選擇不回應。唐佩斯公司（Tampax）就是因財務優先順序不同而屢遭攻擊。這家公司將維持女性衛生用品超額回收視為首要之務，導致它經常坐視挑戰者攻擊而很少反應，這種情況直到最近才有所改變。許多外國廠商成功對抗美國的龍頭業者，也是靠著彼此在財務優先順序上的落差。

企業集團的限制：當龍頭廠商的母公司將注意力或決心放在其他產業上的時候，也可能不作報復性反擊。母公司會左右旗下經營單位的資源或決定它的目標。當它將旗下的產業龍頭視為印鈔機時，後者可能就缺乏防禦性資源。同樣地，正在積極多角化的龍頭廠商，對防禦核心產業的注意力也會比較差。皇冠瓶塞公司能夠成功地對抗美國製罐和大陸製罐兩大龍頭，就是因為它們正在展開其他形式包裝產品的多角化。

法規壓力：當龍頭廠商相信本身行動會受到法規限制時，它的反擊將有所顧忌。反托拉斯法的監督、安全標準、污染防治法規和其他型態的法規都會限制龍頭廠商的回應動作。有些觀察家認為，美國政府對授權獨立裝瓶商的相關限制，造成可口可樂坐視百事可樂的挑戰。今天的美國電話電報公司，也正因為顧忌法規限制，因此在面對新競爭者時礙手礙腳。

盲點：當龍頭廠商研判產業條件時，可能因假設錯誤或思考盲點而遭到重創。譬如說，當龍頭廠商對客戶的真實需求、或產業的重大變化認知錯誤時，搶先行動的挑戰者就會在它動作之前，占據有利地位。事實上在挑戰者取得足夠市場地位，站穩腳步之前，產業龍頭常常不把它放在眼中。

許多挑戰者是靠龍頭廠商的盲點而成功。哈雷機車（Harley Davidson）一直低估小型機車的需求，並且眼睜睜地看著本田機車站穩陣腳。全錄則錯估小型影印機的重要性，而增你智在設計和自動化技術都已改善時，還緊守著人工裝配不放。小心分析競爭對手的假設，就能發現它們的盲點。

價位失當：龍頭廠商在訂定價格時，可能是看產品的平均成本，而非特定產品運交特定客戶的成本。當挑戰者鎖定超過合理價格的產品，並以較低價格供應客戶時，龍頭廠商可能很慢才發現它的真實成本，而且還捨不得降低本身的毛利。面對這類攻擊策略，龍頭廠商通常會從某些產業區段陸續退出，直到挑戰者成為新的盟主為止。

拘泥於君子之爭：假如這個產業的傳統是君子之爭，龍頭廠商的報復行動也會比較晚發動。處在這類產業中，龍頭廠商常因顧忌其他同業的關係，阻礙它對挑戰者的報復行動。在軟性飲料產業中，傳統上是可口可樂發號施令，其他業者亦步亦趨，這導致可口可樂直到最近才對百事可樂發動比較猛烈的攻擊。

阻止龍頭廠商報復行動的障礙，來自許多不同原因。有些障礙是建立在如投鼠忌器或資源配置優先順序等有形因素上，其他則是建立在盲點、價格失當等龍頭廠商本身的錯誤認識上。當阻止龍頭廠商報復的有形障礙存在時，挑戰者最容易成功。障礙愈多，龍頭廠商遭遇的麻煩也愈大。瑞士鐘錶廠在回應天美時的挑戰時，顯然忽略掉天美時錶日常使用、用過即棄的銷售特性。而瑞士錶廠本身勞力密集的問題，也使得它要回應天美時自動化生產設備的成本過高，再加上業者害怕得罪長期合作的珠寶店銷售點，也讓它們無法跟上天美時直奔平價商店等通路的步子。

重新設計和重新定義策略也會形成妨礙龍頭廠商報復的障

礙。這些策略常會形成投鼠忌器、較高的回應成本，或造成龍頭廠商的認知偏差。砸錢策略的問題之一是，它無法像其他兩種攻擊龍頭廠商的作法一般，連結阻止龍頭廠商回擊的障礙。只有當龍頭廠商的財務優先順序不同，而且無意回應挑戰者的投資動作時，砸錢策略才能奏效。

龍頭廠商弱點的訊號

根據前面的說明，龍頭廠商的弱點會由許多訊號表現出來。這些訊號分為兩大類——產業訊號和龍頭廠商特質的訊號。

產業訊號

最能顯現龍頭廠商有麻煩的訊號是產業結構變遷。由於掘壕固守的龍頭廠商可能忽略產業外部的結構變化。這方面的訊息往往是點出龍頭廠商弱點最有力的指標。以下是一些表現龍頭廠商弱點的重要產業訊號：

重大的技術變革：如第五章指出，技術發展出現重大改變時，會帶來遏阻龍頭廠商競爭優勢的可能性。以輪胎產業為例，輻射層輪胎造成輪胎技術的斷層，使得米其林得以挑戰固特異和汎世通（Firestone）。在打字機產業中，電動打字機證明安德伍（Underwood）的產品過時，也威脅到SCM的優勢。與挑戰者相比，龍頭廠商因為規模經濟和學習經驗累積，通常在既有技術持續發展上占據有利地位。

客戶改變：無論是哪一種因素造成，當客戶的價值鏈出現變化時，也會帶來差異性、新通路、拆解配套產品等新機會。例如愈來愈多女性加入職場，形成許多婦女用品或家用品產業中，新手挑戰龍頭廠商的情形。因為龍頭廠商無法面面俱到，新的客戶區段就是一個機會訊號。

通路改變：新通路是挑戰者攻擊龍頭廠商的大好機會。許多消費產品的銷售逐漸轉到超級市場，就提供挑戰者攻擊某些龍頭廠商的條件。

採購項目成本或品質的改變：當重要採購項目的品質或成本改變時，挑戰者就有機會利用各種方式取得成本優勢，包括採用新的生產流程、鎖定新的原料來源、或修改產品設計以降低或改變材料內容等。例如能源價格快速攀升，就提供煉鋁業重新定位的機會。

君子之爭：前面提過，當產業長期維持穩定型態，龍頭廠商通常有大家風範，報復行動也會比較慢。

龍頭廠商本身的訊號

當產業龍頭有以下特質時，可能也是它們的弱點所在：

進退不得：進退不得的龍頭廠商（缺乏成本領導地位或差異性），本身就是個易受攻擊的靶子。這類龍頭廠商必然吻合本章開始所列舉的三項條件。

客戶不滿：客戶不滿意通常是龍頭廠商的弱點。不滿意的客戶意味著龍頭廠商濫用它的議價實力，或基於過去的成功而自大傲慢。不滿意的客戶會主動鼓勵或支持挑戰者的行動。

現有產業技術的先驅者：龍頭廠商如果是既有產業技術的先驅者，它可能會抗拒新技術，也可能因為既有技術的投資而缺乏彈性。在汽車產業發展初期，福特汽車似乎就因這個問題而受創不輕。

非常高的獲利率：假如龍頭廠商的獲利高到足以抵消攻擊的成本，擁有高獲利率的龍頭廠商等於是挑戰者發展的保護傘。獲利高的龍頭廠商通常不願意因報復而減少獲利。當龍頭廠商超額回收，也顯示它可能容許產品線上獲利率較低的部分淪陷，因而提供挑戰者焦點化攻擊的機會。

由來已久的法規問題：如果龍頭廠商擺脫不掉如反托拉斯法等法規的陰影，將限制它對挑戰者發動猛烈報復的可能性。

在企業集團中表現不佳：當龍頭廠商被企業集團認為表現不佳時，也會影響它追上最新技術變化所需的資金，或決定是否暫時犧牲獲利，對挑戰者迎頭痛擊的權力。

產業結構和攻擊龍頭廠商

該不該攻擊龍頭廠商的最後一項思考是，企業要衡量這個攻擊對整個產業結構的效應。如果因攻擊龍頭廠商而破壞產業結構，這種攻擊是不明智的。挑戰者要成功，就需要找出一種能和龍頭廠商較勁的新方法。但是這些新的競爭方式也可能喪失差異化，或降低進入障礙，或有第一章提過不利產業結構的效應。一種常見的風險就是，挑戰者雖然市場占有率增加，但與龍頭廠商比較，並未取得明顯優勢，因此，彼此的競爭地位是處於相對平衡的狀態。這將造成產業長期處於不穩定狀態，雙方決戰的時間大幅向後拖延，代價愈來愈昂貴，並形成大家都沒有競爭優勢的情形。

第六章提過，挑戰者也應該注意到，有些龍頭廠商是「好」的龍頭廠商。假如攻擊這類良性競爭對手，並使它們無法持續提供保護傘的話，這類攻擊只會帶來傷害，無助於挑戰者本身的獲利率。遇到這類情形，挑戰者應該克制攻擊龍頭廠商的意念，甚至另覓其他產業做為成長的載具。

參考文獻

ABERNATHY, WILLIAM J., AND JAMES M. UTTERBACK. "Patterns of Industrial Innovation," *Technology Review*, Vol. 80, No. 7 (June-July 1978).

ABERNATHY, WILLIAM J., KIM B. CLARK, AND ALAN M. KANTROW. *Industrial Renaissance*. New York : Basic Books, 1983.

ADAMS, WILLIAM J., AND JANET L. YELLEN. "Commodity Bundling and the Burden of Monopoly," *Quarterly Journal of Economics*, Vol. SC(August 1976), pp. 475-498.

AMERICAN EXPRESS COMPANY, 1982 Annual Report.

BASS, FRANK M. "A New Product Growth Model for Consumer Durables, " *Management Science*, Vol. 15(January 1969), pp. 215-227.

BAUMOL, WILLIAM J., JOHN C. PANZAR, AND ROBERT D. WILLIG, with contributions by Elizabeth E. Bailey, Dietrich Fischer, and Herman C. Quirmbach, *Contestable Markets and The Theory of Industry Structure*, New York : Harcourt Brace Jovanovich, 1982.

BLOOM, PAUL N., AND PHILIP KOTLER. "Strategies for High Market Share Companies," *Harvard Business Review* (November-December 1975), pp. 62-72.

BONOMA, THOMAS V., AND BENSON P. SHAPIRO. *Segmenting the Industrial Market*. Lexington, Mass. : Lexington Books, 1983.

BOSTON CONSULTING GROUP. "The Rule of Three and Four," *Perspectives* No. 187 (1976).

BOWER, JOSEPH, L., "Simple Economic Tools For Strategic Analysis," Harvard Business School Case Study, No. 9-373-094.

BUARON, ROBERTO, "New-Game Strategies," The McKinsey Quarterly (Spring, 1981), pp. 24-40.

BUZZELL, ROBERT D. "Are There Natural Market Structures," *Journal of Marketing* (Winter 1981), pp. 42-51.

CAVES, RICHARD E., M. FORTUNATO, AND PANKAJ GHEMAWAT. "The Decline of Monopoly, 1905-1929," Discussion Paper 830, Harvard Institute of Economic Research, Cambridge, Mass., June 1981.

COASE, RONAI.D H., "The Nature of the Firm," *Economica* (November 1937), pp. 386-405.

COASE, RONALD H., "Industrial Organization : A Proposal for Research," in V. R. Fuchs, ed., *Policy Issues and Research in Industrial Organization*, New York : National Bureau of Economic Research, 1972.

DIXIT, AVINASH K., "The Role of Investment in Entry-Deterrence," Economic Journal (March 1980), pp. 95-106.

DIXIT, AVINASH K., AND VICTOR NORMAN. *Theory of International Trade : A Dual, General Equilibrium Approach*, J. Nisbet: Cambridge, England : Cambridge University Press, 1980.

ECCLES, ROBERT G. *The Transfer Pricing Problem : A Theory for*

Practice, Lexington, Mass. : Lexington Books, 1985.

FISHER, JOHN C., AND ROBERT H. PRY. "A Simple Substitution Model of Technological Change," *Technological Forecasting and Social Change*, Vol. 2 (May 1971), pp. 75-88.

FORBIS, JOHN L. AND NITIN T. MEHTA, "Economic Value to the Customer," McKinsey and Company Staff Paper (February 1979).

GALBRAITH, JAY. *Designing Complex Organizations*, Reading, Mass. : Addison-Wesley, 1973.

"GENERAL CINEMA CORPORATION," Harvard Business School Case Services 9-377-084, 1976.

GHEMAWAT, PANKAJ. "Building Strategy on the Experience Curve," *Harvard Business Review*, forthcoming.

GLUCK, FREDERICK W., "Strategic Choice and Resource Allocation," The McKinsey Quarterly (Winter 1980), pp. 22-23.

GUPTA, ANIL K., AND VIJAYARAGHAVAN GOVINDARAJAN. "Resource Sharing Among SBU's : Strategic Antecedents and Administrative Implications," Working Paper, Boston University, December 1983.

HAMILTION, RONALD H. "Scenarios in Corporate Planning," *Journal of Business Strategy*, No. 2 (Summer 1981), pp. 82-87.

HASPESLAGH, PHILLIPE. "Portfolio Planning : Uses and Limits," *Harvard Business Review*, No. 1 (January-February 1982), pp. 58-73.

KLEIN, HAROLD E., AND ROBERT E. LINNEMAN. "The Use of Scenarios in Corporate Planning : Eight Case Histories," *Long Range Planning*, No. 14 (October 1981), pp. 69-77.

KOTLER, PHILIP. *Marketing Management : Analysis, Planning and Control*, 4th ed., Englewood Cliffs, N.J. : Prentice-Hall, 1980.

KOTTER, JOHN P. The General Manager, New York : The Free Press, 1982.

LAWRENCE, PAUL R., AND JAY W. LORSCH. *Organization and Environment : Managing Differentiation and Integration*, Cambridge, Mass. : Harvard Graduate School of Business Administration, Harvard University, 1967.

LEVITT, THEODORE. "Marketing Intangible Products and Product Intangibles," *Harvard Business Review*, No. 3 (May-June 1981), pp. 94-102

LEVITT, THEODORE. "Marketing Myopia," *Harvard Business Review* (July-August 1960), pp. 26-37.

LORSCH, JAY W., AND STEPHEN A. ALLEN. *Managing Diversity and Interdependence : An Organizational Study of Multidimensional Firms*. Cambridge, Mass. : Harvard Graduate School of Business Administration, Division of Research, 1973.

MAHAJAN, VIJAY, AND EITAN MULLER. "Innovation Diffusion and New Product Growth Models in Marketing," *Journal of Marketing*, Vol. 43 (October 1979), pp. 55-68.

MALASKA, PENTTI, MARTTI MALMIV-IRTA, TARJA

MERISTO, AND STENOLOF HANSEN. "Multiple Scenarios in Strategic Management : The First European Survey" Working Paper, Turku School of Economics and Business Administration. Turku, Finland, 1983.

MANDELL, THOMAS F. "Scenarios and Corporate Strategy," *Planning in Uncertain Times*. Business Intelligence Program, SRI International, November 1982.

MANSFIELD, EDWIN "Technological Change and the Rate of Imitation," *Econometrica*, Vol. 29, No. 4 (October 1961), pp. 741-766.

MORIARTY, ROWLAND T. *Industrial Buying Behavior : Concepts, Issues and Applications*, Lexington, Mass. : Lexington Books, 1983.

PORTER, MICHAEL E. *Competitive Strategy : Techniques for Analyzing Industries and Competitors*, New York : The Free Press, 1980.

PORTER, MICHAEL E., ed., *Competition in Global Industries*, Cambridge, Mass. : Harvard Graduate School of Business Administration, 1985, forthcoming.

ROBERTSON, THOMAS S. *Innovation Behavior and Communication*. New York : Holt, Rinehart & Winston, 1971.

SALOP, STEVEN C. "Strategic Entry Deterrence," *American Economic Review*, Vol. 69 (May 1979), pp. 335-338.

SCHAMLENSEE, RICHARD. "Entry Deterrence in the Ready-to-Eat Breakfast Cereal Industry," *Bell Journal of Economics*, Vol. 9,

No.2 (Autumn 1980), pp. 305-327.

SCHELLING, THOMAS C., *The Strategy of Conflict*, Cambridge, Mass. : Harvard University Press, 1960.

"SHELL'S MULTIPLE SCENARIO PLANNING," *World Business Weekly*, April 7, 1980.

SCHOCKER, ALLAN D, AND V. SRINIVASAN, "Multiattribute Approaches for Product Concept Evaluation and Generation : A Critical Review, *Journal of Marketing Research*, XVI (May 1979), pp. 159-180.

STENGREVICS, JOHN M. "The Group Executive : A Study in General Management, " Doctoral Dissertation, Harvard Graduate School of Business Administration, 1981.

STENGREVICE, JONH M. "Marking Cluster Strategies Work," *Journal of Business Strategy*, forthcoming.

STUART, ALEXANDER. "Meat Packers in Stampede," *Fortune*, June 29, 1981, pp. 67-71.

TEECE, DAVID J., "Economies of Scope and the Scope of the Enterprise," *Journal of Economic Behavior and Organization*, Vol. 1 (1980), pp. 223-247.

WACK, PIERRE A. "Learning to Design Planning Scenarios : The Experience of Royal Dutch Shell," Working Paper, Harvard Graduate School of Business Administration, 1984.

WELLS, JOHN R. "In Search of Synergy : Strategies for Related Diversification," Doctoral Dissertation, Harvard Graduate School of Business Administration, 1984.

WILLIAMSON, OLIVER E. *Markets and Hierarchies : Analysis and Antitrust Implications*, The Free Press : New York, 1975.

World Business Weekly, September 21, 1981, p. 36

YIP, GEORGE, *Barriers to Entry : A Corporate Strategy Perspective*. Lexington, Mass. : Lexington Books, 1982.

國家圖書館出版品預行編目資料

競爭優勢／麥可・波特（Michael E. Porter）著；李明軒、邱如美譯. -- 第二版. -- 臺北市 : 遠見天下文化, 2010.03
冊； 公分. --（財經企管；CB190A-191A）

譯自 : Competitive advantage : creating and sustaining superior performance
ISBN 978-986-216-515-7(上冊 : 精裝). --
ISBN 978-986-216-516-4(下冊 : 精裝)

1. 企業競爭　　2. 企業管理

494.1　　99005322

競爭優勢（下）

作　者／麥可・波特（Michael E. Porter）
譯　者／李明軒、邱如美
總編輯／吳佩穎
責任編輯／高文麒、許玉意
封面設計／張議文

出版者／遠見天下文化出版股份有限公司
創辦人／高希均、王力行
遠見・天下文化 事業群榮譽董事長／高希均
遠見・天下文化 事業群董事長／王力行
天下文化社長／王力行
天下文化總經理／鄧瑋羚
國際事務開發部兼版權中心總監／潘欣
法律顧問／理律法律事務所陳長文律師　著作權顧問／魏啟翔律師
地　址／台北市104松江路93巷1號2樓
讀者服務專線／(02) 2662-0012　傳　真／(02)2662-0007；(02)2662-0009
電子郵件信箱／cwpc@cwgv.com.tw
直接郵撥帳號／1326703-6號　遠見天下文化出版股份有限公司

電腦排版／極翔企業有限公司
製版廠／東豪印刷事業有限公司
印刷廠／柏晧彩色印刷有限公司
裝訂廠／台興印刷裝訂股份有限公司
登記證／局版台業字第2517號
總經銷／大和書報圖書股份有限公司　電話／(02) 8990-2588
出版日期／1999年1月25日第一版第1次印行
2024年3月15日第四版第1次印行

定價／500元
原著書名／*Competitive Advantage: Creating and Sustaining Superior Performance* by Michael E. Porter

4713510944417（英文版 ISBN-13: 978-0684841465）
書號：BCB191C
天下文化官網　bookzone.cwgv.com.tw